Moordmotieven

D1639318

3004

Van dezelfde auteur

Totdat de dood ons scheidt
Afrekening in bloed
Klassemoord
Zand over Elena
De verdwenen Jozef
Mij is de wrake
Waar rook is…
In handen van de vijand
In de ban van bedrog
Wie zonder zonde is…
Verrader van het verleden
Zijn laatste wil
In volmaakte stilte
Een onafwendbaar einde

Bezoek onze internetsite www.awbruna.nl
voor informatie over al onze boeken.

Elizabeth George

Moordmotieven

Zwarte Beertjes
Utrecht

Oorspronkelijke titel: I, Richard
© 2001 by Susan Elizabeth George
Vertaling: Rie Neehus, Martin Jansen in de Wal
Omslagontwerp: Studio Eric Wondergem
© 2007 A.W. Bruna Uitgevers B.V., Utrecht

Dit is een uitgave van A.W. Bruna Uitgevers B.V.
in samenwerking met Zwarte Beertjes.

ISBN 978 90 461 1267 2
NUR 313

Behoudens de in of krachtens de Auteurswet van 1912 gestelde uitzonderingen mag niets uit deze uitgave worden verveelvoudigd, opgeslagen in een geautomatiseerd gegevensbestand, of openbaar gemaakt, in enige vorm of op enige wijze, hetzij elektronisch, mechanisch, door fotokopieën, opnamen of enige andere manier, zonder voorafgaande schriftelijke toestemming van de uitgever. Voor zover het maken van reprografische verveelvoudigingen uit deze uitgave is toegestaan op grond van artikel 16 h Auteurswet 1912 dient men de daarvoor wettelijk verschuldigde vergoedingen te voldoen aan de Stichting Reprorecht (Postbus 3060, 2130 KB Hoofddorp, www.reprorecht.nl). Voor het overnemen van gedeelte(n) uit deze uitgave in bloemlezingen, readers en andere compilatiewerken (artikel 16 Auteurswet 1912) kan men zich wenden tot de Stichting PRO (Stichting Publicatie- en Reproductierechten Organisatie, Postbus 3060, 2130 KB Hoofddorp, www.cedar.nl/pro).

Inhoud

Toelichting op *Moordmotieven*

Aanvankelijk heb ik dit verhaal geschreven voor *Sisters in Crime II*. De inspiratie ervoor deed ik op na twee zomercursussen aan de universiteit van Cambridge te hebben gevolgd via een programma dat werd aangeboden door UCLA. De eerste cursus, in 1988, was gewijd aan landhuizen in Groot-Brittannië, en zo ontstond het oorspronkelijke idee voor een verhaal dat ik *Moordmotieven* noemde. De tweede cursus, in 1989, had Shakespeare tot onderwerp, en de eigenaardige, grillige kijk op William Shakespeare als heimelijke marxist – ongeacht de anachronistische kronkel van een dergelijke opvatting! – werd een deel van de basis voor een boek dat ik geschreven heb, met als titel *Zand over Elena*, dat gesitueerd was in Cambridge.
Moordmotieven was mijn eerste poging tot een thriller in verkorte vorm. Het was tevens het eerste korte verhaal dat ik in ongeveer twintig jaar heb geschreven. Op zich was het een aardige poging, maar ik was er toch niet helemaal tevreden over. Integendeel, vrij kort na de publicatie besefte ik dat ik de verkeerde persoon had laten vermoorden, en ik vatte het plan op om, wanneer ik de kans kreeg, het verhaal te herschrijven.
In die tussentijd gebeurde er veel in mijn leven. Ik had contracten voor het schrijven van andere boeken, ik ging lesgeven en moest research doen. Zo nu en dan werd me zelfs gevraagd om andere korte verhalen te schrijven en wanneer zo'n verzoek samenviel met een idee waarvan ik dacht dat het in minder dan 600 pagina's verwerkt kon worden, ging ik opnieuw aan de slag met die uitdagende hoeveelheid pagina's.
Uiteindelijk wilde mijn Zweedse uitgever een dun boekje

met mijn verhalen uitgeven, waarvan er op dat moment slechts drie voorhanden waren. Ik stemde ermee in. Mijn Engelse uitgever ontdekte dit boek en verzocht het in het Engels te mogen publiceren. Mijn uitgevers in Duitsland en Frankrijk volgden en heel kort daarna deed mijn Amerikaanse uitgever hetzelfde verzoek. Op dat moment besefte ik dat de tijd gekomen was om *Moordmotieven* te herschrijven, en tevens om twee verhalen waar ik nog op broedde aan de kleine verzameling toe te voegen.

Het gevolg was dat ik me ertoe zette *Moordmotieven* te herzien en te herschrijven, en wat u hier ziet – voor het eerst – is de nieuwe versie van dat oudere en veel langere verhaal. Ik ben heel tevreden over de nieuwe versie, met een nieuwe benadering en een nieuw slachtoffer. En Abinger Manor heeft een nieuwe eigenaar. Maar de overige hoofdpersonen zijn onveranderd gebleven.

Moordmotieven

Wanneer deelnemers aan de studiegroep Geschiedenis van de Engelse architectuur later terugdachten aan de affaire van Abinger Manor, placht ieder van hen te zeggen dat Sam Cleary de waarschijnlijkste kandidaat was geweest om vermoord te worden. Nu kun je je afvragen waarom iemand een onschuldige Amerikaanse professor in de botanie zou willen vermoorden die – althans ogenschijnlijk – niets anders had gedaan dan met zijn vrouw naar de universiteit van Cambridge te komen om een zomercursus te volgen bij St. Stephen's College. Maar weet u, daar gaat het nu juist om: dat hij er kwam met zijn vrouw. De oude Sam – minstens zeventig en altijd onberispelijk gekleed, met een zwak voor vlinderdasjes en tweed, zelfs midden in de heetste zomer die Engeland sinds tientallen jaren had gekend – had de neiging te vergeten dat zijn echtgenote, Frances, was meegekomen. En wanneer Sam vergat dat hij Frances bij zich had, dwaalden zijn ogen zoekend rond om de andere dames te taxeren. Het leek een tweede natuur te zijn voor de man.
Wanneer het bij kijken was gebleven had Frances Cleary het misschien door de vingers kunnen zien. Ze kon tenslotte niet van haar man verwachten dat hij met oogkleppen op door Cambridge wandelde, en Cambridge in de zomer trok knappe vrouwen aan zoals een barbecue wespen aantrekt. Maar toen hij ertoe overging lange avonden in de kroeg van het college door te brengen en daar hun studiegenote Polly Simpson ging vermaken met allerlei verhalen, van zijn jeugd die hij had doorgebracht op een boerderij in Vermont tot zijn jaren in Vietnam, waar Sam, volgens zijn zeggen, zijn hele peloton in zijn eentje gered

had... tja, dat werd Frances te veel. Niet alleen was Polly jong genoeg om Sams kleindochter te kunnen zijn, ze was – als u me de uitdrukking wilt vergeven – een spetter, blond en met rondingen die de arme Frances zelfs in de bloei van haar leven niet had getoond.
Dus toen Sam Cleary en Polly Simpson zich de avond voor de bewuste dag in de kroeg van het college vertoonden, waar ze lachten, praatten, elkaar zoals gewoonlijk plaagden en giechelden als een stel tieners – wat Polly met haar drieëntwintig jaar feitelijk nog steeds was – en zich bovendien tot twee uur in de nacht gedroegen als 'mensen die iets van plan waren', vielen er ten slotte harde woorden tussen Frances en haar echtgenoot. En haar echtgenoot was niet de enige die ze hoorde.
Noreen Tucker was degene die de volgende ochtend aan het ontbijt met het nieuwtje over dit delicate onderwerp kwam aanzetten. Ze was de afgelopen nacht om zeven voor halfdrie wakker geworden door het geluid van Frances' toenemende ongenoegen en ze was wakker gehouden door het geluid van Frances' toenemende ongenoegen tot precies zeven minuten over halfvijf. Op dat moment had een dichtslaande deur Sams besluit om niet langer te luisteren naar de beschuldigingen van zijn vrouw over harteloze ongevoeligheid en verraderlijke ontrouw, benadrukt.
Onder andere omstandigheden zou een onvrijwillige toehoorster de details van dit afgeluisterde echtelijke meningsverschil wellicht voor zich hebben gehouden. Maar Noreen Tucker was een vrouw die graag in de schijnwerpers stond. En omdat ze tot dusver slechts weinig erkenning had gekregen voor haar dertig jaar als romanschrijfster, greep ze de kans om voor het voetlicht te treden gretig aan.
Dat deed ze dus ook op de ochtend van de bewuste dag, toen de andere leden van de zomercursus Geschiedenis van de Engelse architectuur in de spelonkachtige eetzaal

van St. Stephen's College bijeenkwamen voor het ontbijt. Gekleed in een Laura Ashley-jurk en met een strohoed op, in de misplaatste overtuiging dat jeugdigheid uitstralen gelijkstaat aan jeugdig zijn, onthulde Noreen de sappige details van de ruzie die de Cleary's in de vroege ochtend hadden gehad, waarbij ze naar voren leunde en blikken naar links en rechts wierp om zowel het belang als de vertrouwelijke aard van de informatie die ze doorgaf te benadrukken.

'Ik kon mijn oren niet geloven,' vertelde ze haar medestudenten tijdens haar ademloze opsomming. 'Wie lijkt er nu beschaafder dan Frances Cleary, vraag ik jullie, wie? Niet te geloven dat ze ook maar wist dat dergelijke woorden bestonden... Nou, ik was werkelijk in shock toen ik het hoorde. Ik schaamde me dood. Ik wist niet of ik op de muur moest kloppen om haar te kalmeren, of dat ik hulp moest halen. Hoewel ik me niet kan voorstellen dat de nachtportier erbij betrokken zou willen raken, ook al was ik hem gaan roepen. Bovendien, als ík er op de een of andere manier bij betrokken zou raken, bestond altijd de kans dat Ralph ertussen gesprongen zou zijn om te proberen me te verdedigen, weet je. En dat risico kon ik hem toch niet laten lopen? Sam had hem kunnen vragen om mee te gaan naar buiten en Ralph is beslist niet in staat om met iemand op de vuist te gaan. Zo is het toch, schat?'

Ralph, Noreens schaduw en permanente metgezel, was meer een sukkel in een safari-jasje dan een echte man. Niemand van de Geschiedenis van de Engelse architectuurgroep was erin geslaagd om meer dan tien woorden uit de man te trekken in de elf dagen van hun verblijf in Cambridge, en onder de grotere groep studenten die andere cursussen bij St. Stephen's College volgden bevonden zich zelfs personen die durfden te zweren dat hij doofstom was.

Hij leed aan hypoglykemie, een te laag glucosegehalte in het bloed, wat het onderwerp was waar Noreen naar over-

schakelde toen ze klaar was met het ontleden van het huwelijk van de Cleary's en Sams aantrekkingskracht op vrouwen in het algemeen en op Polly Simpson in het bijzonder. Ralph, deelde ze haar toehoorders mee, was echt een slachtoffer van die kwaal. Een lage bloedsuikerspiegel was de vloek die op de familie van Ralph rustte, verklaarde ze, en hij had er van hen allemaal het meeste last van. Hij was zelfs een keer bewusteloos geraakt terwijl hij achter het stuur van hun auto zat, op de snelweg nog wel. Slechts door Noreens heldere geest en kordate optreden was een totale ramp voorkomen.
'Ik greep het stuur zo snel dat je bijna zou denken dat ik een opleiding had gevolgd tot beroepshulpverlener of iets dergelijks,' onthulde Noreen. 'Het is verbazingwekkend hoe snel we kunnen reageren wanneer er iets ergs gebeurt, vinden jullie ook niet?' Zoals haar gewoonte was wachtte ze niet op antwoord. Ze wendde zich tot haar man en zei: 'Je hebt je nootjes en je knabbels toch wel bij je, om mee te nemen op de excursie van vandaag, lieverdje van me? We mogen niet het risico lopen dat je midden in Abinger Manor flauwvalt, hè?'
'Boven in de kamer,' zei Ralph tegen zijn schaaltje cornflakes.
'Als je ze maar niet vergeet mee te nemen,' antwoordde zijn vrouw. 'Je weet hoe je bent.'
'Hij zit volkomen onder de plak,' merkte Cleve Houghton op toen hij bij hen aan tafel plaatsnam. 'Wat Ralph nodig heeft is lichaamsbeweging, niet die troep die jij hem telkens toestopt, Noreen.'
'Over troep gesproken,' kaatste Noreen terug met een veelbetekenende blik op het bord dat hij bij zich had en dat afgeladen was met eieren, worstjes, gegrilde tomaten en champignons. 'Ik zou maar niet zo snel zijn met mijn commentaar, beste Cleve. Dit kan toch zeker niet goed zijn voor je hart.'

'Ik heb vanochtend twaalf kilometer hardgelopen door het bos,' antwoordde hij. 'Helemaal tot Grantchester, zonder dat ik begon te hijgen, dus met mijn hart is alles prima in orde, dank je wel. Jullie zouden allemaal eens moeten proberen om wat meer te lopen. Verdorie, het is de beste lichaamsbeweging voor een mens.' Hij schudde zijn haar naar achteren – dat dik en donker was, iets waar een man van vijftig trots op mocht zijn – en kreeg vervolgens Polly Simpson in het oog die net de eetzaal binnenkwam. Hij voltooide zijn opmerking met: 'De op een na beste lichaamsbeweging', waarna hij traag, met halfdichte ogen, in Polly's richting glimlachte.
Noreen giechelde. 'Lieve hemel, Cleve, hou je een beetje in. Ik geloof dat ze al besproken is. Of in elk geval dat er over haar gesproken wordt.' Noreen gebruikte haar eigen opmerking voor het onderwerp dat ze behandeld had voor Cleve op het toneel verscheen. Deze keer voegde ze er echter een paar ideeën aan toe, waarvan de meeste betrekking hadden op Polly Simpson als geboren onruststookster en iemand van wie Noreen op de eerste dag al had geweten dat ze in hun gezelschap een soort tweedracht zou zaaien. Wanneer ze niet met hun lerares slijmde – ongetwijfeld om betere eindcijfers te krijgen – door kreten te slaken over hoe mooi de dia's waren die de vermoeiende vrouw haar studenten dagelijks opdrong, deed ze immers niets anders dan toenadering zoeken tot een van de mannen op een manier die ze zelf waarschijnlijk als vriendelijk beschouwde maar die ieder ander met ook maar een greintje verstand als ronduit uitdagend zou bestempelen. 'Wat is ze nu eigenlijk van plan?' wilde Noreen van iedereen weten die op dit moment nog naar haar luisterde. 'Ze zitten avond aan avond met hun hoofd bij elkaar, zij en Sam Cleary. En wat doen ze? Je maakt mij niet wijs dat ze het over bloemen en planten hebben. Ze smeden plannen voor later. Samen. Let op mijn woorden.'

Of iemand van plan was op haar woorden te letten werd niet uitgesproken, omdat Polly Simpson zich op dat moment bij haar studiegenoten voegde, met een blad bij zich waarop ze, om duidelijk te laten zien dat ze op haar gewicht lette, niet meer had geplaatst dan een enkele banaan en een kop koffie. Zoals gewoonlijk hing haar camera om haar nek en nadat ze het blad had neergezet liep ze met grote stappen naar het eind van de tafel en stelde haar fototoestel scherp op de groep die aan het ontbijt zat. Tijdens de middag van hun eerste les in de Geschiedenis van de Engelse architectuur had Polly verklaard dat zij alles zou vastleggen en tot dusver had ze zich aan haar woord gehouden. 'Geloof me, jullie zullen dit willen meenemen als aandenken,' kondigde ze elke keer dat ze iemand op de korrel nam aan. 'Dat beloof ik je. De mensen vinden mijn foto's altijd leuk wanneer ze die zien.'
'Jezus, Polly. Niet nu,' mopperde Cleve terwijl het meisje haar lens bijstelde aan het uiterste eind van de ontbijttafel, maar zijn klacht klonk niet onvriendelijk en het ontging niemand dat hij met een hand door zijn haar streek om het net voldoende in de war te maken om hem er weer als een dertigjarige uit te laten zien.
'De groep is nog niet compleet, Polly,' zei Noreen. 'En je wilt toch zeker iedereen op de foto hebben?'
Polly keek om zich heen. Daarna glimlachte ze en zei: 'Nou, daar heb je Em en Howard. We hebben nu bijna het hele stel.'
'Toch zeker niet de belangrijkste mensen,' bleef Noreen volhouden toen de twee medestudenten zich bij hen voegden. 'Wil je niet op Sam en Frances wachten?'
'Niet iedereen hoeft op elke foto te staan,' zei Polly, alsof Noreens vraag niet voldoende onderstromingen had bevat om een gorilla in te laten verdrinken.
'Toch...' mompelde Noreen en ze vroeg Emily Guy en Howard Breen – twee deelnemers uit San Francisco die

vanaf de eerste dag met elkaar waren opgetrokken – of die misschien Sam of Frances waren tegengekomen boven aan trap L, waar ze allemaal hun kamer hadden. 'Ze hebben vannacht niet al te best geslapen,' zei Noreen met een veelbetekenende blik in Polly's richting. 'Ik vraag me af of ze vanochtend misschien door de wekker heen zijn geslapen.'
'Niet met Howard die onder de douche stond te zingen,' zei Emily. 'Ik kon hem twee verdiepingen lager horen.'
Howard zei: 'Geen dag begint goed zonder een ochtendhulde aan Barbra.'
Noreen, die niet blij was met deze wending van het gesprek, maakte er een eind aan door te zeggen: 'En ik dacht nog wel dat mensen van jouw slag helemaal bezeten waren van Bette Midler.'
Na die woorden viel er een onbehaaglijke stilte aan tafel. Polly's lippen gingen vaneen en ze liet haar camera zakken. Emily Guy fronste haar wenkbrauwen en speelde de onschuldige oude vrijster die niet precies begreep waar Noreen op doelde. Cleve Houghton snoof, als altijd zijn machopose bewarend. En Ralph Tucker bleef cornflakes naar binnen lepelen.
Howard zelf was degene die de stilte verbrak. Hij zei: 'Bette Midler? Nee. Ik vind Bette alleen leuk als ik mijn hoge hakken en mijn netkousen draag, Noreen. En die kan ik niet aan onder de douche. Water is slecht voor je lakschoenen.'
Polly grinnikte, Emily glimlachte en Cleve bleef Howard zeker tien seconden aanstaren alvorens waarderend te grijnzen. 'Ik zou je best eens met hoge hakken en netkousen willen zien,' zei hij.
'Alles op zijn tijd,' antwoordde Howard. 'Eerst ontbijten.'

U begrijpt dus dat Noreen Tucker ook een heel geschikte kandidate zou zijn geweest om vermoord te worden. Ze vond het leuk om in de pan te roeren en te zien wat er op

de bodem was aangekoekt, en als ze dat goed en wel had losgeroerd, genoot ze van de bittere smaak die het aan het brouwsel gaf. Ze besefte echter niet dat ze het deed. Haar bedoelingen waren zeer eenvoudig, ongeacht het resultaat. Als de gesprekken gingen over onderwerpen die zij had gekozen, kon ze de discussie gaande houden en zich daarmee aan het hoofd van de studiegroep plaatsen. Aan het hoofd staan betekende dat alle ogen op haar gericht waren. En het feit dat in Cambridge alle ogen op haar gericht waren, verzachtte de pijn die ze voelde omdat er nergens anders ogen op haar werden gericht.
Het probleem was Victoria Wilder-Scott, hun lerares, een warrige vrouw die altijd kakikleurige of geruite blouses droeg en die er gewoonlijk en onbewust tijdens de lessen zo bij zat dat haar slipje zichtbaar was voor de mannelijke studenten. Victoria was er om hun hoofd te vullen met de bijzonderheden van de Engelse architectuur. Ze was niet in het minst geïnteresseerd in geroddel tijdens de zomercursus en zij en Noreen hadden vanaf de eerste dag beleefd maar dodelijk met elkaar overhoopgelegen, een grimmige strijd om te zien wie er iets te zeggen kreeg over wat er in de groep werd behandeld. Noreen probeerde Victoria altijd op een zijspoor te brengen met indringende en doorgaans absurde vragen over het privé-leven van de architecten wier werk ze bestudeerden. Vond Christopher Wren zijn naam een beletsel om een blijvende liefde in zijn leven te verwerven? Stak er achter Adams plafonds iets zeer zinnelijks dat in tegenspraak was met zijn karakter? Victoria Wilder-Scott staarde echter alleen maar naar Noreen, alsof ze verwachtte dat de opmerkingen voor haar vertaald zouden worden, voor ze zei: 'Ja, nou', en Noreens vragen wegwuifde alsof het vervelende vliegen waren.
Ze had haar studenten in de Geschiedenis van de Engelse architectuur vanaf de eerste dag voorbereid op de excursie naar Abinger Manor. Abinger Manor, ergens op het Engel-

se platteland, weerspiegelde alle bouwstijlen die in Groot-Brittannië bekend waren en was tegelijkertijd een schatkamer vol met allerlei zaken, van kostbaar rococozilver tot schilderijen van Engelse, Vlaamse en Italiaanse meesters. Victoria had haar studenten eindeloos dia's getoond van gewelfde plafonds, beschadigde frontons, vergulde kapitelen op marmeren pilaren, bewerkte stenen gargouilles en getande kroonlijsten, en wanneer hun hersens verzadigd waren met architectonische details vulde ze de overdaad aan met nog meer dia's, van porselein, zilver, beelden, wandtapijten en een groot aantal meubelstukken. Dit, vertelde ze hun, was het kroonjuweel van de Engelse landgoederen. Het statige gebouw was kortgeleden opengesteld voor het publiek en de wachttijd om het te bezoeken voor mensen die niet het geluk hadden deel te nemen aan de zomercursus Geschiedenis van de Engelse architectuur aan de universiteit van Cambridge, bedroeg minimaal twaalf maanden. En dat alleen wanneer de gretige bezoeker dagen achter elkaar bleef proberen om telefonisch een plaats te reserveren. 'Niet die onzin van reserveren via internet,' had Victoria Wilder-Scott hun verteld. 'Op Abinger Manor doen ze alles nog op de ouderwetse manier.' Wat, natuurlijk, tevens de enig juiste manier was. Ze zouden dit monument voor vervlogen tijden – om over decorum nog maar niet te spreken – over enkele uren zien, na een tamelijk lange rit dwars door het platteland.
Die ochtend zouden ze bijeenkomen bij Queen's Gate, die toegang bood tot Garrett Hostel Lane, aan het eind waarvan hun minibus op hen zou wachten. Het was op deze plek, waar de verzamelde studenten hun lunchpakketten ophaalden en erin neusden met de gebruikelijke klachten over het universiteitsvoedsel, dat Sam Cleary met een bedrukt gezicht en Frances die er ellendig uitzag, zich ten slotte bij hen voegden.
Als kleren iets zeiden over de afloop van hun onenigheid

tijdens de kleine uurtjes, was Sam kennelijk als overwinnaar uit de strijd gekomen: goedverzorgd als altijd in een keurig sportjasje en met een vlinderdasje dat de mosgroene accenten van zijn tweedbroek geraffineerd aanvulde. Frances daarentegen was de slonzigheid zelve in een te wijde tuniek en een bijpassende te wijde broek. Ze zag eruit als een vluchtelinge tijdens de Culturele Revolutie.

Polly leek niets liever te willen dan een eventuele breuk die ze tussen de professor en zijn vrouw had veroorzaakt, te herstellen. Ze was tenslotte vijftig jaar jonger dan Sam en bovendien had ze thuis in Chicago een vriendje. Weliswaar had ze genoten van de aandacht van een oudere man – een écht oudere man, zoals ze het zelf zou uitdrukken – die Sam een aantal opeenvolgende avonden in de kroeg van de universiteit aan haar had geschonken, maar dat wilde nog niet zeggen dat ze er ooit aan gedacht had om de vlammetjes van Sams belangstelling aan te wakkeren tot een groter vuur. Het moest gezegd worden, hij zag er bijzonder knap uit met al dat grijze haar en die gezonde blos op zijn wangen. Maar het viel niet te ontkennen dat hij ook oud was, en niet te vergelijken met Polly's eigen David, ondanks Davids tot dusver onwankelbare en ietwat geobsedeerde belangstelling voor het bestuderen van brulapen, waar hij zijn carrière aan wilde wijden.

Polly riep de Cleary's een vrolijk goedemorgen toe en zwaaide naar hen met haar camera. Voor deze excursie had ze er een enorme telelens op geschroefd, die op dit moment heel goed van pas kwam. Ze kon de foto die ze van Sam en zijn vrouw wilde nemen maken en tegelijkertijd op afstand blijven. Ze zei: 'Blijf daar staan, vlak bij de border met vaste planten. De kleuren doen het geweldig bij je haar, Frances.'

Frances' haar was grijs. Niet dat oogverblindende wit waar sommige vrouwen mee gezegend zijn, maar grijs als van een oorlogsschip. Ze had een grote bos haar, dat was gun-

stig, maar de saaie kleur verleende haar zelfs tijdens haar beste momenten een streng uiterlijk. En omdat dit niet een van haar beste momenten was, zag ze er tamelijk verlept uit.
'Verbazingwekkend wat gebrek aan slaap met iemand kan doen, hè?' mompelde Noreen Tucker veelbetekenend toen de Cleary's de overige studenten naderden na bereidwillig – althans van Sams kant – voor Polly's foto te hebben geposeerd. 'Ralph, je bent je noten en je knabbels toch niet vergeten, lieverd? We willen vanochtend geen crisis in de heilige hallen van Abinger Manor.'
Ralphs antwoord bestond uit een neerwaartse duimbeweging in de richting van zijn middel. Het gebaar was gemakkelijk te begrijpen: het plastic zakje waar hij zijn nootjes in bewaarde stak uit zijn jasje als de staart van een jonge kangoeroe.
'Als je begint te trillen moet je meteen een handjevol nemen,' droeg Noreen hem op. 'Niet wachten op iemands toestemming. Hoor je me, Ralph?'
'Ja, ja.' Ralph slenterde naar de lunchpakketten naast Queen's Gate, waar hij zich bukte om er twee uit de rieten mand te pakken.
'Die man mag blij zijn als hij de zestig haalt,' zei Cleve Houghton tegen Howard Breen. 'En wat doe jíj om goed voor jezelf te zorgen?'
'Ik ga alleen onder de douche met vrienden,' antwoordde Howard.
Op dat moment kwam Victoria Wilder-Scott hun kant uit gemarcheerd, in haar kaki en geruite outfit, met haar bril boven op haar hoofd geschoven en een ringmap tegen haar magere borst geklemd. Ze keek loensend naar haar studenten alsof ze stomverbaasd was dat ze die niet scherp zag. Een moment later besefte ze waarom.
Ze zei: 'Oeps, mijn bril! Goed dan', en liet die op haar neus zakken terwijl ze opgewekt vervolgde: 'Jullie hebben alle-

maal de brochure gelezen, mag ik hopen? En hoofdstuk twee van *Grote landhuizen van het Verenigd Koninkrijk*? Dus we weten allemaal precies wat we op Abinger Manor zullen aantreffen? Die schitterende verzameling Meissen die jullie in je studieboek hebben gezien. De mooiste van Engeland. De schilderijen van Gainsborough, Le Brun, Turner, Constable en Reynolds. Dat prachtige werk van Whistler. De Holbein. Het rococozilver. Opmerkelijke meubels. De Italiaanse beelden. Al die geweldige antieke kleding. De tuinen zijn tussen haakjes ook bijzonder, ze kunnen wedijveren met die van Sissinghurst. En het park... Enfin, we hebben geen tijd om alles te bekijken, maar we zullen ons best doen. Hebben jullie je blocnote? Je fototoestel?'
'Polly heeft haar camera bij zich,' merkte Noreen op. 'Ik geloof dat dat alle andere overbodig maakt.'
Victoria knipperde met haar ogen in de richting van de geschiedschrijver van de groep. Van het begin af aan had ze er geen geheim van gemaakt dat Polly's ijver haar goedkeuring wegdroeg en ze wilde niets liever dan dat meer van haar studenten zich op dezelfde manier op hun cursus aan de universiteit van Cambridge zouden storten. Voor Victoria was dat het voornaamste probleem wanneer je erin toestemde deze zomercursussen te geven: gewoonlijk zaten ze vol rijke Amerikanen wier idee van leren niet verderging dan kijken naar televisiedocumentaires vanaf hun comfortabele sofa in de zitkamer.
'Ja, goed dan,' zei Victoria en ze keek Polly stralend aan. 'Heb je ons aanstaande vertrek al vastgelegd?'
'Ga allemaal bij het hek staan, mensen,' was Polly's antwoord. 'Laten we een groepsfoto nemen voor we eropuit trekken.'
'Als jij bij de anderen gaat staan,' zei Victoria, 'dan zal ik de foto nemen.'
'Niet met deze camera,' zei Polly. 'Die heeft een belichtingsmeter waar alleen Einstein mee overweg kan. Nie-

mand weet precies hoe die werkt. Hij is van mijn grootvader geweest.'
'Leeft je grootvader dan nog?' vroeg Noreen ondeugend. 'Hij moet wel... hoe oud zijn, Polly? Verschrikkelijk oud. Zeventig, wellicht?'
'Niet slecht geraden,' zei Polly. 'Hij is 72.'
'Een echte antiquiteit.'
'Ja. Maar hij is een taaie, oude rakker en nog helemaal vol...' Polly zweeg. Haar blik ging naar Sam, daarna naar Frances en vervolgens naar Noreen, die vriendelijk zei: 'Vol wat?'
'Vol humor en wijsheid, ongetwijfeld.' Dat was afkomstig van Emily Guy. Evenals Victoria Wilder-Scott bewonderde ze Polly Simpsons energie en enthousiasme, en ze was jaloers, zonder door die gevoelens verteerd te worden, op het feit dat het leven zich nog voor Polly ontrolde en niet stilstond zoals voor haarzelf. Emily Guy was naar Cambridge gekomen om een ongelukkige liefdesrelatie met een getrouwde man te vergeten die de laatste zeven jaar van haar leven in beslag had genomen, dus alles wat erop duidde dat een andere vrouw de neiging had hopeloos verstrikt te raken in een driehoeksverhouding, was iets waar ze slecht op reageerde. Evenals Noreen had ze Polly 's avonds met Sam Cleary in gesprek gezien. Maar in tegenstelling tot Noreen had zij het als niets anders beschouwd dan vriendelijkheid van een jong meisje tegenover een oudere man die kennelijk dol op haar was. Frances Cleary's jaloezie was niet Polly Simpsons probleem, had Emily Guy besloten toen ze Frances die eerste keer over de tafel heen met gefronste wenkbrauwen naar Polly zag kijken.
Om het weer goed te maken met Frances deed Polly echter haar best om gedurende de rit naar Abinger Manor bij Sam Cleary uit de buurt te blijven. Ze wandelde naar de minibus in gezelschap van Cleve Houghton en ze bracht de rit naar Buckinghamshire door op een stoel naast hem

aan de andere kant van het gangpad, terwijl ze ernstig met hem in gesprek verwikkeld was.

Deze twee activiteiten waren Noreen Tucker natuurlijk niet ontgaan, die, zoals we gezien hebben, het leuk vond om waar ze maar kon vuurtjes aan te wakkeren. 'Onze Polly wil beslist meer dan een lekker stuk,' fluisterde ze haar zwijgende echtgenoot toe tijdens de tocht door het uitgedroogde, zomerse platteland. 'En ik durf te wedden dat waar zij op uit is van goud is gemaakt.'

Ralph gaf geen antwoord – het viel altijd moeilijk te zeggen of hij bij bewustzijn was of eenvoudig een dag slaapwandelend doorbracht – dus Noreen keek om zich heen naar een oplettender toehoorder, die ze vond in Howard Breen die aan de andere kant van het gangpad naast haar zat. Hij bladerde door de brochure met de hoogtepunten van Abinger Manor, die ze allemaal hadden gekregen. Ze zei tegen hem: 'Leeftijd doet er niet toe wanneer het om geld gaat, dat ben je toch wel met me eens, Howard?'

Howard keek op en zei: 'Geld? Waarvoor?'

'Geld voor hebbedingetjes. Geld om te reizen. Geld om een luxeleventje te kunnen leiden. Hij is arts. Gescheiden. Bergen met geld. En als het je nog niet is opgevallen: ze heeft vanaf de eerste dag zitten kwijlen bij die dia's van Victoria. Zou ze het niet geweldig vinden om een paar mooie, antieke stukken als souvenir mee te nemen naar huis, in Chicago? En is Cleve Houghton niet precies de man om zoiets voor haar te kopen, nu Sam Cleary door Frances is teruggefloten?'

Howard liet zijn brochure zakken en keek naar zijn reisgenote – Emily Guy – voor een interpretatie van Noreens opmerkingen. 'Ze heeft het over Polly en Cleve Houghton,' zei Emily, waarna ze er zachtjes op liet volgen: 'Na uitgepraat te zijn over Polly en Sam.'

'Bij zo'n meisje draait alles om geld,' zei Noreen. 'Geloof me, als jij er warmpjes bij zat zou ze ook achter jou aan zit-

ten, Howard, ongeacht je... nou, je seksuele voorkeur, als ik het zo mag noemen. Wees maar blij dat je erbuiten valt.'
Howard wierp een blik in de richting van Polly, die bezig was iets wat ze vertelde te benadrukken met weidse handgebaren. Hij zei: 'Verdomme. Erbuiten vallen? Dat wil ik niet. Ik kan altijd nog van twee walletjes eten. Als het volle maan is, en oostenwind, ben ik rijp om geplukt te worden. Eigenlijk, Noreen, ben je er de laatste paar dagen in mijn ogen verdomd aardig uit gaan zien.'
Noreen leek nerveus te worden. 'Nou, ik denk toch niet...'
'Dat was me al opgevallen,' zei Howard grinnikend.
Noreen was niet iemand om luchtig over een schampere opmerking heen te stappen en evenmin was ze er de vrouw naar die ervoor koos met een frontale aanval te reageren. Ze glimlachte alleen en ze zei: 'Nou, als je vandaag in zo'n stemming bent, beste Howard, vrees ik dat ik je niet kan helpen, want ik ben al bezet. Maar ik weet zeker dat onze Emily je graag van dienst wil zijn. Eerlijk gezegd durf ik te wedden dat dat precies is waar ze op hoopt. De belangstelling van een man kan ervoor zorgen dat een vrouw zich voelt alsof... nou, alsof álles mogelijk is, nietwaar? Zelfs dat de bakens verzet kunnen worden op permanente basis. Ik denk dat je dat wel prettig zou vinden, Emily. Iedere vrouw heeft tenslotte behoefte aan een man.'
Emily kreeg een kleur, ondanks het feit dat Noreen met geen mogelijkheid iets zou kunnen weten over haar recente verleden: de hoop die ze had geïnvesteerd in een liefdesgeschiedenis die als uit de hemel gevallen leek te zijn maar die uiteindelijk niet meer was gebleken dan een treurige poging om iets speciaals te maken van wat slechts een reeks haastige rendez-vous in hotelletjes was geweest, waarna ze zich eenzamer had gevoeld dan ooit tevoren.
Ze was die dag dus niet de eerste die dacht dat Noreen Tucker de mensheid geen grotere dienst kon bewijzen dan door van deze aardbodem te verdwijnen.

Voor in de bus had Victoria Wilder-Scott het grootste deel van de rit door het platteland via de microfoon uitgeweid over de schoonheid van Abinger Manor. Ze leek aan het eind van haar opmerkingen te zijn gekomen op het moment dat de bus een met bomen beplante landweg indraaide. 'En zo bleef de familie standvastig tot het laatst toe koningsgezind. In de noordelijke toren kunnen jullie straks een priesterschuilplaats zien, waar Charles I werd verborgen voor hij naar het vasteland ontsnapte. En in de lange galerij worden jullie uitgedaagd een kunstig verborgen Gibb-deur te zoeken. Het was deze deur waardoor koning Charles die noodlottige avond aan zijn ontsnapping begon. En vanwege de voortdurende loyaliteit die de familie voor hem bleef koesteren kreeg de eigenaar later de adellijke titel van graaf. Die titel is natuurlijk in de familie gebleven, en hoewel de huidige graaf alleen tijdens de weekends op het landgoed verblijft, woont zijn moeder – die zelf tussen haakjes de dochter is van de zesde graaf van Asherton – er permanent, en het zou me niet verbazen als we haar tegen het lijf zouden lopen. Ze staat erom bekend dat ze zich onder de bezoekers mengt. Een beetje excentriek... zoals deze types dikwijls zijn.'
Toen de bus de laatste bocht maakte en de studenten Geschiedenis van de Engelse architectuur hun eerste glimp van Abinger Manor opvingen, werd een waarderend gemompel hoorbaar, ongeacht wat er verder in hun hoofd omging. Victoria Wilder-Scott draaide zich op haar stoel om, verrukt bij het horen van hun reactie op het gebouw. Ze zei: 'Ik had het toch gezegd? Het stelt niet teleur.'
Aan de overkant van een slotgracht, die bezaaid was met waterlelies, stonden twee torens met kantelen aan weerszijden van de hoofdingang. Ze waren vijf verdiepingen hoog en naast de torens werden trapgevels overtroffen door onmogelijk hoge en druk bewerkte schoorstenen. Uitspringende erkers, een latere toevoeging aan het hoofdgebouw, hingen over de slotgracht en boden de bewoners uitzicht

over de reusachtige tuin. Deze werd aan een kant begrensd door een hoge taxushaag en aan de andere door een stenen muur aan de voet waarvan borders met lavendel, asters en anjers waren aangelegd. De studenten Geschiedenis van de Engelse architectuur kregen een kwartier om die te bekijken, voorafgaande aan de rondleiding.
Ze waren die ochtend niet de enige bezoekers van het kasteel. Een grote touringcar reed vlak achter hen het terrein van het landgoed op. Een grote groep Duitse toeristen stapte uit, die onmiddellijk het voorbeeld van Polly Simpson volgden en foto's begonnen te nemen van de voorzijde van het kasteel. Tegelijkertijd arriveerden twee gezinnen in Landrovers, die meteen in de doolhof verdwenen, waar ze al snel in verdwaalden en naar elkaar om hulp begonnen te roepen bij het zoeken naar de uitgang. Enkele ogenblikken later voegde een zilverkleurige Bentley, bijna geruisloos tot stilstand komend, zich bij de andere voertuigen.
Uit deze laatste auto stapte een knap stel: de man was lang, blond en gekleed met de achteloze flair die op geld duidt; de vrouw was donker en slank en ze geeuwde, alsof ze het grootste deel van de rit had geslapen.
De overige bezoekers van Abinger Manor op deze bewuste dag wisten het niet, maar de laatste twee waren Thomas Lynley en zijn verloofde, lady Helen Clyde. Ze hadden een goede reden om er te zijn, want de hoofdbewoonster van Abinger Manor was Lynleys eigen beruchte tante Augusta, de voornoemde douairière, die wilde dat haar neef met eigen ogen zou zien dat men zijn bezitting voor bezichtiging kon openstellen zonder dat er rampen uit voortkwamen. Ze wilde dat hij hetzelfde zou doen met zijn eigen landgoed in Cornwall, maar tot dusver had ze hem nog niet van de bruikbaarheid van het idee kunnen overtuigen.
'We zijn niet allemaal zoals de hertogin van Devonshire,' placht Lynley vriendelijk tegen haar te zeggen.
'Als een waardeloze figuur als Mitford het doet en er een

succes van maakt, kan ik het verdomme ook,' antwoordde ze dan.

Ze gingen echter niet op zoek naar tante Augusta, wat ze heel goed hadden kunnen doen, gezien de familierelatie. Thomas Lynley en Helen Clyde voegden zich bij de anderen in de tuin en bewonderden wat zijn tante had gedaan om die ondanks de droogte in bloei te houden.

Natuurlijk konden de anderen niet weten dat deze Thomas Lynley, die rustig de tuin rondwandelde met zijn arm losjes om zijn verloofde heen, daadwerkelijk lid was van de familie die nu in een vleugel van het statige gebouw woonde. Wat belangrijker was – zeker gezien de gebeurtenissen die zich in dat gebouw zouden afspelen – de anderen konden evenmin weten dat hij een baan had als inspecteur bij New Scotland Yard. Wat ze daarentegen wel zagen was wat mensen over het algemeen zagen wanneer ze naar Thomas Lynley en Helen Clyde keken: geld dat zorgvuldig was besteed aan een niet-opzichtige verschijning en manier van kleden; de beschaafde terughoudendheid die wees op een jarenlange goede opvoeding; en een liefdesband die eruitzag als vriendschap, omdat die liefde uit vriendschap was opgebloeid.

Met andere woorden, die dag leken ze totaal niet op hun plaats te midden van de bezoekers van Abinger Manor.

Toen de bel werd geluid ten teken dat de rondleiding ging beginnen, verzamelde de groep zich bij de hoofdingang, waar ze werden begroet door een vastberaden meisje van midden twintig met pukkeltjes op haar kin en te veel oogmake-up. Ze loodste hen naar binnen en sloot de deur achter hen voor het geval iemand plannen had opgevat om ertussenuit te knijpen met een kostbaar – om niet te zeggen draagbaar – kleinood. Daarna begon ze te spreken in het soort Engels dat aangaf dat ze goed voorbereid was op buitenlanders. Simpele woorden, duidelijk uitgesproken, met veel pauzes.

Ze waren, vertelde ze, in de originele met schermen afgewerkte gang van het landhuis. De wand aan hun rechterzijde was het originele scherm. Ze zouden het houtsnijwerk kunnen bewonderen als ze aan de andere kant ervan kwamen. Als ze zo goed wilden zijn om bij elkaar te blijven en niet achter de met koorden afgezette gedeelten te komen... Fotograferen was toegestaan, maar alleen zonder flitslicht.
Aanvankelijk ging alles goed. De groep bewaarde een gepast stilzwijgen en foto's werden enthousiast genomen zonder flits. De enige vragen die werden gesteld waren afkomstig van Victoria Wilder-Scott en als de gids al ongeloofwaardige antwoorden gaf, merkte niemand het.
Op deze manier kwamen ze in de Grote Zaal, een schitterende ruimte die alles had wat Victoria Wilder-Scott haar studenten had beloofd. Terwijl de gids de bijzonderheden opsomde nam de groep plichtsgetrouw nota van het hoge, gewelfde plafond, van de minstreelgalerij met het ingewikkelde siersnijwerk, van de gobelins, de portretten, de haarden en de tapijten. Camera's werden ingesteld en klikten. Er steeg een waarderend gemompel op. Ergens in de zaal sloeg een klok zachtjes halfelf.
Als om dat geluid te begeleiden onderbrak een vervaarlijk gerommel de geprogrammeerde toespraak van de gids. Iemand giechelde en een paar mensen draaiden zich om naar Polly Simpson, die haar hand tegen haar maag drukte. 'Sorry,' zei ze. 'Alleen een banaan gegeten als ontbijt.'
Deze opmerking ontstak iets als een vuurtje in de gewoonlijk zo zwijgzame Ralph Tucker. Terwijl de bezoekers hun aandacht weer op de gids richtten, schuifelde hij in de richting van Polly om haar vriendelijk de voorkant van zijn safari-jasje aan te bieden.
'Neem een energiestoot,' zei hij. 'Dat is goed voor het bloed.'
Ze bedankte hem met een glimlach en stak haar hand in zijn zak om er een paar van de gemengde noten uit te

halen. Hij deed hetzelfde. Ze moesten het natuurlijk heimelijk opeten en dat deden ze ook, als twee stoute schoolkinderen, waarbij ze ondeugend grinnikten. Het ging heel gemakkelijk omdat de gids hen nu de Grote Zaal uit leidde, waarna ze een trap op gingen en in een smalle, op een gang lijkende kamer terechtkwamen.

'Deze lange galerij,' deelde de gids mee, terwijl ze zich groepeerden achter een fluwelen koord dat over de volle lengte van het vertrek was gespannen, 'is een van de beroemdste van Engeland. Ze bevat niet alleen de fraaiste collectie rococozilver van het land, waarvan u een deel links van de haard uitgestald ziet op die halfronde tafel – dat is, tussen haakjes, een Sheraton – maar ook een Le Brun, twee Gainsboroughs, een Reynolds, een Holbein, een charmant doek van Whistler, twee Turners, drie Van Dycks en een aantal minder bekende kunstenaars. In de vitrine achter aan de galerij vindt u een hoed, handschoenen en kousen die aan Elizabeth I hebben toebehoord. En hier ziet u een van de merkwaardigste bezienswaardigheden van het hele gebouw.' Ze liep naar de linkerkant van de Sheraton-tafel en drukte licht op een deel van de betimmering. Een deur, die eerst verborgen was gebleven in de structuur van de muur, draaide open.

Verscheidene Duitse toeristen applaudisseerden waarderend. De gids zei: 'Het is een Gibb-deur. Knap gedaan, vindt u niet? Bedienden konden door deze deur komen en gaan, zonder in de overige kamers van het kasteel gezien te worden.'

Camera's klikten in de richting van de gids. Halzen werden gestrekt. Stemmen mompelden.

Toen gebeurde het.

De gids zei: 'Wilt u in het bijzonder letten op...' toen de gebeurtenissen samenspanden om haar te onderbreken.

Iemand zei hijgend: 'Schatje! Nor! Schatje!' en iemand anders riep: 'O, mijn god!' Een derde stem schreeuwde:

'Pas op! Ralph zakt in elkaar!'
In die volgorde gebeurde het. Ralph Tucker slaakte een ongearticuleerde kreet en viel op een van Abinger Manors kostbare satijnhouten tafeltjes. Hij gooide een enorm bloemstuk ondersteboven, verpletterde een porseleinen schaal met potpourri, zodat de inhoud over het Perzische tapijt vloog, en liet de tafel op zijn kant vallen. Dat had tot gevolg dat het fluwelen koord werd losgerukt van de koperen standaarden die over de hele lengte van de galerij waren neergezet. Ralph bleef beweginglooos op de grond liggen.
Noreen Tucker krijste: 'Ralph! Lieverd van me!' en ze drong zich door de bezoekers om bij haar man te kunnen komen. Ze trok aan zijn schouder terwijl om haar heen chaos uitbrak. Mensen drongen naar voren, anderen deinsden terug. Iemand begon te bidden, een ander vloekte. Drie Duitse vrouwen lieten zich neervallen op sofa's die beschikbaar waren gekomen nu de demarcatielijn was verdwenen. Een man riep om water, een andere man om frisse lucht.
Er waren 32 mensen in de kamer met absoluut niemand die de leiding nam, omdat de gids – die was opgeleid om wetenswaardigheden over de inrichting van Abinger Manor uit haar hoofd te leren – als aan de grond genageld bleef staan, alsof ze zelf een aandeel had in wat er zojuist met de zwijgzame Ralph Tucker was gebeurd.
Stemmen klonken uit alle richtingen.
'Is hij...?'
'Jezus. Hij kán toch niet...'
'Ralph! Ralphie!'
'*Er ist gerade ohnmächtig geworden, nicht wahr...*'
'Laat iemand in godsnaam een ambulance bellen.' Dit laatste werd gezegd door Cleve Houghton, die zich een weg door de bezoekers had weten te banen en zich op zijn knieën had laten vallen, één blik op Ralph Tuckers gezicht

had geworpen en vervolgens was begonnen reanimatie toe te passen. 'Nu!' schreeuwde hij tegen de gids, die eindelijk in actie kwam, haastig door de Gibb-deur verdween en de trap op rende.
'Ralphie! Ralphie!' jammerde Noreen Tucker, terwijl Cleve even ophield om Ralphs pols te voelen en daarna doorging met reanimeren.
'*Kann er nicht etwas unternehmen*?' riep een van de Duitsers. Een ander zei: '*Schauen Sie sich die Gesichtsfarbe an.*'
Op dat moment voegde Thomas Lynley zich bij Cleve, nadat hij zijn jasje had uitgetrokken en het aan Helen Clyde had overhandigd. Hij liep tussen de bezoekers door, ging schrijlings over de gezette gestalte van Ralph Tucker zitten en nam de hartmassage over. Cleve Houghton schoof op naar Ralphs mond en bleef lucht in de longen van de man blazen.
'Red hem, réd hem!' riep Noreen huilend. 'Laat iemand iets doen! Help hem, alsjeblieft!'
Victoria Wilder-Scott ging naast haar staan. Ze zei: 'Ze helpen hem, liefje. Als je meegaat, deze kant op...'
'Ik laat mijn Ralphie niet alleen! Hij moest alleen iets éten.'
'Stikt hij?' voeg iemand.
'Hebben jullie de Heimlich-methode geprobeerd?'
De gids kwam de kamer in rennen. Ze riep: 'Ik heb net gebeld...' Maar de woorden bleven in haar keel steken en ze zweeg. Ze kon, evenals alle anderen, zien dat de twee mannen die zich bezighielden met het lichaam dat op de grond lag, probeerden iets wat al een lijk was weer tot leven te wekken.

Op dat moment nam Thomas Lynley de leiding. Hij haalde zijn legitimatiebewijs tevoorschijn en liet het aan de gids zien. Zachtjes zei hij: 'Thomas Lynley. New Scotland Yard. Laat iemand mijn tante, lady Fabringham, gaan zeggen dat er een ongeluk is gebeurd in de galerij, maar hou haar in godsnaam hier weg, wilt u?' Hij kende Augusta's neiging om zich te bemoeien met dingen die haar niet aangingen en het laatste waar ze behoefte aan hadden was dat ze hier kwam rondstampen en orders uitdelen die de zaak alleen maar ingewikkelder zouden maken. Er was tenslotte een ambulance onderweg, en er viel niets anders meer te doen dan deze ongelukkige man naar een ziekenhuis te brengen, waar hij doodverklaard zou worden door een arts die daar voor dergelijke gevallen was aangenomen. Lynley stelde voor dat de anderen de rondleiding zouden vervolgen, al was het alleen maar om de galerij vrij te maken voor de komst van het ambulanceteam.

Niemand voelde er veel voor om onder deze omstandigheden de verdere glorie van Abinger Manor te bekijken, maar de overige leden van het gezelschap lieten de huilende Noreen Tucker achter en wandelden gehoorzaam achter elkaar de kamer uit. Dit gebeurde echter niet voor Lynley zich over het op de grond liggende lichaam had gebukt en de vuist had geopend die in de dood was dichtgeknepen.

Cleve Houghton zei tegen hem: 'Hartaanval. Zo heb ik er meer zien gaan', maar hoewel Lynley knikte gaf hij geen antwoord. Hij bekeek de restanten van de nootjes die uit Ralphs vingers op de grond dwarrelden. Toen hij opkeek was het niet naar Cleve, maar naar de vertrekkende groep. Hij bekeek die ernstig en onderzoekend, want hoewel niemand anders het op dat moment nog had opgemerkt, was het de op het platteland geboren Thomas Lynley meer dan duidelijk dat Ralph Tucker vermoord was.

Terwijl Noreen Tucker zich huilend op een kostbare Chippendale-stoel liet vallen en Helen Clyde naar haar toe liep om een troostende hand op haar schouder te leggen, viel de deur achter de groep bezoekers dicht. Enkele ogenblikken later werd hun verzocht de salon te bewonderen, in het bijzonder het pleisterwerk van het opmerkelijke plafond. Dit vertrek werd de Koning Edward-salon genoemd, vertelde hun inmiddels zeer ingetogen gids. De naam was ontleend aan het beeld van Edward IV dat op de schoorsteenmantel stond. Het was een kniestuk, verklaarde ze, niet levensgroot, want in tegenstelling tot de meeste mannen van zijn tijd was Edward IV ruim een meter tachtig. Om precies te zijn, toen hij Londen binnenreed op 26 februari 1460...

Eerlijk gezegd kon niemand geloven dat de jonge vrouw hiermee doorging. Het had iets onfatsoenlijks om gevraagd te worden kroonluchters, met fluweel bedrukt behang, achttiende-eeuws meubilair, Chinese vazen en een Frans schoorsteenornament te bekijken in de wetenschap dat Ralph Tucker dood was. Het deed er niet toe dat de man voor geen van de aanwezigen iets betekende. Hij was nu eenmaal dood en uit respect voor zijn overlijden hadden ze de rest van de rondleiding beter kunnen overslaan.

Iedereen was rusteloos en voelde zich onbehaaglijk. De sfeer was bedrukt en kalmte was ver te zoeken. Toen Cleve Houghton zich eindelijk bij hen voegde in de wintereetzaal, met het nieuws dat Ralph Tuckers lichaam was weggehaald, gaf hij tevens de mededeling door dat Thomas Lynley ook de plaatselijke politie had laten waarschuwen.

'Politie?' fluisterde Emily Guy, geschrokken van de betekenis die eronder schuilging.

Het woord verspreidde zich snel door de rest van het gezelschap. De leden van de studiegroep Geschiedenis van de Engelse architectuur begonnen elkaar met ernstige achterdocht aan te kijken.

Iedereen wist dat het door de knabbels moest zijn gekomen. Het probleem was echter voor hen allen hetzelfde: niemand kon om de prangende vraag heen waarom iemand hier of ergens anders Ralph Tucker zou willen vermoorden. Noreen Tucker, ja. Die had vanaf de eerste dag haar neus in andermans zaken gestoken, en ze was beslist de minst waarschijnlijke van de groep om de prijs voor de sympathiekste persoon te winnen. Of misschien Sam Cleary, die door zijn vrouw om zeep geholpen had kunnen worden omdat hij één keer te veel naar haar zin zijn huwelijksbeloften had genegeerd. Of zelfs Frances, uit de weg geruimd door Sam om hem de ruimte te geven voor 'iets meer' met Polly Simpson. Maar Ralph? Nee. Dat sloeg nergens op.

Ieders gedachten volgden aldus dezelfde richting. Pas toen ze bij Polly Simpson uitkwamen, herinnerden verscheidene personen zich een afschuwelijk maar veelzeggend detail: Polly had ook van Ralphs nootjes gegeten, en om precies te zijn niet voor het eerst. Had ze zich er ook niet aan tegoed gedaan tijdens hun allereerste excursie toen Ralph, in een opwelling van jovialiteit die niet herhaald werd, zo vriendelijk was geweest om de knabbels uit te delen gedurende de busrit terug naar Cambridge, na een lange dag landgoederen bezichtigen in Norfolk, omdat ze de theemaaltijd hadden overgeslagen? Ja, dat had ze gedaan. Zij was de enige van wie ze zeker wisten dat ze ervan had gegeten. Dus het was mogelijk dat zíj degene was die vermoord had moeten worden, dat Ralph Tuckers dood slechts een ongelukkige toevalstreffer was.

Hierdoor sloeg meer dan één van de aanwezigen Polly met enige bezorgdheid gade, in afwachting van het geringste teken dat ook zij op het punt stond in elkaar te zakken als gevolg van wat het dan ook was dat Ralphs dood had veroorzaakt. Iemand stelde zelfs zachtjes voor dat ze zich misschien moest terugtrekken in een toilet om te proberen over te geven, voor het geval dat. Maar Polly, die de bedoeling niet scheen te begrijpen, trok alleen een vies gezicht bij die suggestie en ging door met foto's nemen, hoewel lang niet zo uitbundig als gewoonlijk.

Dood ten gevolge van knabbels riep in de hoofden van de mensen natuurlijk de vraag op: was het vergif? Daardoor begon men zich af te vragen hoe je in Cambridge aan vergif zou kunnen komen. Je kon niet eenvoudigweg een drogisterij binnenstappen en vragen om iets wat snel werkte, geen sporen naliet en geen rommel gaf. Dus het leek aannemelijk dat het vergif van huis was meegenomen. En dát bracht mensen er weer toe serieuzer na te denken over Noreen Tucker en de vraag of al haar toewijding aan die lieve Ralph wel was wat ze scheen.

De groep bevond zich in de bibliotheek toen Thomas Lynley en zijn verloofde erbij kwamen. Lynley liet zijn blik taxerend over iedereen in het vertrek dwalen. Zijn partner deed zo ongeveer hetzelfde; ze was door hem op de hoogte gebracht terwijl de arme Ralph in de ambulance werd geschoven. Ze liepen bij elkaar vandaan en gingen ieder op een andere plek tussen de bezoekers staan. Geen van hen besteedde ook maar de geringste aandacht aan wat de gids vertelde, maar ze letten nauwkeurig op de bezoekers van Abinger Manor.

Na de bibliotheek gingen ze de kapel in, vergezeld van het geluid van hun eigen voetstappen, de galmende stem van de gids en zo nu en dan het geklik van camera's. Lynley liep tussen het gezelschap door, maar zei tegen niemand iets, behalve tegen Helen, met wie hij bij de deur een paar woorden wisselde. Opnieuw gingen ze uit elkaar.

Van de kapel gingen ze naar de wapenzaal. Vandaar naar de biljartkamer. Vandaar naar de muziekkamer. Vervolgens twee trappen af, naar de keuken. De provisiekamer daarachter was ingericht als souvenirwinkel en de Duitsers liepen er meteen op af, gevolgd door de Amerikanen. Op dat moment nam Lynley het woord.

'Ik zou u graag allemaal even tegelijk willen spreken,' zei hij, terwijl ze zich begonnen te verspreiden. 'Misschien kunt u een ogenblik hier in de keuken blijven.'

Uit de Duitse groep stegen zwakke protesten op. De Amerikanen zeiden niets.
'We moeten een probleem onder ogen zien, vrees ik,' zei Lynley, 'met betrekking tot de dood van de heer Tucker.'
'Probleem?' Sam Cleary stelde de vraag en anderen vielen hem bij met: 'Wat is er aan de hand?' en: 'Wat wilt u van ons?'
'Het was een hartaanval,' verklaarde Cleve Houghton stellig. 'Daar heb ik er genoeg van gezien om u te kunnen vertellen...'
'Ik ook,' klonk een stem met een zwaar accent. De opmerking kwam van een man uit de Duitse groep, die niet al te blij leek met het vooruitzicht dat hun rondleiding nogmaals zou worden onderbroken. 'Ik ben arts. Ik heb ook hartaanvallen meegemaakt. Ik weet wat ik heb gezien.'
Dit riep, natuurlijk, de vraag op waarom de man dan niet iets had gedaan om te helpen bij de crisis, maar niemand begon erover. Thomas Lynley stak zijn hand uit. Op zijn handpalm lag een half dozijn zaadjes. 'Het lijkt op een hartaanval,' verklaarde hij. 'Dat doet een alkaloïde. Die veroorzaakt een hartaanval binnen enkele minuten. Overigens, dit zijn taxuszaden.'
'Taxus?' vroeg iemand. 'Wat heeft taxus...'
'Die moeten uit de potpourri komen,' merkte Victoria Wilder-Scott op. 'Die is over het tapijt verstrooid toen meneer Tucker viel.'
Lynley schudde zijn hoofd. 'Ze waren gemengd met de noten in zijn hand,' zei hij. 'En de zak die hij in zijn jasje droeg zat er vol mee. Het spijt me, maar hij is vermoord.'
Ieders geheime vrees werd dus bewaarheid. En terwijl sommige leden van de groep nogmaals nadachten over de vraag waarom Ralph Tucker vermoord was, keek de rest van hen naar de enige persoon in de keuken die zonder twijfel op de hoogte was van de mogelijke schade die een paar taxuszaden konden aanrichten.

Intussen protesteerden de Duitsers luidkeels, onder aanvoering van de dokter. 'U kunt ons hier niet bij betrekken,' zei hij. 'Wij kenden die man niet. Ik sta erop dat u ons laat vertrekken.'
'Natuurlijk,' zei Thomas Lynley. 'Ik ben het met u eens. U zult ook vertrekken, zodra we het probleem van het zilver hebben opgelost.'
'Waar hebt u het in vredesnaam over?'
'Het ziet ernaar uit dat een van u de gelegenheid van de gebeurtenis in de galerij heeft aangegrepen om twee voorwerpen van rococozilver weg te nemen van de tafel bij de haard. Het zijn melkkannetjes. Tamelijk klein, rijkversierd en ze zijn zonder meer weg. Dit is natuurlijk niet mijn rechtsgebied, maar tot de plaatselijke politie is gearriveerd om een onderzoek te beginnen naar de dood van de heer Tucker, zou ik mezelf met dit kleine detail van het zilver willen belasten.' Hij kon zich uiteraard maar al te goed voorstellen wat zijn tante Augusta over de kwestie te zeggen zou hebben als hij zich er níét mee belastte.
'Wat gaat u doen?' vroeg Frances Cleary angstig.
'Bent u van plan ons hier te houden tot een van ons een bekentenis aflegt?' zei de Duitse dokter schamper. 'U kunt ons niet fouilleren zonder formele toestemming.'
'Dat is natuurlijk juist,' zei Thomas Lynley. 'Tenzij u erin toestemt gefouilleerd te worden.'
Er volgde een stilte, waarin met voeten werd geschuifeld. Er werd een keel geschraapt en er werd een druk gesprek gevoerd, in het Duits. Iemand ritselde met papieren in een agenda.
Cleve Houghton was de eerste die iets zei. Hij keek de groep rond. 'Nou, verdomme, ik heb er geen bezwaar tegen.'
'Maar de dames...' merkte Victoria Wilder-Scott enigszins preuts op.
Lynley knikte naar zijn verloofde, die bij een verzameling

koperen ketels stond, aan de rand van de groep. 'Dit is lady Helen Clyde,' zei hij. 'Zij zal de dames fouilleren.'
Zo geschiedde het: de mannen in de bijkeuken en de vrouwen in de ruimte waar de verwarmingsketel stond, aan de overkant van de gang.
Zowel Thomas Lynley als Helen Clyde ging grondig te werk. Lynley was een en al zakelijkheid. Helen pakte het wat vriendelijker aan. Ze lieten beiden de mensen die ze onder hun hoede hadden zich uit- en weer aankleden. Ieder van hen haalde zakken, tassen, rugzakken en linnen schoudertassen leeg. Lynley deed dit alles onder grimmig stilzwijgen, met de bedoeling te intimideren. Helen babbelde met de vrouwen, met de bedoeling hen op hun gemak te stellen.
Ze vonden beiden echter niets. Zelfs Victoria Wilder-Scott en de gids waren gefouilleerd.
Lynley droeg hun op in de tearoom te wachten. Hij liep terug naar de trap aan het eind van de keuken.
'Waar gaat hij nu naartoe?' vroeg Polly Simpson, die haar camera met beide handen tegen haar borst geklemd hield.
'Hij zal naar het zilver moeten zoeken in de rest van het huis,' bracht Emily Guy naar voren.
'Maar dat kan eeuwen duren,' fluisterde Frances Cleary.
'Dat doet er immers niet toe? We zullen toch op de plaatselijke politie moeten wachten.'
'Verdomme, nee, dit was een hartaanval,' zei Cleve Houghton. 'Er is geen zilver weggenomen. Waarschijnlijk wordt het ergens gepoetst.'
Dat was echter helaas niet het geval, wat Lynley ontdekte toen hij met tegenzin verslag ging uitbrengen aan zijn tante van moederszijde. Augusta was een en al gepaste afschuw en medeleven toen haar verteld werd dat een bezoeker van haar huis in een van de vertrekken was overleden. Maar ze werd een toonbeeld van wraakzucht toen ze vernam dat een 'gluiperige kleine crimineel' de euvele

moed had gehad zich meester te maken van een van haar kostbare familiestukken. Ze weidde ruim vijf minuten uit over wat ze van plan was met deze misdadiger te doen en Lynley kon slechts door haar te verzekeren dat de 'sterke arm' – in dit geval hijzelf – onvermoeibaar voor haar aan het werk zou gaan, voorkomen dat ze zelf de bezoekers ter verantwoording ging roepen. Hij liet Augusta achter met haar drie corgi's en zocht de groep weer op.

Ze hadden de bijkeuken verlaten en bevonden zich nu op de binnenplaats; Lynley kon hen zien vanuit de ramen in de privé-vleugel waar zijn tante woonde. Hij bestudeerde hen, waarbij hem opviel dat mensen zelfs tijdens een crisis geneigd zijn zich te gedragen volgens hun culturele achtergrond. De Duitsers stonden grimmig bijeen in kleine groepjes van mensen die ze al kenden. Echtgenoten met hun vrouw. Echtparen met hun kinderen. Schoonfamilies met hun kinderen en kleinkinderen. Studenten met hun landgenoten. Ze waagden zich niet buiten de grenzen van deze al gevestigde groepjes en voor het merendeel bewaarden ze een stug stilzwijgen. De Amerikanen daarentegen bemoeiden zich niet alleen met elkaar, maar ook met de Engelse gezinnen die aan de rondleiding hadden deelgenomen. Ze praatten met elkaar, sommigen somber, anderen tamelijk levendig. En een van hen nam zelfs een paar foto's.

Lynley had Polly Simpson al eerder opgemerkt, een automatische reactie die voortkwam uit het feit dat hij ooit verliefd was geweest op een jonge fotografe. Die affaire lag nog niet zo veel jaar achter hem om niet – zoals hij gedaan had gedurende die relatie – te letten op de apparatuur die Polly gebruikte. Vreemd, dacht hij terwijl hij haar gadesloeg, hoe onze betrokkenheid bij bepaalde personen ons dingen leert die we niet verwachtten te zullen leren. Niet alleen over onszelf, maar ook over aspecten van het leven die ons anders onbekend zouden zijn gebleven. Terwijl hij

Polly beneden op de binnenplaats bezig zag, kon Lynley zich zijn ex-geliefde voorstellen onder dezelfde omstandigheden, met hetzelfde enthousiasme voor belichting en compositie, in staat zich op haar werk te concentreren door van zich af te zetten wat er zojuist gebeurd was.
Dat maakte deel uit van de veerkracht van de jeugd, besloot hij – ietwat voorbarig, want hij was zelf nog geen veertig – en omdat hij nu al vijftien jaar misdadigers achtervolgde nam hij een ogenblik de tijd om weemoedig te kijken naar Polly en haar camera alvorens naar de groep terug te gaan. Hij liep door de keuken, op weg naar de bijkeuken, toen de betekenis van wat hij zojuist op de binnenplaats had gezien plotseling tot hem doordrong. En zelfs toen drong het alleen tot hem door omdat hij zich herinnerde meer dan eens als lastdier te hebben gefungeerd voor de foto-uitrusting van zijn voormalige geliefde, haar meer tegen zichzelf dan tegen hem te horen zeggen: 'Voor deze opname heb ik de 28 millimeter nodig', om vervolgens geduldig te blijven toekijken terwijl zij de objectieven verwisselde.
Meer nog besefte hij dat hij gedurende de hele rondleiding en daarvóór – toen hij en Helen te midden van de andere bezoekers van Abinger Manor een rondje door de tuin hadden gemaakt – iets had gezien zonder feitelijk te begrijpen wát hij zag. Wat zo gemakkelijk gebeurt, dacht hij, wanneer je niet stilstaat bij de logica van wat er zich voor je neus afspeelt.
Met grote stappen liep hij door de bijkeuken en vandaar de binnenplaats op. Hij wist zo zeker wat hij nu ging doen, dat hij tegen de Duitsers en de twee Engelse gezinnen zei dat ze konden vertrekken. Grimmig zwijgend wachtte hij tot ze de binnenplaats hadden verlaten. Daarna liep hij naar Polly Simpson en zonder plichtplegingen pakte hij de camera die over haar schouder hing.
Ze protesteerde met: 'Hé! Die is van mij. Wat wilt u...'

Hij bracht haar tot zwijgen door een van de filmdoosjes die aan de riem van de camera waren bevestigd open te maken. Het was leeg. Evenals de andere. Hij zei: 'Ik heb gezien dat u foto's hebt genomen vanaf het moment dat we hier aankwamen. Hoeveel opnamen hebt u gemaakt, denkt u?'
Ze zei: 'Dat weet ik niet. Ik hou het niet bij. Ik blijf gewoon doorgaan tot de film vol is.'
'Maar u hebt geen extra films meegebracht?'
'Ik dacht niet dat ik die nodig zou hebben.'
'Nee? Eigenaardig. U begon te fotograferen op het moment dat u de tuin in liep. U bent er niet mee opgehouden, behalve dan tijdens de gebeurtenis op de galerij, neem ik aan. Of hebt u daar ook foto's van genomen?'
Emily Guy hijgde. Sam Cleary zei: 'Hoor eens...', en hij zou verder zijn gegaan als zijn vrouw hem niet bij de arm had gepakt.
'Wat is dit allemaal?' zei Victoria Wilder-Scott. 'Iedereen weet dat Polly altijd foto's neemt.'
'O, ja? Met deze lens?' vroeg Lynley.
'Het is een macro zoomlens,' zei Polly. Toen Lynley de lens stevig beetpakte riep ze: 'Hé! Niet doen! Dat ding kost een vermogen.'
'Ja, dat zal wel,' zei Lynley. Hij schroefde de lens van de camera en zette die ondersteboven op zijn geopende hand. Er vielen twee zilveren voorwerpen uit.
Verscheidene mensen snakten naar adem.
'Een dummy,' zei Cleve Houghton rustig.
En alle ogen op de binnenplaats richtten zich op Polly Simpson.

Het was een sombere studiegroep Geschiedenis van de Engelse architectuur die 's avonds laat in Cambridge terugkwam. Minus, natuurlijk, drie van hun leden. Het stoffelijk overschot van Ralph Tucker was onder het mes bij de patholoog-anatoom, terwijl zijn weduwe de situatie uitbuitte door de gastvrijheid van een bereidwillige Augusta, douairière Fabringham, te accepteren, die heel goed op de hoogte was van de Amerikaanse gewoonte om bij het minste of geringste schadeloosstelling te eisen en die maar al te graag de confrontatie met elke vorm van Amerikaanse rechtspraak wilde vermijden. Polly Simpson werd vastgehouden door de plaatselijke politie, op verdenking van moord met voorbedachten rade, en diefstal.

Natuurlijk moesten haar medestudenten voortdurend aan Polly Simpson denken. En, eveneens natuurlijk, hadden ze allemaal verschillende gedachten over haar.

Sam Cleary, om maar eens iemand te noemen, voelde zich volslagen voor gek gezet omdat hij niet had begrepen dat Polly alleen maar zo geboeid naar hem had geluisterd omdat hij veel van plantkunde wist. Ze had bij al zijn verhalen aan zijn lippen gehangen, dat was waar, maar ze had het gesprek voornamelijk in de richting van zijn werk gestuurd, tot ze uit hem had gekregen wat ze nodig had: een vergif dat ze eenvoudig te pakken kon krijgen door een wandelingetje te maken langs de achterkant van de universiteitsgebouwen.

Frances Cleary daarentegen voelde zich gerustgesteld. Natuurlijk, Ralph Tucker was dood, dat was een hoge prijs, maar ze had inmiddels wel begrepen dat haar echtgenoot niet op zo'n fatale manier aantrekkelijk was voor jonge meisjes als ze gedacht had, dus ze had het gevoel dat haar huwelijk veiliggesteld was. Zelfs veilig genoeg om toe te staan dat Sam op de terugweg in de minibus naast Emily Guy ging zitten.

Emily Guy en Victoria Wilder-Scott waren teleurgesteld en somber vanwege alles wat er die dag gebeurd was, maar om verschillende redenen. Victoria Wilder-Scott was zojuist de eerste enthousiaste Amerikaanse student sinds jaren bij een zomercursus kwijtgeraakt, terwijl Emily Guy

tot de ontdekking was gekomen dat een knap, jong meisje dat ze zo bewonderde omdat ze geen zwakke plek had voor mannen, voor iets totaal anders een zwakke plek had.
En de mannen zelf, Howard Breen en Cleve Houghton? Ze beschouwden Polly's arrestatie als een verlies. Cleve betreurde het dat haar aanhouding een eind maakte aan zijn hoop om haar in bed te krijgen, ondanks het leeftijdsverschil van 27 jaar. En Howard Breen was blij dat hij haar niet meer zou zien... omdat Cleve Houghton door haar afwezigheid beschikbaar was gekomen. Een mens moest tenslotte altijd blijven hopen.
Dat leerden de Amerikanen uiteindelijk tijdens de cursus Geschiedenis van de Engelse architectuur, die zomer in Cambridge: hoop had Polly Simpson weinig geholpen. Maar dat wilde niet zeggen dat het de rest van hen niet zou helpen.

Toelichting op *Betrapt*

De inspiratie voor dit verhaal kwam voort uit een dubbele moord die in het begin van de jaren negentig mijn aandacht trok. Destijds kreeg de zaak veel publiciteit, en hoewel de verdachte niet schuldig werd verklaard, heb ik er veel tijd aan besteed om na te gaan of hij schuldig zou kunnen zijn en hoe, als hij het misdrijf inderdaad had gepleegd, de moord in zijn werk zou zijn gegaan. Ik kwam tot de volgende conclusie:

Hoewel er twee slachtoffers waren van die misdaad – een jongeman en een wat oudere vrouw – leek het erop dat de vrouw het doelwit was.

De echtgenoot was een geobsedeerde, van zijn vrouw vervreemde man. Zijn leven werd gedomineerd door gedachten aan haar, in het bijzonder gedachten over hoe ze hem had verlaten en hoe ze hem, door hem te verlaten, had vernederd. Hij was min of meer een beroemdheid. In zijn ogen was zij niets. Toch was zíj bij hém weggelopen, en om het nog erger te maken wees niets erop dat het uiteindelijk weer goed zou komen tussen hen. In het begin had ze gezegd dat ze een afkoelingsperiode wilde omdat hun relatie zo onstabiel was. Daar had hij in toegestemd. Maar nu begon ze over echtscheiding te praten en dat woord maakte dat hij zich voor gek gezet voelde. Niet alleen zou hij waarschijnlijk zijn kinderen kwijtraken – ze hadden er twee, een jongen en een meisje – maar een scheiding zou hem ook een fortuin kosten en ze verdiende geen cent van wat hij bezat.

Dergelijke gedachten begonnen hem door het hoofd te spoken tot elk uur van de dag een kwelling werd voor de echtgenoot. Alleen wanneer hij sliep kon hij loskomen van

de vrouw en van haar plannen om hem zijn kinderen en zijn geld af te nemen, en ongetwijfeld te gaan hokken met een jonge dekhengst... en dat alles op zíjn kosten. Maar zelfs dan, 's nachts, droomde de man van haar. En de gedachten gedurende de dag en de dromen tijdens de nacht maakten hem zo gek dat hij dacht dat hij zou sterven als hij er niets aan zou kunnen doen.
Hij begon te geloven dat de enige manier om haar uit zijn hoofd te zetten was haar te vermoorden. Dat verdiende ze trouwens ook. Hij had altijd al gemerkt hoe ze zich aan mannen opdrong. Ze was hem waarschijnlijk al tientallen keren ontrouw geweest. Ze was een waardeloze echtgenote en een waardeloze moeder, en hij zou zijn kinderen een dienst bewijzen op het moment dat hij haar uit zijn hoofd zette, als hij zich maar van haar kon ontdoen.
Daarom begon hij plannen te maken.
Hij en de echtgenote woonden niet ver van elkaar. Als hij het tijdstip tot op de seconde berekende, kon hij naar haar huis glippen, haar vermoorden en weer naar zijn eigen huis teruggaan... alles binnen ongeveer een kwartier. Misschien minder. Maar hij wist dat de politie zou willen dat hij elke seconde van de avond waarop zijn vrouw vermoord was kon verantwoorden, dus hij besloot om de daad uit te voeren op een avond waarop hij een vliegtuig moest halen naar een ander deel van het land. Om zijn alibi waterdicht te maken zou hij een limousine bellen om hem naar het vliegveld te brengen. Verdomme, dacht hij, wie zou ooit geloven dat een moordenaar zijn vrouw zou ombrengen nog geen halfuur voor een limo hem kwam ophalen?
De kwestie van het wapen was lastig. Om voor de hand liggende redenen kon hij geen pistool gebruiken: het was een dichtbevolkte buurt en door een pistoolschot zou iedereen naar buiten komen om te zien wat er aan de hand was. Hij kon haar evenmin in huis neerschieten, omdat

hun kinderen boven in bed zouden liggen, en het laatste wat hij wilde was dat ze wakker zouden worden en naar beneden kwamen hollen om hun vader met een rokend pistool in zijn hand over hun moeder gebogen te zien staan. Er was altijd nog een wurgkoord, maar dan zou ze zich tegen hem kunnen verweren. Nee, dus. Hij had iets nodig wat zo snel was als een pistool maar zo geruisloos als een wurgkoord, en een mes leek het enige antwoord.

Op de bewuste avond trok hij zwarte kleren aan. Om geen sporen achter te laten droeg hij handschoenen en had hij een wollen muts opgezet. Hij was een grote man – lang, fors, gespierd en sterk – en zij was klein. Als alles volgens plan verliep zou hij haar binnen een minuut uit de weg geruimd hebben en dán zou hij eindelijk van haar af zijn.

Hij ging naar haar huis, een vrijstaande woning die een eindje van de straat af stond, achter een muur. Hij klopte op de deur. Ze had een hond, maar de hond kende hem en zou geen probleem opleveren.

Vreemd genoeg deed ze op zijn kloppen meteen de deur open in plaats van, zoals ze gewoonlijk deed, te vragen wie het was. Maar dat was ook niet belangrijk. Hij vroeg haar of ze even naar buiten wilde komen zodat ze een minuutje konden praten zonder de kinderen wakker te maken.

'Over een uur ga ik weg,' zei hij tegen haar. 'Ik wil met je praten over...'

Waarover? Zijn beslissing om de scheiding door te zetten en er niet tegen in te gaan? De alimentatie die ze vroeg? Een van hun kinderen, of allebei?

Het doet er niet toe, want wat hij haar ook vroeg, het was iets wat haar naar buiten liet komen. En nadat ze dat eenmaal had gedaan besprong hij haar zo snel dat ze niet eens heeft geweten dat ze aangevallen werd. Hij draaide haar om, stak het mes in haar hals en sneed haar keel door met een kracht die voortkwam uit de woede die hij ten opzichte van haar voelde: omdat hij haar niet uit zijn hoofd kon

zetten, omdat ze van plan was zijn kinderen van hem af te nemen, omdat ze hem financieel zou uitkleden, dáárom.
Het was in een oogwenk voorbij. Hij liet haar dode, bebloede lichaam op de grond glijden en wilde weggaan... en op dat moment ging het hekje open en kwam de jongeman binnen.
Hij kwam met goede bedoelingen: alleen om een zonnebril aan de eigenares terug te geven. Hij was van zijn werk op weg naar huis en het laatste wat hij verwachtte te zien was de echtgenoot met een mes in zijn hand en het verminkte lichaam van diens vrouw voor hem op de grond.
De eerste reactie van de jongeman was een kreet van schrik. Hij zei: 'Wat is hier...' Maar hij kreeg niet de kans om meer uit te brengen. De echtgenoot besprong hem met het mes in zijn hand, hij haalde uit en stak toe.
Er was geen geluid. Dit was geen Hollywoodfilm waarin mannen vechten voor hun leven, begeleid door geluidseffecten en muziek. Dit was echt. En bij een echt gevecht is er alleen stilte, verbroken door gegrom of gekreun, en dat was vanaf de straat niet te horen.
Tijdens het gevecht verloor de man de wollen muts die hij op had. Hij verloor een van de twee handschoenen. Hij was met bloed besmeurd en had zich met zijn eigen mes in zijn hand gesneden. Maar hij won. De jongeman stierf, zijn enige misdaad behulpzaamheid.
Nu zat de echtgenoot echter wel met een probleem. Met de tweede moord was kostbare tijd verloren gegaan. Hij kon niet blijven om de muts en de handschoen te zoeken die hij was kwijtgeraakt. Hij moest snel naar huis, zijn kleren in de wasmachine gooien, een douche nemen en daarna in die limousine stappen.
Dat deed hij, waarbij hij in de haast ook de tweede handschoen verloor.
Wat het mes betrof, dat was geen probleem. Hij stopte het in zijn golftas, die hij meenam op reis. De golftas zou op

het vliegveld doorgelicht kunnen worden in de bagage-afdeling, alvorens in het ruim van het vliegtuig te verdwijnen. Maar tussen de golfclubs zou het mes nauwelijks opvallen en zelfs al zou dat gebeuren, het was geen bom, dus er zou niet op worden gelet.
Nadat hij op de plaats van bestemming was aangekomen was de rest van zijn plan eenvoudig uit te voeren. Hij trok een trainingspak aan en ging vroeg in de ochtend joggen. Het mes nam hij mee, om zich er ergens van te ontdoen. Binnen enkele uren zou hij op de hoogte worden gebracht van de moord op zijn vrouw. Maar hij had een alibi en zelfs al zou dat niet waterdicht blijken, hij had geld genoeg om advocaten in de arm te nemen die hem uit eventuele problemen zouden halen die de jongeman met de zonnebril had veroorzaakt.
Terwijl ik nadacht over het misdrijf en de mogelijke schuld van de echtgenoot, kwam het idee bij me op voor het nu volgende korte verhaal. Daarin raakt een echtgenoot geobsedeerd door de ontrouw van zijn jonge vrouw... met onverwachte gevolgen.

Betrapt

Toen Douglas Armstrong zijn eerste gesprek had met Thistle McCloud, had hij nog nooit overwogen zijn vrouw te vermoorden. Het idee was gewoon nooit in hem opgekomen, tot twee weken na zijn vierde consult.

Douglas keek aandachtig toe terwijl Thistle zichzelf voorbereidde op een openbaring uit een andere dimensie. Zijn trouwring lag in de palm van haar linkerhand. Ze sloot haar vingers eromheen. Ze liet haar rechterhand zweven boven de vuist die ze had gemaakt en neuriede vier noten die verdacht veel leken op het begin van *I Love You Truly*. Even later sloeg ze haar ogen op en haar pupillen rolden langzaam omhoog tot ze uit het zicht verdwenen onder haar geel aangezette oogleden, zodat hij min of meer werd gedwongen het verontrustende beeld van een ruim dertigjarige vrouw te aanschouwen die er met haar strooien hoed, een gestreept vest, een wit overhemd en een gestippelde das uitzag als een lid van een dixielandkwartet, wanhopig op zoek naar haar drie partners.

Toen Douglas voor het eerst bij Thistle kwam, had hij haar outfit – die bij zijn volgende bezoeken geen merkbare verandering had ondergaan – gezien als de doorzichtige poging van een charlatan om de aandacht van haar cliënten te vestigen op haar verschijning in plaats van op de trucs die ze toepaste om tot hun verleden, hun heden, hun toekomst en – niet te vergeten – hun portefeuille door te dringen. Maar hij had al snel gemerkt dat Thistle die vreemde kleding niet droeg om iemand af te leiden. De eerste keer dat ze zijn oude Rolex-horloge in haar hand hield en met zachte, dwingende stem begon te praten over de verloren zoon, over de talloze keren dat hij afscheid had genomen en de even talrijke keren dat hij weer was teruggekeerd, over zijn bejaarde ouders die hem altijd met open armen en open hart hadden verwelkomd, en over zijn broer die dat allemaal met gemengde gevoelens bezag en geluidloos schreeuwde: en ik dan? Ik ben er ook nog, had Douglas het gevoel dat Thistle precies was wat ze beweerde te zijn: een helderziende.

Hij had voor het eerst voor haar winkeltje gestaan toen hij veertig minuten tijd moest doden voor zijn jaarlijkse prostaatcontrole. Hij zag erg op tegen het onderzoek en nog meer tegen de tandenknarsende schaamte die hem zou vervullen als hij het joviale 'En? Is onze jongeheer nog wel eens opstandig?' van zijn arts zou moeten beantwoorden met de waarheid, die was dat Newtons zwaartekracht de laatste tijd steeds meer vat begon te krijgen op zijn dierbare aanhangsel. En aangezien hij over zes weken zijn 55e verjaardag zou vieren en alle rampen in zijn leven hadden plaatsgevonden in jaren die een veelvoud waren van vijf, wilde hij, als er een kans was om te weten te komen wat de goden voor hem en zijn prostaat in petto hadden, ontdekken wat hij kon doen om het naderende onheil het hoofd te bieden.

Al deze dingen speelden door zijn hoofd toen hij in het zachtgouden licht van de namiddagzon eind december de Pacific Coast Highway op draaide. Aan een saai gedeelte van de weg – voor het grootste deel bestaand uit pizzarestaurants en goedkope pensions – zag hij het smalle, blauwe pandje staan waar hij al duizend keer langs gereden was en las hij PARAPSYCHOLOGISCHE CONSULTATIES op het handgeschilderde bord boven het raam. Hij keek op zijn benzinemeter voor een excuus om te stoppen en terwijl hij bij het benzinestation tegenover het blauwe pandje de tank van zijn Mercedes vulde met loodvrije super, nam hij zijn besluit. Wat kan mij het schelen, dacht hij. Er waren ergere manieren om veertig minuten te spenderen.

En dus had hij zijn eerste gesprek met Thistle McCloud, die absoluut niet leek op wat hij had verwacht van een helderziende, aangezien ze geen kristallen bol of tarotkaarten gebruikte, alleen maar een van zijn sieraden. Bij zijn eerste drie bezoeken was het altijd zijn Rolex-horloge geweest waaruit zij haar paranormale signalen ontving. Maar op deze dag had ze het horloge opzijgeschoven en gezegd dat het geen kracht meer had, waarna ze haar mistkleurige ogen op zijn trouwring had gericht. Ze had hem aangeraakt met haar vinger en had gezegd: 'Die zal ik gebruiken, denk ik. Als je iets wilt weten wat dichter bij je hart ligt.'
En precies om die woorden had hij haar de ring gegeven: dichter bij je hart. Ze vertelde hem hoe goed ze wist dat die 'verloren zoon'-toestand voortkwam uit zijn verleden, terwijl zijn grootste zorgen de toekomst betroffen.
Met de ring in haar gesloten vuist en haar ogen omhooggedraaid, neuriede Thistle haar viertonige wijsje, ademde ze zes keer diep in en uit, en opende ze haar ogen. Ze keek hem aan met een blik die zo melancholisch was dat hij een hol gevoel in zijn maag kreeg.
'Wat is er?' vroeg Douglas.
'Je moet je voorbereiden op een ingrijpende gebeurtenis,' zei ze. 'Het is iets onverwachts. Het komt uit het niets en juist daarom zal het de essentie van je leven voorgoed veranderen. En binnenkort. Ik voel dat het heel binnenkort zal gebeuren.'
Jezus, dacht hij. Dat was net wat hij nodig had nadat er drie weken geleden een wijsvinger in zijn reet was geduwd om te ontdekken wat de oorzaak van zijn lamme geslachtsdeel was. Het was geen kanker, had zijn arts gezegd, maar er was nog een aantal mogelijkheden die hij niet kon uitsluiten. Douglas vroeg zich af op welke Thistle haar paranormale antennes had gericht.
Thistle opende haar hand en ze keken allebei naar zijn trouwring die, een beetje dof van haar transpiratie, in haar

handpalm lag. 'Het is iets van buitenaf,' verklaarde ze. 'De bron van deze ommekeer in je leven zit niet binnen in je. Het komt van buitenaf en raakt je tot in de kern.'
'Weet je dat zeker?' vroeg Douglas.
'Zo zeker als ik kan zijn, ondanks het harnas dat je draagt.' Thistle gaf hem de ring terug en streek even met haar koele vingers over zijn pols. Ze zei: 'Je naam is niet David, is het wel? Je hebt nooit David geheten en dat zul je ook nooit doen. Maar ik voel dat de D goed is. Heb ik gelijk?'
Hij stak zijn hand in zijn achterzak en haalde zijn portefeuille tevoorschijn. Terwijl hij behoedzaam zijn rijbewijs voor haar afschermde, trok hij er met zijn duim en wijsvinger een biljet van vijftig dollar uit, dat hij dubbelvouwde en aan haar gaf.
'Donald,' zei ze. 'Nee. Dat is het ook niet. Darrell misschien, of Dennis. Ik voel dat het twee lettergrepen zijn.'
'Namen zijn toch niet belangrijk in jouw werk, of wel?' zei Douglas.
'Nee. Maar de waarheid is altijd belangrijk. Op een dag, niet-David, zul je moeten leren de mensen de waarheid toe te vertrouwen. Vertrouwen is de sleutel, de essentie.'
'Vertrouwen,' vertelde hij haar, 'is wat mensen in de problemen brengt.'
Weer buiten stak hij de weg over en liep hij het smalle zijstraatje in dat parallel liep aan de zee. Daar parkeerde hij altijd zijn auto als hij naar Thistle ging. Door de speciaal voor hem gemaakte nummerplaten – DRIL4IT stond erop – die duidelijk aangaven dat de Mercedes van hem was, had Douglas al meteen besloten dat het nieuwe investeerders niet zou bemoedigen als er geruchten zouden ontstaan dat de directeur van South Coast Oil regelmatig bij een parapsychologe werd gesignaleerd. Riskante investeringen waren één ding, je geld zetten op een man die zich bij het zoeken naar nieuwe oliebronnen liever baseerde op parapsychologie dan op geologie was iets heel anders. Dat deed

hij natuurlijk niet, in zijn gesprekken met Thistle werd nooit over werk gepraat. Maar probeer dat de raad van bestuur maar eens wijs te maken. Probeer dat iemand anders maar eens wijs te maken.
Hij schakelde het autoalarm uit en stapte in. Hij reed naar het zuiden, in de richting van zijn kantoor. Bij South Coast Oil ging iedereen ervan uit dat hij altijd samen met zijn vrouw lunchte en dat ze romantische winterse picknicks hielden langs de kust bij Corona del Mar. Mijn mobiele telefoon wordt een uur lang uitgezet, had hij tegen zijn secretaresse gezegd. Bel me niet op en val ons niet lastig, alsjeblieft. Mijn lunchtijd is voor Donna en mij.
Het noemen van de naam Donna deed altijd wonderen als hij door South Coast Oil een paar uur met rust gelaten wilde worden. Ze was zeer geliefd bij iedereen in het bedrijf. Ze was zeer geliefd bij iedereen. Soms, dacht hij plotseling, was ze een beetje té geliefd. Vooral bij de mannen.
Je moet je voorbereiden op een ingrijpende gebeurtenis.
Moest hij dat? Douglas dacht na over deze vraag in relatie tot zijn vrouw.
Als hij Donna attendeerde op de belangstelling die mannen voor haar hadden, dan reageerde ze altijd verbaasd en zei ze dat mannen in haar meestal een vrouw herkenden die was opgegroeid in een gezin vol broers. Maar wat hij zag in de ogen van mannen als ze naar zijn vrouw keken, had niets te maken met broederlijke genegenheid. Het had te maken met haar uitkleden, haar op bed leggen en smerige, zweterige seks met haar hebben.
Een ingrijpende gebeurtenis van buitenaf.
O, ja? Wat voor soort gebeurtenis? Douglas hield rekening met het ergste.
Alle interacties tussen mannen en vrouwen op de hele aarde waren gebaseerd op seks. Dat wist hij heel goed. Naast zijn eigen frustraties over zijn onvermogen om 'm omhoog

te krijgen en Donna tevreden te stellen, moest hij toegeven dat hij zich ook zorgen maakte over het geduld dat zij tot nu toe met hem had gehad. Langzaam maar zeker zou dat geduld opraken, en als het eenmaal op was, zou ze om zich heen gaan kijken. Dat was heel natuurlijk. En als ze eenmaal om zich heen begon te kijken, dan zou ze iemand vinden of door iemand gevonden worden.

Het komt van buitenaf en raakt je tot in de kern.

Verdomme, dacht Douglas. Als de ellende vlak voor zijn 55e verjaardag als een stoomwals zijn leven zou komen binnenrollen – die rottige samenloop van omstandigheden ook – wist Douglas dat Donna waarschijnlijk achter het stuur zou zitten. Ze was 29 en sinds vier jaar zijn derde echtgenote, en hoewel ze tevreden leek, wist hij inmiddels genoeg van vrouwen om te weten dat stille wateren meer hadden dan alleen maar diepe gronden. Er lagen rotsen op de bodem die een schip in een paar seconden konden laten zinken als de stuurman zijn gedachten er niet bij had. En liefde zorgde ervoor dat mensen hun gedachten er niet goed bij hadden. Liefde zorgde ervoor dat mensen een beetje gek werden.

Natuurlijk was híj niet gek. Hij hield zijn hoofd koel. Maar verliefd zijn op een vrouw die dertig jaar jonger was dan hij, een vrouw wier opwindende geur de neusgaten binnendrong van alle mannen binnen een straal van honderd meter, een vrouw wier lichamelijke behoeften hij niet langer elke nacht kon bevredigen... en al wekenlang niet had kunnen bevredigen... zo'n vrouw...

'Stel je niet aan,' zei Douglas op strenge toon tegen zichzelf. 'Dat paranormale gedoe is onzin, oké? Oké!' Maar toch bleef hij denken aan die naderende ingrijpende gebeurtenis, de chaos waarin zijn leven zou veranderen, en de bron ervan: van buitenaf. Niet zijn prostaat, niet zijn piemel, niet een orgaan in zijn eigen lichaam, maar een ander menselijk wezen. 'Verdomme,' zei hij.

Hij stuurde de auto de afrit op die leidde naar Jamboree Road, zes geasfalteerde, met jonge toverhazelaars afgezette lanen die zich tussen het allerduurste onroerend goed van Orange County slingerden en die hem naar de bronskleurige glazen toren leidden waarin zijn grote trots was gehuisvest: South Coast Oil.
Eenmaal in het gebouw werkte hij zich door een onverwachte ontmoeting met twee SCO-ingenieurs, een kort gesprek met een geoloog die tegelijkertijd met een ordermap en een rapport van de EPA stond te zwaaien en een gangconferentie met het hoofd van de boekhoudafdeling. Toen hij uiteindelijk bij zijn kantoor kwam, gaf zijn secretaresse hem een stapeltje binnengekomen boodschappen. Ze zei: 'Leuke picknick? Het weer is ongelofelijk, vindt u niet?' En toen hij niet antwoordde: 'Alles in orde, meneer Armstrong?'
'Ja. Wat? Nee, best,' antwoordde hij terwijl hij de berichten doorkeek. Hij merkte dat de namen hem niets zeiden. Hij liep naar de enorme ruiten van getint glas achter zijn bureau en keek naar buiten. Onder hem, op het vliegveld van Orange County, schoot de ene jet na de andere de lucht in onder een hoek die zo scherp was dat hij zowel de wetten van de redelijkheid als die van de aërodynamica tartte, hoewel hij de auditieve gevoeligheden van de miljonairs die rondom het vliegveld woonden redelijk ontzag. Douglas keek naar de vliegtuigen zonder ze echt te zien. Hij wist dat hij de binnengekomen telefoontjes moest beantwoorden, maar het enige waar hij aan kon denken waren Thistles woorden: een ingrijpende gebeurtenis van buitenaf.
Wat kon dat anders zijn dan Donna?
Ze gebruikte Obsession. Ze deed het achter haar oren en onder haar borsten. Als ze door een kamer liep, liet ze een geurspoor van zichzelf achter.
Haar donkere haar lichtte op als de zon erop scheen. Ze

droeg het kort, in een eenvoudig model, de scheiding links, soepel vallend tot net over haar oren.
Ze had lange benen. Als ze liep, was haar gang krachtig en zelfverzekerd. En als ze met hem liep – aan zijn zijde, met haar arm door de zijne en haar hoofd recht – wist hij dat iedereen naar haar keek. Samen maakten ze gevoelens van jaloezie los bij al hun vrienden. Bij onbekenden ook, trouwens.
Als Donna en hij samen waren, zag hij dat weerspiegeld in de ogen van de mensen die ze passeerden. Bij het ballet, in het theater, bij concerten en in restaurants gingen alle blikken in de richting van Douglas Armstrong en zijn vrouw. In de blikken van vrouwen zag hij dat ze net zo wilden zijn als Donna, dat ze weer zo'n gladde huid wilden hebben, dat ze nog één keer wilden stralen, nog één keer vruchtbaar en bereid wilden zijn. In de blikken van mannen zag hij verlangen.
Het had hem altijd plezier gedaan om te zien hoe anderen op de aanblik van zijn vrouw reageerden. Maar nu zag hij pas hoe gevaarlijk haar verschijning in feite was en hoe deze zijn rust dreigde te verstoren.
Een ingrijpende gebeurtenis, had Thistle tegen hem gezegd. Bereid je voor op een ingrijpende gebeurtenis die je hele leven zal veranderen.

Toen Douglas die avond thuiskwam, hoorde hij het water stromen in de badkamer. Het huis – bijna zeshonderd vierkante meter kalkstenen vloeren, gebeeldhouwde plafonds, brede vensters die een weids uitzicht boden over de zee in het westen en de lichtjes van Orange County in het oosten – had hem een fortuin gekost, maar dat kon hem niet schelen. Geld betekende niets voor hem. Hij had het huis voor Donna gekocht. Had hij eerder twijfels over zijn vrouw gehad – geboren uit zijn falende libido en tot volle wasdom gebracht door zijn gesprekken met Thistle – toen

hij dat water hoorde stromen, begon hij zich te realiseren wat er aan de hand was. Donna nam een douche.
Hij keek naar haar silhouet achter de doorzichtige glazen blokken die de wand van de doucheruimte vormden. Ze stond haar haar te wassen. Ze had hem nog niet gezien, en hij bleef enige tijd naar haar kijken, waarbij hij zijn blik over haar stevige borsten, haar heupen en haar lange benen liet gaan. Meestal ging ze in bad, urenlange bubbelbaden in de verhoogde, ovale badkuip die uitzicht bood over de lichtjes van Irvine. Dat ze een douche nam, wees erop dat er meer praktische redenen waren om zichzelf te reinigen. En dat ze haar haar waste, wees erop... Nou, het was heel duidelijk waar dat op wees. Geuren trokken in het haar: sigarettenrook, knoflookdampen, vis uit een vissersboot, of sperma en seks. Vooral die laatste twee waren verraderlijke geuren. Blijkbaar was het nodig dat ze haar haar waste.
Hij keek naar haar kleren die op de vloer lagen. Na een blik op de douche liet Douglas zijn handen door haar kleding gaan tot hij haar met kant afgezette slipje vond. Hij wist hoe vrouwen waren. Hij kende zijn vrouw. Als ze die middag met een man was geweest, dan zouden haar opgedroogde lichaamssappen het kruis van haar slipje hard hebben gemaakt en zou hij de achtergebleven geur van hun bezigheden kunnen ruiken. Dat zou hem zekerheid geven. Hij bracht het slipje naar zijn neus.
'Doug! Wat ben jij nou aan het doen?'
Douglas liet het slipje vallen, kreeg een rood hoofd en voelde de zweetdruppels langs zijn hals lopen. Donna stond naar hem te kijken vanuit de opening in de glazen wand, met haar hoofd vol schuim, dat langs haar linkerwang naar beneden zakte. Ze veegde het weg.
'Wat ben *jíj* aan het doen?' vroeg hij haar. Drie huwelijken en twee scheidingen hadden hem geleerd dat een snelle aanvalsmanoeuvre je tegenstander meestal uit balans bracht. Het werkte.

Ze ging weer met haar hoofd onder de waterstraal staan – heel handig, nu kon hij haar gezicht niet zien – en zei: 'Dat lijkt me nogal duidelijk, ik neem een douche. God, wat een dag.'
Hij deed een stap opzij, zodat hij haar kon zien. De douche had geen deur, alleen maar een opening in een wand van glazen blokken. Zo kon hij haar lichaam onderzoeken op zichtbare sporen van het ruwe liefdesspel waar ze zo van hield. En ze wist niet eens dat hij keek, want ze stond met haar hoofd onder de waterstraal de shampoo uit haar haar te spoelen.
'Steve meldde zich ziek vandaag,' zei ze, 'dus ik moest die hele kennel alleen doen.'
Ze fokte chocoladebruine labradors. Zo had hij haar ontmoet, toen hij een hond zocht voor zijn jongste zoon. Via een dierenarts was hij bij haar kennel in Midway City terechtgekomen, een terrein van nauwelijks een vierkante kilometer, vol hondenhokken en gebouwtjes met gebarsten naoorlogs pleisterwerk en ingezakte daken, die als personeelsverblijven dienst moesten doen. Het was een rare werkplek voor een meisje uit de betere buurten van Corona del Mar, maar dat vond hij juist het leuke van Donna. Ze liet zich niet in een hokje duwen, ze was geen strandliefhebster, geen typisch Zuid-Californisch meisje. Dat had hij tenminste altijd gedacht.
'Het schoonmaken van de hondenhokken vond ik het ergste,' zei ze. 'Het vegen vond ik niet erg. Dat heb ik nooit erg gevonden. Maar ik haat het uitmesten van die hokken. Ik stonk helemaal naar de hondenpoep toen ik thuiskwam.' Ze draaide de kraan dicht, pakte de handdoeken, wond er een om haar hoofd en de andere om haar lichaam. Glimlachend stapte ze uit de douche en ze zei: 'Is het niet vreemd dat sommige geuren in je huid en je haar dringen en andere niet?'
Ze kuste hem op de wang en bukte zich om haar kleren op

te rapen. Ze gooide ze in de wasmand. Weg is weg, dacht ze ongetwijfeld. God, wat was ze toch slim.
'Het is al de derde keer in twee weken dat Steve zich ziek meldt.' Zich ondertussen afdrogend liep ze in de richting van de slaapkamer. Met haar gebruikelijke gebrek aan gêne liet ze de handdoek op de grond vallen en begon ze zich aan te kleden; ze trok schoon ondergoed aan, een zwarte legging en een lange, zilverkleurige blouse. 'Als hij dat blijft doen, moet ik hem ontslaan. Ik heb iemand nodig op wie ik kan rekenen, iemand die ik kan vertrouwen. Als hij dat niet kan opbrengen...' Haar blik ging naar Douglas en er verscheen een verbaasde uitdrukking op haar gezicht. 'Wat is er, Doug? Je kijkt me zo raar aan. Is er iets mis?'
'Mis? Nee.' Maar hij dacht: dat lijkt wel een zuigzoen in haar nek. En hij liep naar haar toe om nog eens goed te kijken. Hij omvatte haar gezicht met zijn handen en boog haar hoofd iets achterover, alsof hij haar wilde kussen. De schaduw van de handdoek om haar hoofd schoof naar achteren en onthulde haar smetteloze huid. Nou, en wat dan nog, dacht hij. Ze zal heus niet zo gek zijn om zich door de een of andere geilaard plekken in haar hals te laten zuigen, hoe opgewonden hij haar ook heeft gemaakt. Zo dom was ze niet. Niet zijn Donna.
Maar ze was ook niet zo slim als haar echtgenoot.

De volgende dag, om kwart voor zes, liep hij naar de personeelsafdeling. Dat was een betere keuze dan de Gouden Gids, omdat hij wist dat degene die het antecedentenonderzoek van de nieuwe werknemers van South Coast Oil had gedaan zowel competent als discreet was. Er had tenminste niemand geklaagd over derderangs detectives die in hun privé-leven rondsnuffelden.
Zoals Douglas had gehoopt was de hele afdeling verlaten. De computerschermen op de bureaus waren ingesteld op de screensavers, de bewegende beelden die ervoor moesten

zorgen dat ze langer meegingen: zwemmende visjes, stuiterende ballen en knappende zeepbellen. Het kantoor van het hoofd Personeelszaken, in de uiterste hoek van de afdeling, was donker en de deur zat op slot, maar de sleutel in de hand van de algemeen directeur loste dat probleem op. Douglas ging naar binnen en knipte het licht aan.

Hij vond de naam die hij zocht op een van de beduimelde kaartjes van de Rolodex op het bureau van het afdelingshoofd, een attribuut dat een zonderling anachronisme vormde in een kantoor dat verder geheel in het computertijdperk leefde. COWLEY & SON, ONDERZOEK, stond er in gebleekte blokletters, met daaronder een telefoonnummer en een adres op Balboa Island.

Douglas bestudeerde de laatste twee regels enkele minuten lang. Kon hij beter weten waar hij aan toe was of leven in gelukzalige onwetendheid, vroeg hij zich af. Maar van gelukzaligheid was weinig sprake. Hij had geen moment meer in gelukzaligheid geleefd sinds hij zijn plicht als man niet meer kon vervullen. Dus kon hij het maar beter weten. Hij moest het weten. Kennis was macht. Macht was controle. Hij had behoefte aan beide.

Hij nam de hoorn van het telefoontoestel.

Tenzij hij een bespreking had met zijn geologen of ingenieurs, lunchte Douglas altijd buiten kantoor, zodat niemand vreemd opkeek toen hij de volgende dag even voor twaalf uur het kantoor verliet. Hij nam de Jamboree weer naar de kustweg, maar in plaats van naar het noorden te rijden in de richting van Newport, waar Thistle haar voorspellingen deed, stak hij deze keer de kustweg over en reed hij rechtstreeks de afrit naar de brug op. Deze overspande een door olie verontreinigd gedeelte van Newport Harbor, dat een verbinding vormde tussen het vasteland en het amoebevormige stukje land dat Balboa Island heette.

In de zomer was het eiland vergeven van de toeristen. Die

verstopten de straatjes met hun auto's en raceten met hun fietsen over de trottoirs. De plaatselijke bevolking ging Balboa Island in de zomer angstvallig uit de weg, tenzij ze een goede reden hadden om ernaartoe te gaan of er woonden. Maar in de winter was het eiland praktisch verlaten.

Het kostte hem minder dan vijf minuten om door de smalle straatjes naar het noordelijke uiteinde van het schiereiland te rijden, waar een veerboot klaarlag voor de auto's en voetgangers die hij in een tocht die alweer afgelopen was voordat ze zich goed en wel van de wal hadden losgemaakt naar het eiland zou brengen.

Daar, op een plek die Fun Zone werd genoemd, draaiden een van puntige uitsteeksels voorziene draaimolen en een reuzenrad rond als twee raderen van een kolossale klok. Het pretpark bezorgde de plaatselijke politie in de zomermaanden veel extra werk, maar op deze dag was er van de bendes jeugdige delinquenten die zich met hun spuitbussen op het kermistuig wierpen geen spoor te bekennen. De enige bezoekers van Fun Zone waren een man in een rolstoel en zijn fietsende metgezel.

Douglas passeerde de twee toen hij de veerboot af reed. Ze waren in een druk gesprek verwikkeld. Het reuzenrad en de draaimolen bestonden niet voor hen. Evenmin als Douglas en zijn blauwe Mercedes, wat hem goed uitkwam. Hij wilde liever niet gezien worden.

Hij zette zijn auto op een parkeerterrein bij het strand, waar een kwartier een kwartje kostte. Hij stopte er vier in de meter. Hij schakelde het autoalarm in en ging op weg naar Main Street, een met bomen omzoomde laan van een meter of zestig, die begon bij een restaurant in New England-stijl, dat uitzicht bood over Newport Harbor, en eindigde bij Balboa Pier, die zich uitstrekte in de Grote Oceaan, die er als gevolg van een winterse storm uit Alaska grijsgroen en onrustig uitzag.

Main Street 107-B, daar moest hij wezen, en hij vond het

gemakkelijk. Nummer 107 was op de hoek van een steeg, een pand van twee verdiepingen waarvan de begane grond in beslag werd genomen door haarsalon JJ's, die uit een andere tijd scheen te stammen – een etalage vol macramé, planten in stenen potten en posters van Janis Joplin – en waarvan de eerste verdieping bestond uit kantoren die bereikbaar waren via een trap van een twijfelachtige constructie aan de noordkant van het pand. Nummer 107-B was de eerste deur boven aan de trap – JJ's Natuurlijke Haarmode bleek 107-A te zijn – maar toen Douglas de verweerde koperen deurknop omdraaide onder het eveneens verweerde koperen naambord dat vermeldde dat hij hier bij COWLEY & SON, ONDERZOEK was, merkte hij dat de deur op slot zat.

Hij fronste zijn wenkbrauwen en keek op zijn Rolex. Hij had om kwart over twaalf afgesproken. Het was al tien over geweest. Dus waar was Cowley? En waar was zijn zoon?

Hij draaide zich om en liep terug naar de trap, met het plan om met zijn autotelefoon Cowley te bellen en hem de huid vol te schelden omdat hij een afspraak met hem had gemaakt die hij niet was nagekomen, toen hij een man in een kakikleurig pak de trap op zag komen die met het enthousiasme van een twaalfjarige aan het rietje van een pakje sinaasappelsap liep te lurken. Zijn dunner wordende haar en door zonlicht verweerde gezicht maakten hem echter minstens vijf decennia ouder dan twaalf. En zijn enigszins hinkende manier van lopen – in combinatie met zijn kleding – deed oude oorlogsverwondingen vermoeden.

'Bent u Cowley?' riep Douglas naar beneden.

De man zwaaide als antwoord met zijn pakje sinaasappelsap. 'Bent u Armstrong?' vroeg hij.

'Ja,' zei Douglas. 'Luister, ik heb niet veel tijd.'

'Dat heeft niemand, beste man,' zei Cowley, en moeizaam

hees hij zich de trap op. Hij knikte Douglas vriendelijk toe, zoog nog eens hard aan zijn rietje en liep langs hem heen, een wolk aftershave achterlatend die Douglas twintig jaar geleden voor het laatst had geroken. Canoe. Jezus, werd dat nog steeds verkocht?
Cowley opende de deur en gaf Douglas met een hoofdknik te kennen dat hij naar binnen moest gaan. Het kantoor bestond uit twee ruimten: een spaarzaam gemeubileerde ontvangstruimte, waar ze doorheen liepen, en iets wat duidelijk Cowleys domein was. Het middelpunt werd gevormd door een olijfgroen stalen bureau. De archiefkast en boekenplanken tegen de muur waren van hetzelfde materiaal.
De detective liep naar de oude eiken stoel achter zijn bureau, maar ging niet zitten. In plaats daarvan trok hij een van de bureauladen open, en net toen Douglas verwachtte dat er een kwart flesje bourbon tevoorschijn zou komen, haalde hij er een potje met gele capsules uit. Hij schudde er twee in zijn handpalm, stopte ze in zijn mond en slikte ze door met een flinke teug sinaasappelsap. Hij liet zich in zijn stoel vallen en greep de armleuningen vast.
'Reumatiek,' zei hij. 'Ik probeer het onder de duim te houden met teunisbloemolie. Geef me een minuutje, oké? Wilt u er ook een paar?'
'Nee.' Douglas keek op zijn horloge om Cowley eraan te herinneren dat zijn tijd kostbaar was. Toen liep hij naar de stalen boekenplanken.
Hij verwachtte munitiecatalogussen, strafwetboeken en boeken over opsporingstechnieken; kortom, vakliteratuur die een toekomstige cliënt ervan moest overtuigen dat hij met zijn problemen naar het juiste adres was gekomen. Maar wat hij op de planken aantrof was poëzie, alle bundels netjes alfabetisch gerangschikt op naam van de auteur, van Matthew Arnold tot en met William Butler Yeats. Douglas wist niet wat hij ervan moest denken.

De ruimte die overbleef tussen de boekenplanken was opgevuld met foto's, voornamelijk slordig ingelijste kiekjes met lachende kinderen, een omaatje met grijs haar en enkele jongvolwassenen. Daartussenin stond een in plexiglas gegoten Purperen Hart-onderscheiding. Douglas pakte hem op. Hij had er nog nooit een gezien, maar het deed hem genoegen dat zijn vermoeden over de oorzaak van Cowleys gehink juist was geweest.
'U hebt het een en ander meegemaakt,' zei hij.
'Mijn kont heeft het een en ander meegemaakt,' antwoordde Cowley. Toen Douglas hem aankeek, vervolgde de detective: 'Ik ben in mijn kont geschoten. Dat soort rottigheid gebeurt, nietwaar?' Hij verplaatste zijn handen van de stoelleuning naar zijn buik. Die had wat platter mogen zijn, net als die van Douglas. Ze leken qua lichaamsbouw op elkaar: stevig, snel te zwaar als ze er niet op letten, te groot om klein genoemd te worden en te klein om groot te zijn. 'Wat kan ik voor u doen, meneer Armstrong?'
'Mijn vrouw,' zei Douglas.
'Uw vrouw?'
'Ze heeft misschien...' Toen het moment was aangebroken om zijn probleem onder woorden te brengen en hoe dat was ontstaan, betwijfelde Douglas of hij dat wel kon. Dus zei hij: 'Wie is de zoon?'
'Pardon?'
'Er staat Cowley & Son, maar ik zie maar één bureau. Waar is uw zoon?'
Cowley pakte zijn pakje sinaasappelsap en zoog aan het rietje. 'Dood,' zei hij. 'Doodgereden door een dronken automobilist op Ortega Highway.'
'Dat spijt me.'
'Zoals ik al zei: dat soort rottigheid gebeurt. En met wat voor soort rottigheid zit u?'
Douglas zette het Purperen Hart weer op zijn plaats. Op

een van de foto's zag hij het grijze omaatje weer en hij zei: 'Is dat uw vrouw?'
'Al veertig jaar. Ze heet Maureen.'
'Ik ben aan mijn derde bezig. Hoe lukt het u om het veertig jaar met één vrouw uit te houden?'
'Ze heeft gevoel voor humor.' Cowley trok de middelste la van zijn bureau open en haalde er een blocnote en een stompje potlood uit. Boven aan het blad schreef hij in blokletters ARMSTRONG en zette er een streep onder. Hij zei: 'Wat uw vrouw betreft...'
'Ik denk dat ze een verhouding heeft. Ik wil weten of ik gelijk heb. Ik wil weten wie het is.'
Voorzichtig legde Cowley zijn potlood neer. Hij keek Douglas enige tijd aan. Van buiten, vanaf een van de daken, liet een meeuw een schelle kreet horen. 'Waarom denkt u dat ze een verhouding heeft?'
'Wordt er van mij verwacht dat ik met bewijzen kom voordat u de zaak aanneemt? Ik dacht dat dat uw taak was. Om mij bewijzen te leveren.'
'U zou niet hier zijn als u geen vermoedens had. Wat zijn die?'
Douglas zocht zijn geheugen af. Hij was niet van plan Cowley te vertellen dat hij aan Donna's slipje had geroken, dus hij nam even de tijd om haar gedrag van de afgelopen weken te evalueren. En toen hij dat deed, kwamen de bewijzen vanzelf. Hoe had hij het over het hoofd kunnen zien? Ze had haar kapsel veranderd; ze had nieuw ondergoed gekocht, die zwartkanten Victoria-lingerie; ze was twee keer aan de telefoon geweest toen hij thuiskwam en had snel opgehangen toen hij de kamer binnenkwam; ze was ten minste twee keer urenlang weg geweest zonder dat ze hem daar een reden voor had gegeven; ze had zes of zeven afspraken gehad, met vrienden, zei ze.
Cowley knikte bedachtzaam terwijl Douglas zijn beden-

kingen opsomde. Toen zei hij: 'Hebt u haar een reden gegeven om u te bedriegen?'
'Een reden? Wat krijgen we nou? Ben ik soms de schuldige?'
'Vrouwen schijnen over het algemeen alleen buitenechtelijke relaties aan te gaan als er een man is die hun daar een reden voor geeft.' Cowley zat hem vanonder zijn borstelige wenkbrauwen te observeren. In een van zijn ogen, zag Douglas, waren de eerste tekenen van staar zichtbaar. Jezus, die vent is echt stokoud, een stuk antiek.
'Geen enkele reden,' zei Douglas. 'Ik bedrieg haar niet. Dat zou ik niet eens willen.'
'Maar ze is jong. En een man van uw leeftijd...' Cowley haalde zijn schouders op. 'Wij oudere mannen hebben het niet gemakkelijk. Die jonge meiden hebben niet altijd het geduld om dat te begrijpen.'
Douglas wilde even duidelijk maken dat Cowley minstens twaalf jaar ouder was dan hij, misschien wel meer. En hij wilde ook meteen zijn lidmaatschap van de club van 'wij oudere mannen' opzeggen. Maar de detective zat hem zo vol mededogen aan te kijken dat Douglas zijn protesten inslikte en hem de waarheid vertelde.
Cowley pakte zijn pakje sinaasappelsap, dronk het leeg en gooide het in de prullenmand. 'Vrouwen hebben behoeften,' zei hij. Hij legde zijn hand in zijn kruis en bracht hem vervolgens naar zijn borst. 'Een wijs man verwart datgene wat hier gebeurt' – zijn kruis – 'niet met datgene wat hier gebeurt' – zijn borst.
'Nou, misschien ben ik wel niet zo wijs. Bent u van plan me te helpen of niet?'
'Weet u zeker dat u hulp wilt?'
'Ik wil de waarheid weten. Daar kan ik mee leven. Waar ik niet mee kan leven, is die onzekerheid. Ik wil gewoon weten waar ik aan toe ben.'
Cowley keek hem aan alsof hij zijn geloofwaardigheid zat in te schatten. Ten slotte leek hij tot een beslissing te

komen, maar dan wel een die hem niet beviel, want hij pakte zijn potlood op en hij zei terwijl hij zijn hoofd schudde: 'Geef me dan maar wat achtergrondinformatie. Als ze er een minnaar op na houdt, wie komen daar dan voor in aanmerking?'
Daar moest Douglas even over nadenken. Mike, die eens per week het zwembad kwam schoonmaken. Steve, met wie ze samenwerkte in haar kennel in Midway City. Jeff, haar privé-fitnesstrainer. En dan had je de postbode, de meteropnemer, de UPS-koerier, en haar veel te jonge gynaecoloog.
'Mag ik daaruit opmaken dat u de zaak aanneemt?' zei Douglas tegen Cowley. Hij haalde zijn portefeuille tevoorschijn en trok er een stapel bankbiljetten uit. 'Ik neem aan dat u een voorschot wilt.'
'Ik heb geen contant geld nodig, meneer Douglas.'
'Mij best...' Toch was hij niet van plan een papieren spoor achter te laten door een cheque uit te schrijven. 'Hoeveel tijd denkt u nodig te hebben?' vroeg hij.
'Geef het een paar dagen. Als ze iemand heeft, zal hij uiteindelijk boven water komen. Dat doen ze altijd.' Cowley klonk of hij uit ervaring sprak.
'Bedriegt uw vrouw u?' vroeg Douglas.
'Als ze dat deed, zou ik het waarschijnlijk verdienen.'

Dat was Cowleys opvatting, maar Douglas deelde die niet. Hij verdiende het niet bedrogen te worden. Dat verdiende niemand. En als hij ontdekte wie er met zijn vrouw rotzooide... nou, dan zouden ze een soort gerechtigheid meemaken waar Atilla de Hun een puntje aan kon zuigen. Reken maar!
Zijn geloof in zijn beslissing werd gesterkt toen de begroetingskus die hij zijn vrouw die avond in de slaapkamer gaf, werd onderbroken door de telefoon. Donna maakte zich snel van hem los om op te nemen. Ze wierp Douglas een

glimlach toe, alsof ze wist wat haar haast hem duidelijk maakte, schudde zo sexy als ze kon haar haar naar achteren, streek het met haar slanke vingers van haar voorhoofd en pakte de hoorn van het toestel.

Terwijl Douglas zich verkleedde, luisterde hij naar haar kant van het gesprek. Hij hoorde het enthousiasme in haar stem toenemen toen ze zei: 'Ja. Ja. Hallo! Nee... Doug is net thuisgekomen en we zaten even te praten...'

Daardoor wist de beller dat hij bij haar in de kamer was. Douglas stelde zich voor dat die schoft – wie het ook was – zei: *'Dus je kunt niet praten?'*

Waarop Donna op haar beurt antwoordde: 'Nee. Helemaal niet.'

'Zal ik later terugbellen?'

'Goh, dat zou leuk zijn.'

'Weet je wat leuk was? Toen je vandaag bij me was. Ik heb alweer zin om met je te neuken.'

'Echt? Geweldig. Ik zal kijken of ik het kan regelen.'

'Ik wil jou regelen, schatje. Ben je al een beetje nat voor me?'

'Reken maar. Hoor eens, we praten er een andere keer wel over, oké? Ik moet aan het avondeten beginnen.'

'Als je vandaag maar niet vergeet. Het was grandioos. Je bent de beste.'

'Goed. Dag.' Ze hing op, kwam naar Douglas toe en sloeg haar armen om zijn middel. 'Daar ben ik vanaf,' zei ze. 'Nancy Talbert. Mijn god. Niets is belangrijker in haar leven dan de schoenenuitverkoop bij Neiman Marcus. Spaar me, alsjeblieft.' Ze drukte haar gezicht tegen zijn hals. Hij kon haar gezicht niet zien, alleen haar achterhoofd in de spiegel.

'Nancy Talbert,' zei hij. 'Ik geloof niet dat ik haar ken.'

'Natuurlijk wel, schat.' Ze drukte haar heupen tegen de zijne. Hij voelde een hoopvolle, maar vergeefse warmte oplaaien in zijn kruis. 'Ik ken haar van de Rotary. Vorige maand, toen we naar het ballet gingen, heb je haar ont-

moet. Hmm, je voelt lekker aan. Goh, ik vind het heerlijk als je me zo vasthoudt. Zal ik aan het eten beginnen of zullen we nog even doorgaan?'
Weer zo'n slimme zet van haar kant: hij zou nooit vermoeden dat ze hem bedroog als ze nog steeds naar hem verlangde. Ook al kon hij het haar niet geven. Maar dat accepteerde ze en dat bewees ze op deze manier. Of dat dacht ze.
'Graag,' zei hij en hij gaf haar een klap op haar bil. 'Maar laten we eerst eten. En daarna, op de eettafel...' Hij gaf haar een knipoog waarvan hij hoopte dat die wellustig overkwam. 'Wacht maar eens af, kleintje.'
Lachend maakte ze zich van hem los en ze liep naar de keuken. Douglas ging diepongelukkig op de rand van het bed zitten. Deze poppenkast was een marteling. Hij moest de waarheid weten.

Twee weken lang hoorde hij niets van Cowley; twee zenuwslopende weken waarin hij nog drie neptelefoongesprekken tussen Donna en haar minnaar moest verdragen, nog vier doorzichtige smoesjes om haar afwezigheid te verklaren en nog twee douches tijdens de middaguren omdat Steve zogenaamd weer eens niet op de kennel was verschenen. Tegen de tijd dat het hem eindelijk was gelukt Cowley te bereiken, stond Douglas op de rand van een zenuwinzinking.
Cowley had nieuws te melden. Hij zei dat hij het hem meteen zou vertellen als ze elkaar zouden zien. 'Wat dacht je van lunch?' vroeg Cowley. 'We kunnen hier in de Tail of the Whale afspreken.'
Geen lunch, zei Douglas. Hij zou toch geen hap door zijn keel kunnen krijgen. Hij zou om kwart voor een naar Cowleys kantoor komen.
'Laten we het dan op de pier houden,' zei Cowley. 'Dan pak ik een hamburger bij Ruby's en praten we daarna. Ken je Ruby's? Aan het eind van de pier?'

Hij kende Ruby's. Een jaren vijftig koffieshop aan het eind van Balboa Pier, en zoals beloofd trof hij Cowley daar om kwart voor een. Hij zat een hamburger met friet te eten en naast zijn aardbeienmilkshake lag een kartonnen envelop.

Cowley droeg hetzelfde kakikleurige pak dat hij aanhad gehad op de dag dat ze elkaar hadden ontmoet. Hij droeg een panamahoed om zijn ensemble te voltooien. Toen Douglas naar hem toe liep, bracht hij zijn wijsvinger naar de rand van zijn hoed. Zijn wangen stonden bol van de hamburger en friet.

Douglas gleed de box in, ging tegenover Cowley zitten en stak zijn hand uit naar de envelop. Cowley liet de zijne erbovenop vallen. 'Nog niet,' zei hij.

'Ik moet het weten.'

Cowley schoof de envelop naar de rand van het tafelblad en liet hem op de kunststof zitting van de stoel naast de zijne vallen. Hij prikte het rietje in zijn milkshake en keek Douglas aan met zijn ondoorgrondelijke ogen, die het zonlicht van buiten leken te weerspiegelen. 'Foto's,' zei hij. 'Meer heb ik niet voor je. Wat erop staat hoeft niets te betekenen te hebben. Begrijp je dat?'

'Laat me die foto's nou maar zien.'

'Buiten.'

Cowley gooide acht dollar op tafel, riep: 'Tot straks, Suzie' naar de serveerster en ging Douglas voor naar buiten. Hij liep naar de reling, waar ze uitzicht hadden over het water. Een kwart mijl van de kust dobberde een walvisobservatieboot in de golven. Het was nog te vroeg in het jaar om een school naar Alaska te zien trekken, maar dat wisten de toeristen aan boord waarschijnlijk niet. Hun verrekijkers glansden in het zonlicht.

Douglas ging naast Cowley staan. 'Je moet weten dat ze zich niet gedraagt als een vrouw die iets ongeoorloofds doet,' zei de detective. 'Ze lijkt zich normaal te gedragen.

Ze heeft een paar mannen ontmoet – ik zal er geen doekjes om winden – maar ik heb haar niet kunnen betrappen op iets waar een luchtje aan zit.'
'Geef me die foto's nou maar.'
In plaats daarvan wierp Cowley hem een scherpe blik toe. Douglas wist dat zijn stem hem verried. 'Ik stel voor dat we haar nog twee weken in de gaten houden,' zei Cowley. 'Wat ik hier heb, stelt niet veel voor.' Hij maakte de envelop open. Hij stond zo dat Douglas alleen de witte achterkant van de foto's zag. Hij scheen ze in series te willen overhandigen.
De eerste serie was genomen in Midway City, niet ver van de kennel, bij de dierenwinkel waar Donna het voer voor de honden kocht. Ze was bezig de zakken van 25 kilo in de laadbak van haar Toyota pick-up te tillen. Ze werd geholpen door een Calvin Klein-type in een strakke spijkerbroek en een wit T-shirt. Ze lachten naar elkaar en op een van de foto's had Donna haar zonnebril omhooggeschoven om haar metgezel beter te kunnen aankijken.
Het leek erop dat ze flirtte, maar ze was een jonge, aantrekkelijke vrouw en flirten was normaal. Deze serie leek oké. Hij had liever gehad dat ze die mooie jongen wat onvriendelijker had aangekeken, maar ze was zakenvrouw en ze stond hier zaken te doen. Daar kon Douglas wel begrip voor opbrengen.
Op de tweede serie was Donna te zien samen met haar privé-trainer, in de sportschool in Newport waar ze twee keer per week trainde. Haar trainer had zo'n gebeeldhouwd lichaam en een kop met haar waarvan elke lok elke ochtend met de grootste zorgvuldigheid op zijn plaats werd geföhnd. Donna was gekleed in haar sportoutfit – niets wat Douglas nooit eerder had gezien – maar voor het eerst viel het hem op hoe uitgekiend ze die outfit had samengesteld. Alles, zowel de legging als het topje en de haarband die ze droeg, was zo gekozen dat haar lichaam er

beter in uitkwam. Haar trainer scheen er net zo over te denken, want hij zat gehurkt voor haar terwijl zij haar *butterflies* deed. Ze had haar benen gespreid en er bestond geen enkele twijfel over de plek waarop hij zijn blik had gericht. Deze zagen er al minder onschuldig uit.
Hij wilde Cowley net voorstellen die trainer ook maar eens in de gaten te houden, toen de detective zei: 'Geen lichamelijk contact tussen beiden afgezien van wat je in een sportschool kunt verwachten', waarna hij hem de derde serie foto's gaf. 'Deze zijn de enige die me niet helemaal lekker zitten,' zei hij, 'maar ze hoeven niets te betekenen te hebben. Ken je die vent?'
Douglas staarde naar de foto's. Ken ik die vent? Ken ik die vent, echode het door zijn hoofd. In tegenstelling tot de andere foto's, waarop Donna en haar metgezel van dat moment zich steeds op één locatie bevonden, lieten deze foto's Donna zien aan een restauranttafeltje met uitzicht op zee, op de veerboot naar Balboa Island en wandelend op de boulevard in Newport. Op alle foto's was ze met een man, dezelfde man. En op alle foto's was er sprake van lichamelijk contact. Niets extreems, want ze bevonden zich in gezelschap, in het openbaar. Maar het was het soort lichamelijk contact dat hen verried: een arm om haar schouders, een kus op haar wang, een stevige omhelzing waarmee hij leek te zeggen: voel maar, schatje, aan de mijne mankeert niets.
Douglas voelde alles draaien in zijn hoofd, maar het lukte hem een grijns te produceren. 'O, verdomme. Ik voel me nu net een puber.'
'Hoezo?' vroeg Cowley.
'Die vent,' zei Douglas, en hij wees naar de atletisch gebouwde man die naast Donna op de foto's stond, 'is haar zwager.'
'Dat meen je niet.'
'Jawel. Hij is sportleraar, hier op Newport Harbor High.

Hij heet Michael. Hij is een soort avonturierstype.' Douglas greep met een hand de reling vast en hij keek Cowley hoofdschuddend en met een – dat hoopte hij althans – teleurgestelde blik aan. 'Is dat alles?'
'Ja. Ik kan haar nog een tijdje observeren om te zien...'
'Nee. Vergeet het maar. Jezus, wat voel ik me dom.' Douglas scheurde de foto's in kleine stukjes en wierp die in het water, waar ze eerst een gestippelde plek vormden, die echter algauw uiteen werd geslagen door de golven die tegen de dragers van de pier sloegen. 'Wat ben ik u schuldig, meneer Cowley?' vroeg hij. 'Wat moet deze domme klootzak u betalen omdat hij de beste vrouw van de hele wereld wantrouwde?'

Hij nam Cowley mee naar Dillmans op de hoek van Main Street en Balboa Boulevard, waar ze aan de S-vormige bar tussen enkele stamgasten een paar biertjes achteroversloegen. Douglas werkte aan zijn onnozelheidsact en speelde de beschaamde echtgenoot die beseft wat voor argwanende zak hij is geweest. Hij nam al Donna's daden van de afgelopen weken nog eens door en herinterpreteerde die voor Cowley. Haar onverklaarde afwezigheid werd de voorbereiding voor de aanschaf van een verjaardagscadeau voor hem: een nieuwe auto misschien, een reis naar Europa, een nieuw interieur voor zijn boot. De geheimzinnige telefoontjes werden toegeschreven aan zijn kinderen, die bij het complot betrokken waren. Het nieuwe ondergoed veranderde in een poging van haar om zichzelf voor hem begeerlijker te maken, om hem door een hernieuwde interesse in haar lichaam van zijn tijdelijke impotentie af te helpen. Hij voelde zich een volslagen idioot, zei hij tegen Cowley. Konden ze samen niet die verdomde negatieven verbranden?
Ze maakten er een echt ritueel van, in het steegje achter JJ's Natuurlijke Haarmode. Daarna reed Douglas als in een roes naar Newport Harbor High. Hij parkeerde zijn

auto tegenover het schoolgebouw en bleef versuft zitten. Twee uur lang wachtte hij. Uiteindelijk zag hij zijn jongste broer arriveren voor de middagtraining, met een basketbal onder zijn arm en een sporttas in zijn hand.
Michael, dacht hij. Onlangs teruggekeerd uit Griekenland deze keer, maar nog altijd de verloren zoon. Voor Griekenland was het een jaar bij Greenpeace op de *Rainbow Warrior*. Daarvoor was het een expeditie door het Amazonegebied. En daarvoor liep hij mee in protestmarsen tegen apartheid in Zuid-Afrika. Een curriculum vitae waar menig puber jaloers op zou zijn. Hij was de grote avonturier, de man zonder verantwoordelijkheid, de grote charmeur. De man met de goede bedoelingen, die nooit werden waargemaakt. Als het moment aanbrak om beloften in te lossen, dan was Michael in geen velden of wegen te bekennen. Maar iedereen hield van die schoft. Hij was veertig, de jongste van de gebroeders Armstrong, en hij kreeg altijd wat hij wilde.
En dit keer was dat Donna, die smerige ellendeling. Het maakte hem niets uit dat ze de echtgenote van zijn broer was. Misschien maakte dat het zelfs nog leuker.
Douglas voelde zich misselijk worden. Zijn darmen rolden door zijn buik als knikkers door een zinken emmer. Het zweet brak hem uit. Hij kon zo niet terug naar zijn werk. Hij pakte zijn autotelefoon en belde naar kantoor.
Hij was ziek, zei hij tegen zijn secretaresse. Waarschijnlijk iets verkeerds gegeten tijdens de lunch. Hij ging naar huis. Ze kon hem daar bereiken als ze hem nodig had.
Thuis zwierf hij van de ene kamer naar de andere. Donna was er niet – en zou voorlopig nog niet thuiskomen – zodat hij tijd genoeg had om te bedenken wat hij moest doen. Hij haalde zich de foto's voor de geest die Cowley van Michael en Donna had gemaakt. In zijn verbeelding zag hij waar ze waren geweest en wat ze hadden gedaan voordat die foto's waren gemaakt.

Hij liep naar zijn werkkamer. Zijn verzameling erotische ivoren beeldjes in de vitrinekast ergerde hem. Oosterlingen in miniatuur poseerden in allerlei seksuele houdingen en schenen zich kostelijk te vermaken. Op de roomkleurige gezichtjes meende hij Michaels en Donna's gelaatstrekken te herkennen. Ze vermaakten zich ten koste van hem. En ze rechtvaardigden hun vermaak met zijn falen. Geen slappe lul hier, zei Michaels stem honend. Wat is er, grote broer? Kun je je vrouw niet bijbenen?
Douglas was er kapot van. Hij maakte zichzelf wijs dat hij had kunnen accepteren dat Donna iets anders had gedaan, iets met iemand anders had gehad. Maar niet met Michael, die hem zijn hele leven al achtervolgde en die opmerkelijke prestaties leverde op elk terrein waarop Douglas had gefaald. Op de middelbare school was dat sport geweest en de leerlingenraad. Op de universiteit was dat het studentencorps geweest. Als volwassene had hij zich liever in het avontuur gestort dan in het bedrijfsleven te gaan. En nu meende hij Donna te moeten bewijzen wat echte mannelijkheid inhield.
Douglas keek naar zijn beeldjes en merkte dat het hem geen enkele moeite kostte om zich Michael en Donna in dergelijke poses voor de geest te halen. Hun lichamen verenigd, hun hoofden achterover, hun handen in elkaar verstrengeld, hun heupen tegen elkaar gedrukt. Mijn god, dacht hij. Dat beeld in zijn hoofd zou hem tot waanzin drijven. Hij voelde zich moordlustig worden.
De telefoondienst gaf hem het bewijs dat hij nodig had. Hij had om een specificatie gevraagd van de telefoontjes die vanuit zijn huis waren gevoerd. Toen hij de specificatie ontving, zag hij Michaels nummer erbij staan. Niet een of twee keer, maar herhaaldelijk. Alle gesprekken waren gevoerd toen hij – Douglas – niet thuis was.
Het was heel slim van Donna om daarvoor de avond te gebruiken dat hij als vrijwilliger achter de telefoon van de

Newport SOS-hulpdienst voor zelfmoordenaars zat. Ze wist dat hij zijn woensdagavonddienst nooit oversloeg omdat hij die als zijn plicht tegenover de gemeenschap beschouwde. Ze wist dat hij bouwde aan een politieke carrière en gekozen wilde worden in het stadsbestuur, en die SOS-hulpdienst was een deel van het beeld dat hij van zichzelf wilde schetsen: Douglas Armstrong, echtgenoot, vader, zakenman in de olie-industrie, en een luisterend oor voor hen die het emotioneel moeilijk hadden. Hij had dat nodig om zijn tekortkomingen tegenover het milieu in evenwicht te brengen. De hulpdienst gaf hem de mogelijkheid om te zeggen dat hij, ondanks de verspilde olie waarmee hij wel eens een paar van die ellendige pelikanen had besmeurd – om van die paar rottige otters maar te zwijgen – een gekweld en lijdend mens nooit aan zijn lot zou overlaten.
Donna wist dat hij zelfs geen deel van zijn avonddienst zou overslaan, dus had ze gewoon gewacht tot hij daar was voordat ze Michael belde. Het stond allemaal op de specificatie; alle gesprekken met Michael waren op woensdagavonden tussen zes en negen uur gevoerd.
Mij best, dacht Douglas, als ze dan zo gek is op die woensdagavond, dan zal dat de avond worden dat ik haar vermoord.
Toen hij eenmaal het bewijs had van haar verraad, kon hij nauwelijks meer verdragen in haar buurt te zijn. Zij wist ook dat er iets mis was omdat hij haar niet meer wilde aanraken. Hun pogingen tot het bedrijven van de liefde, die ze – hoe desastreus ze ook waren – tot dan toe drie keer per week hadden ondernomen, behoorden al snel tot het verleden. Toch deed ze nog steeds alsof er niets of niemand tussen hen was gekomen, zoals ze in haar Victoria-lingerie door de slaapkamer liep te paraderen, vermoedelijk in een poging hem ertoe aan te zetten zichzelf belachelijk te maken, waarna ze hem samen met zijn broer Michael kon uitlachen.

Weinig kans, schatje, dacht Douglas. Je zult er spijt van krijgen dat je mij voor gek hebt gezet.
Toen ze zich uiteindelijk in bed tegen hem aan vlijde en mompelde: 'Doug, is er iets? Wil je erover praten? Ben je wel in orde?', moest hij zich inhouden om haar niet de rug toe te keren. Hij was niet in orde. Hij zou nooit meer in orde zijn. Maar hij zou nu tenminste in staat zijn een deel van zijn zelfrespect terug te winnen door die kleine snol haar verdiende loon te geven.
Toen zijn besluit eenmaal vaststond dat het de komende woensdag zou gebeuren, was de rest gemakkelijk te plannen.
Meer dan een ritje naar Radio Shack was daar niet voor nodig. Hij koos voor het drukste filiaal dat hij kon vinden, midden in de Spaanse wijk van Santa Ana, en hij bleef net zo lang in de winkel rondhangen tot de verkoper met de meeste puisten op zijn gezicht en vermoedelijk de kleinste herseninhoud beschikbaar was om hem te helpen. Toen pas deed hij zijn aankoop, die hij met contant geld betaalde: een telefoondoorschakelaar, een populair apparaat voor dynamische mensen van de wereld die geen enkel inkomend gesprek wilden missen. Met deze doorschakelaar kon hij dankzij één computerchip het ene telefoontoestel met het andere verbinden. Als Douglas het apparaat eenmaal had geprogrammeerd met het telefoonnummer waarnaar hij zijn inkomende gesprekken wilde laten doorschakelen, zou hij een alibi hebben voor de avond waarop hij zijn vrouw ging vermoorden. Het was tegenwoordig allemaal zo eenvoudig.
Donna was echt een domme trut geweest om hem te bedriegen. Maar ze was een nog veel dommere trut geweest om dat op woensdagavond te doen, omdat ze hem daarmee de basis voor zijn alibi had verschaft. De vrijwilligers van de SOS-hulpdienst werkten in ploegen. Meestal waren er twee mensen aanwezig die de beide lijnen

bemanden. Maar de inwoners van Newport Beach schenen niet zo vaak zelfmoordneigingen te hebben, en als ze die hadden, dan gingen ze liever naar een peperdure psychiater om zich uit hun ellende te kopen. Vooral het midden van de week was komkommertijd voor pillenslikkers en polsendoorsnijders, zodat de hulpdienst 's woensdags maar door één persoon per dienst werd bemand.
Douglas gebruikte de dagen die aan de woensdag voorafgingen om zijn timing tot militaire precisie te perfectioneren. Hij koos halfnegen als tijdstip voor Donna's dood, wat hem de tijd zou geven om het kantoor van de hulpdienst uit te sluipen, naar huis te rijden, haar om zeep te helpen en weer terug op kantoor te zijn voordat de late avondploeg van negen uur arriveerde. Hij had het allemaal nogal strak getimed en slechts vijf minuten ingecalculeerd voor eventuele problemen, maar dat moest hij wel doen om een geloofwaardig alibi te hebben als haar lichaam eenmaal gevonden was.
Lawaai en bloed waren bij de uitvoering van zijn plan uit den boze. Lawaai zou de aandacht van de buren trekken. Bloed kon hij helemaal niet gebruiken; stel dat hij een druppel op zijn kleren kreeg, met dat DNA-onderzoek van tegenwoordig. Dus hij koos zijn wapen zorgvuldig, zich terdege bewust van de ironie van die keuze. Hij zou de satijnen ceintuur gebruiken van een van haar verleidelijke Victoria-peignoirs. Ze had er zes, dus zou hij er voor de moord een meenemen, de ceintuur eruit halen en de peignoir zelf dumpen in een van de containers achter de dichtstbijzijnde supermarkt. Dat facet van zijn plan beviel hem: het bewijsmateriaal dumpen voordat de moord werd gepleegd – welke moordenaar was ooit op dat idee gekomen – om de ceintuur vervolgens te gebruiken om die woensdagavond zijn losbandige vrouw te wurgen.
Het doorschakelapparaat zou hem zijn alibi verschaffen. Hij zou het meenemen naar het kantoor van de SOS-hulp-

dienst voor zelfmoordenaars, de telefoon erin pluggen, het apparaat programmeren met het nummer van zijn mobiele telefoon, zodat hij op de ene locatie leek te zijn terwijl zijn vrouw op de andere werd vermoord. Hij zou zich ervan overtuigen dat Donna thuis zou zijn door te doen wat hij elke woensdagavond deed: door haar vanuit het kantoor te bellen voordat hij vertrok.

'Ik voel me zo ziek als een hond,' zei hij toen hij haar om tien over halfvijf belde.

'O, Doug, nee toch?' antwoordde ze. 'Ben je ziek of voel je je depressief omdat...'

'Ik voel me gewoon klote,' onderbrak hij haar. Haar gespeelde medeleven was op dit moment wel het laatste waar hij behoefte aan had. 'Ik denk dat het van de lunch komt.'

'Wat heb je dan gegeten?'

Niets. Hij had al twee dagen niets gegeten.

'Garnalen,' zei hij. Het was het eerste wat hem te binnen schoot, omdat hij een paar jaar geleden een voedselvergiftiging had opgelopen door garnalen en hij dacht dat ze zich dat misschien zou herinneren, als ze zich überhaupt nog iets over hem herinnerde.

'Ik zal proberen vroeg naar huis te komen,' vervolgde hij. 'Ik weet niet of het lukt, maar misschien kan ik iemand vinden die mijn dienst wil waarnemen. Ik ga er nu naartoe. Als ik iemand kan vinden, kom ik vroeg naar huis.'

Toen ze antwoordde, hoorde hij dat ze haar best moest doen om haar teleurstelling te verbergen. 'Maar, Doug... Ik bedoel, hoe laat denk je dan thuis te zijn?'

'Geen idee. Hooguit acht uur, hoop ik. Maar wat maakt dat uit?'

'O. Niets eigenlijk. Maar ik dacht dat je misschien nog iets zou willen eten...'

Wat ze werkelijk dacht was hoe ze haar geile stoeipartij met zijn jongste broer moest afzeggen. Douglas glimlachte

bij het besef dat hij zojuist haar zwoele avondje had verpest.
'Jezus, Donna, ik hoef niets te eten. Ik duik meteen mijn bed in. Zou jij mijn rug een beetje willen masseren? Of moet je ergens naartoe?'
'Natuurlijk niet. Waar zou ik naartoe moeten? Doug, je stem klinkt zo vreemd. Is er iets mis?'
Er was niets mis, zei hij tegen haar. Integendeel, er ging juist iets heel goeds gebeuren, maar dat zei hij niet tegen haar. In elk geval had hij haar waar hij haar hebben wilde: ze zou thuis zijn, en ze zou alleen zijn. Misschien zou ze Michael bellen om hem te zeggen dat zijn grote broer vroeg zou thuiskomen zodat ze hun onderonsje maar een weekje moesten overslaan, maar zelfs al deed ze dat, dan nog zou Michaels verklaring na haar dood in strijd zijn met Douglas' onafgebroken aanwezigheid die avond op het kantoor van de SOS-hulpdienst.
Het enige waar Douglas voor moest zorgen, was dat hij op tijd weer op kantoor was om dat doorschakelapparaat los te koppelen. Dat zou hij op weg naar huis ergens dumpen – niets zou eenvoudiger zijn dan het in een container te gooien achter het grote bioscopencomplex waar hij op weg van zijn vrijwilligerswerk naar huis altijd langskwam – en dan zou hij zoals gebruikelijk om tien voor halftien thuiskomen, om daar tot de 'ontdekking' te komen dat zijn geliefde echtgenote was vermoord.
Het was allemaal zo simpel. En een stuk bevredigender dan van die kleine hoer te scheiden.

Ondanks alles voelde hij zich opvallend rustig. Hij was weer naar Thistle gegaan, die zijn Rolex, zijn trouwring en zijn manchetknopen had gebruikt om haar voorspellingen te doen. Toen hij binnenkwam, begroette ze hem met de opmerking dat hij een sterk aura had en dat ze de kracht van hem af voelde stralen. En toen ze met zijn bezittingen

in haar hand haar ogen had gesloten, had ze gezegd: 'Ik voel dat er een belangrijke verandering in je leven gaat plaatsvinden, niet-David. Een verandering van plaats en misschien een verandering van klimaat. Ga je op reis?'
Dat zou kunnen, zei hij tegen haar. Hij was al maanden niet op reis geweest. Had ze enig idee van de bestemming?
'Ik zie lichtjes,' vervolgde ze onverstoorbaar. 'Ik zie camera's. Ik zie veel gezichten. Je wordt omringd door mensen die je dierbaar zijn.'
Ze zouden natuurlijk naar Donna's begrafenis komen. En er zouden verslaggevers van kranten zijn. Hij was tenslotte iemand. Ze zouden de moord op Douglas Armstrongs vrouw niet kunnen negeren. En als Thistle de krant las of het plaatselijke journaal zag, zou zij ook weten wie hij was. Maar dat maakte geen verschil, want hij had nooit iets over Donna tegen haar gezegd en bovendien had hij een alibi voor het tijdstip van de moord.
Om vier minuten voor zes arriveerde hij op het kantoor van de SOS-hulpdienst. Hij loste een studente psychologie af die Debbie heette en die zat te popelen om weg te gaan.
'Maar twee telefoontjes, meneer Armstrong,' zei ze. 'Als uw dienst net zo wordt als de mijne, hoop ik dat u iets te lezen hebt meegebracht.'
Hij zwaaide met het laatste nummer van *Money Magazine* en nam haar plaats achter het bureau in. Toen ze was vertrokken, wachtte hij nog tien minuten voordat hij weer naar buiten ging om het doorschakelapparaat uit zijn auto te halen.
Het kantoor lag in het havengebied van Newport, een wirwar van smalle eenrichtingsstraatjes die de top van het Balboa-schiereiland doorkruisten. Overdag trokken de antiekwinkeltjes, tweedehandskledingzaken en delicatessenwinkeltjes zowel toeristen als buurtbewoners, maar 's avonds was de hele wijk uitgestorven, afgezien van de new-wavebeatniks die naar het café drie straten verderop gingen,

waar broodmagere, in het zwart geklede meisjes poëzie lazen en de snaren van gitaren beroerden. Dus er was niemand op straat die zag dat Douglas het doorschakelapparaat uit zijn Mercedes haalde. En er was ook niemand op straat die hem om kwart over acht het kleine kantoortje van de hulpdienst achter het makelaarskantoor zag verlaten. En als tijdens zijn rit naar huis een wanhopig persoon naar de hulpdienst zou bellen, dan zou dat gesprek worden doorgeschakeld naar de mobiele telefoon in zijn auto, en zou hij dat afhandelen. Mijn god, dacht hij, wat een volmaakt plan.
Terwijl Douglas over de kronkelige weg reed die naar zijn huis leidde, dankte hij de goden dat hij ooit voor een woonomgeving had gekozen waar privacy alles was voor de bewoners. Elk huis ging net zoals dat van Douglas schuil achter muren, poorten en bomen. Eens in de tien dagen kwam hij wel eens een buurtbewoner tegen, maar meestal – zoals ook vanavond – was er niemand te zien.
Maar zelfs al zag iemand zijn Mercedes de heuvel op rijden, dan was het nog te donker om daar enige conclusie aan te verbinden, want het wemelde in deze buurt van de Rolls-Royces, Bentleys, BMW's, Range Rovers en andere Mercedessen. Trouwens, hij had zich voorgenomen om als hij iets verdachts zag of iemand tegenkwam, gewoon om te draaien, terug te rijden naar het kantoor van de hulpdienst en te wachten tot volgende week woensdag.
Maar hij zag niets ongewoons en hij kwam niemand tegen. Misschien stonden er op straat wat meer auto's geparkeerd, maar die waren allemaal leeg, dus er kon hem niets gebeuren.
Voordat hij bij het laatste stuk van de oprijlaan was gekomen zette hij de motor uit en hij liet de auto uitrijden naar het huis. Het was donker binnen, wat betekende dat Donna in het achtergedeelte was, in hun slaapkamer.
Hij moest haar naar buiten zien te krijgen. Het huis

beschikte over een beveiligingssysteem met een stil alarm naar de politie, dus moest de moord buiten plaatsvinden, op precies zo'n plek als waar een doorgedraaide gluurder, inbreker of seriemoordenaar haar naartoe zou lokken. Hij dacht aan Ted Bundy en de manier waarop hij zijn slachtoffers te grazen had genomen door gebruik te maken van hun behoefte om hun medemens te hulp te snellen. Hij besloot Bundy's werkwijze te volgen. Donna zou hem maar al te graag helpen.
Hij stapte uit de auto, deed voorzichtig het portier dicht en liep naar de voordeur. Met de rug van zijn hand drukte hij op het knopje van de bel, want hij wilde liever geen sporen achterlaten. Na nog geen tien seconden klonk Donna's stem op uit de intercom. 'Ja?'
'Hallo, schat,' zei hij. 'Ik heb mijn handen vol. Wil je even opendoen?'
'Ik kom eraan,' antwoordde ze.
Hij haalde de satijnen ceintuur uit zijn zak en wachtte. Hij haalde zich de weg voor de geest die ze van de achterkant van het huis naar de voordeur moest afleggen. Hij wond de ceintuur om zijn beide vuisten en gaf er een ruk aan. Als ze de deur opende, zou hij pijlsnel moeten handelen. Hij zou maar één kans krijgen om de ceintuur om haar hals te leggen. Maar hij had het voordeel van de verrassing. Hij hoorde haar voetstappen op de kalkstenen vloer. Hij trok de ceintuur strak en bereidde zich voor. Hij dacht aan Michael. Hij dacht aan haar, samen met Michael. Hij dacht aan zijn oosterse erotische beeldjes. Hij dacht aan verraad, aan falen, aan vertrouwen. Ze verdiende dit. Ze verdienden het allebei. Het enige wat hij jammer vond, was dat hij Michael niet ook meteen kon vermoorden.
Toen de deur openzwaaide, hoorde hij haar zeggen: 'Doug! Ik dacht dat je zei...'
En toen wierp hij zich boven op haar. Hij sloeg de ceintuur om haar hals en trok haar snel uit het huis. Met alle kracht

die hij in zich had, trok hij de ceintuur strak. Ze was zo verbijsterd dat ze niets terugdeed. In de weinige seconden die ze nodig had om haar handen in een reflexbeweging naar haar hals te brengen om de ceintuur los te trekken, had hij deze al zo strak getrokken dat het satijn diep in haar huid was gedrongen, zodat haar klauwende vingers niets meer vonden om weg te trekken.
Hij voelde haar slap worden. 'Jezus. Ja,' riep hij. 'Ja!'
En toen gebeurde het.
Alle lichten in het huis gingen aan. Een Mariachi-band begon te spelen. Mensen riepen: 'Verrassing! Verrassing! Verras...'
Hijgend keek Douglas op van het lichaam van zijn vrouw, recht in flitsende fotocamera's en een videocamera. Het vrolijke gejuich uit het huis werd abrupt tot zwijgen gebracht door een gillende vrouw. Hij liet Donna op de grond vallen en staarde wezenloos door de entree naar de woonkamer daarachter. Daar hadden zich minstens 25 mensen verzameld met een groot spandoek met de woorden: VERRASSING! GEFELICITEERD MET JE 55E, DOUGIE!
Hij keek naar de van afgrijzen vertrokken gezichten van zijn broers en hun vrouw en kinderen, van zijn eigen kinderen, van zijn ouders, van een van zijn ex-vrouwen. En onder de gasten zag hij ook zijn collega's en zijn secretaresse. De korpschef van de politie. De burgemeester.
Wat moet dit voorstellen, Donna, dacht hij. Is dit soms een grap?
En toen zag hij Michael uit de keuken komen, Michael met een grote verjaardagstaart in zijn handen, Michael die zei: 'Hebben we hem verrast of niet, Donna? Arme Doug. Ik hoop dat zijn hart...' En toen zag hij zijn broer en zijn schoonzus en zei hij helemaal niets meer.
Mijn god, dacht Douglas. Wat heb ik gedaan?
En dat was inderdaad de vraag waarop hij de rest van zijn leven een antwoord zou proberen te vinden.

Toelichting op *Een vriendendienst*

Er wordt me vaak gevraagd waar de ideeën voor mijn boeken vandaan komen. Ik geef altijd hetzelfde antwoord: ideeën voor verhalen komen van overal en nergens. Ik kan een artikel in de *LA Times* lezen over een telefonische boodschappendienst en beseffen dat het de kern voor een roman bevat, zoals het geval was toen ik *Klassemoord* schreef. Ik kan een uiteenzetting zien in een Engelse krant en besluiten dat die kan dienen als plot voor een roman, zoals gebeurde toen ik *De verdwenen Jozef* schreef. Ik kan een specifieke locatie in een van mijn boeken willen gebruiken, dus ik bedenk een verhaal dat bij de locatie past, zoals ik deed toen ik *Zand over Elena* schreef. Ik kan iemand op straat zien, of in de metro, een gesprek tussen twee personen opvangen, luisteren naar iemands levensverhaal, een foto bekijken, of vaststellen dat een bepaald karakter interessant zou kunnen zijn om over te schrijven. En soms is het een combinatie van deze zaken.

Wanneer ik een project af heb weet ik vaak niet meer waarom ik eraan ben begonnen. Dat is echter niet het geval bij het volgende korte verhaal.

In oktober 2000 begon ik aan een trektocht door Vermont nadat ik de tweede versie van mijn roman *Verrader van het verleden* voltooid had. Ik wilde al heel lang de herfstkleuren van New England zien en deze tocht was voor mij de beloning voor een lange, zenuwslopende tijd die ik achter de computer had doorgebracht gedurende de vijftien maanden waarin ik twee versies van een ingewikkeld boek had geschreven. Ik was van plan om de omgeving te bekijken en te fotograferen.

Omdat ik alleen zou reizen, besloot ik me op te geven voor

een trektocht met andere, gelijkgestemde mensen die ook behoefte hadden aan lichaamsbeweging en voor de gezelligheid. 's Nachts verbleven we in dorpshotelletjes en overdag wandelden we door de prachtigste bossen die ik ooit heb gezien. We hadden twee gidsen, Brett en Nona. Wat de een niet wist over de flora, de fauna, de topografie en de geografie van het gebied, wist de ander wel.

Tijdens een van deze wandelingen vertelde Nona me het verhaal van een excentrieke vrouw die vroeger vlak bij haar had gewoond. Zodra ik het verhaal hoorde wist ik dat ik luisterde naar de kern van een kort verhaal dat ik zou schrijven.

Toen ik weer thuis was, na de trektocht door Vermont, ging ik meteen aan de slag. Een beroemde uitspraak van Robert Frost – een van de bekendste literaire inwoners van New England – is hier heel toepasselijk: *'Good fences aren't always enough'*.

Een vriendendienst

Tweemaal per jaar slaagde een wijk in het aantrekkelijke stadje East Wingate erin volmaaktheid te bereiken. Wanneer dit gebeurde – of misschien als teken dát het was gebeurd – vierde de *Wingate Courier* het feit met een aanzienlijk aantal toepasselijke, lovende kolommen op de middenpagina's van de kleine plaatselijke krant, met foto's. Inwoners van East Wingate die hun sociale status, de kwaliteit van hun leven of hun vriendenkring wilden verbeteren hadden vervolgens de neiging massaal naar die wijk te trekken in de hoop daar onroerend goed te kunnen verwerven.

Napier Lane was een straat die alles mee had om tot de perfecte plek om te wonen te worden uitgeroepen. Ze had sfeer door de ruime opzet, er stonden huizen die meer dan een eeuw oud waren, eiken, esdoorns en platanen die zelfs nog ouder waren, de trottoirs waren gebarsten door de tijd. Er waren houten hekjes en stenen paadjes die zich door voortuinen slingerden die onder vriendelijke veranda's lagen waar buren op zomeravonden bij elkaar kwamen. Weliswaar was nog niet elk huis gerestaureerd door een of ander jong stel met een heleboel energie en gevoel voor nostalgie, maar Napier Lane koesterde in zijn bochten en kuilen de open belofte dat ze, wanneer je het nog wat tijd gaf, uiteindelijk allemaal opgeknapt zouden worden.

Bij de zeldzame gelegenheden dat een huis aan Napier Lane te koop werd aangeboden, hield de hele buurt zijn adem in en wachtte af wie de koper zou zijn. Als het iemand met geld was, zou het gekochte huis zich in de gelederen kunnen scharen van zijn geschilderde, glanzende zussen die de huizenprijzen stuk voor stuk omhoogdreven.

En als het iemand was die gemakkelijk over dat geld kon beschikken en bovendien verkwistend van aard was, bestond de kans dat de renovatie van het huis in kwestie zelfs snel zou plaatsvinden. Want het was wel eens voorgekomen dat een familie een huis aan Napier Lane had gekocht met de bedoeling het te restaureren en te renoveren, om vervolgens, eenmaal aan het karwei begonnen, tot de ontdekking te komen dat het langdurig en kostbaar zou zijn. Meer dan eens was iemand begonnen aan het Augiasproject dat bekendstaat als het 'restaureren van een monumentale woning', om na een halfjaar toe te geven verslagen te zijn en als teken van overgave het bordje TE KOOP in de tuin te zetten zonder ook maar in de buurt van de voltooiing van de werkzaamheden te zijn gekomen.
Dat was het geval met nr. 1420. Het was de vorige bewoners gelukt om de buitenkant te schilderen en de voor- en achtertuin te ontdoen van het onkruid en het afval dat zich doorgaans verzamelt bij een huis waarvan de eigenaren wat aan de lakse kant zijn, maar daar hield het mee op. Het oude huis stond erbij als mevrouw Havisham vijftig jaar na de bruiloft die niet was doorgegaan: uiterlijk tot in de puntjes verzorgd maar vanbinnen een woestenij, kwijnend in een dor landschap van teleurgestelde dromen. Letterlijk iedereen die in het zicht van nr. 1420 woonde snakte ernaar dat iemand het huis zou kopen en het zou opknappen.
Dat wil zeggen, iedereen behalve Willow McKenna. Willow, die er vlak naast woonde, wilde alleen goede buren. Willow was 34 en probeerde zwanger te worden van het derde van wat uiteindelijk – over een aantal jaren – zeven kinderen zouden zijn, en hoopte slechts op een gezin dat haar maatstaven deelde. Die waren heel eenvoudig: een man en een vrouw met een gelukkig huwelijk, die de liefhebbende ouders waren van een aantal kinderen die zich behoorlijk gedroegen. Ras, huidskleur, geloof, land van

herkomst, politieke overtuiging, voorkeur voor bepaalde auto's, goede smaak wat woninginrichting betreft... dat deed er allemaal niet toe. Ze hoopte alleen dat degene die nr. 1420 kocht een positieve bijdrage zou leveren aan wat, in haar geval, een gezegend leven was. Een degelijk gezin dat dat vertegenwoordigde, een gezin waarvan de vader de deur uit ging naar een kantoorbaan die niet belangrijk hoefde te zijn, waarvan de moeder thuisbleef om voor haar kinderen te zorgen, en waarvan de kinderen vindingrijk maar gehoorzaam waren, met duidelijk respect voor hun ouders, vrolijk en zonder besmettelijke ziekten. Het aantal kinderen kwam er niet op aan. Hoe meer, hoe liever, voorzover het Willow betrof.

Willow, die was opgegroeid zonder familieleden maar die zich altijd had vastgeklampt aan de ijdele hoop dat vroeg of laat een stel pleegouders haar zou willen adopteren, had van het begin af aan haar gezin op de eerste plaats laten komen. Nadat ze met Scott McKenna was getrouwd, die ze kende vanaf de tweede klas van de middelbare school, was Willow aan de slag gegaan om voor zichzelf de omstandigheden te creëren die het lot en een moeder die haar in een supermarkt had achtergelaten, haar lang hadden ontzegd. Jasmine kwam eerst. Max volgde twee jaar later. Als alles volgens plan verliep zou Cooper of Blythe de volgende zijn. En haar leven, dat de laatste tijd donker, koud en eenzaam had geleken sinds Max naar de kleuterschool ging, zou weer rijk worden en gonzen van bedrijvigheid; de knagende onrust die ze de afgelopen drie maanden had gevoeld zou worden weggenomen.

'Je zou kunnen gaan werken, Will,' had haar man, Scott, haar aangeraden. 'Parttime, bedoel ik. Als je het zou willen, natuurlijk. Om het geld hoef je het niet te doen en je wilt trouwens thuis zijn wanneer de kinderen uit school komen.'

Willow wilde echter geen baan. Ze wilde de leegte opvul-

len op een manier zoals alleen een nieuwe baby die kon opvullen.
Daar ging haar interesse naar uit: naar een gezin en naar baby's, en niet naar een wijk die al dan niet uitgeroepen zou worden tot de perfecte plek om te wonen. Dus toen het strookje VERKOCHT over de naam van de makelaar op het bord bij nr. 1420 werd geplakt, vroeg ze zich niet af wanneer van de nieuwe buren logischerwijs kon worden verwacht dat ze de noodzakelijke verbeteringen in hun omgeving aanbrachten – een nieuw hek om de voortuin zou een goede zaak zijn om mee te beginnen, dachten de Gilberts, die aan de andere kant van nr. 1420 woonden – maar eerder hoe groot het gezin zou zijn en of de moeder recepten met haar zou willen uitwisselen.
Het draaide erop uit dat iedereen teleurgesteld was. Niet alleen vonden er geen onmiddellijke veranderingen plaats op Napier Lane 1420, maar het was ook geen gezin dat een overvloed aan bezittingen meebracht naar het oude Victoriaanse huis. Vergis je niet: er wérd een overvloed aan spullen afgeleverd. Maar wat de moeder, de vader, de krioelende, vrolijk schreeuwende kinderen betreft die deze spullen behoorden te vergezellen... Die kwamen niet opdagen. In plaats van hen kwam één alleenstaande vrouw, een alleenstaande en – het moet gezegd worden – een tamelijk vreemde vrouw.
Ze heette Anfisa Telyegin en ze was zo'n vrouw over wie onmiddellijk geruchten de kop opsteken.
Om te beginnen was daar haar uiterlijk, dat over het algemeen kon worden omschreven met het ene woord 'grijs'. Grijze haren, grijze teint, grijze tanden, grijze ogen en lippen, en bovendien een grijze persoonlijkheid. Ze leek op rook die in het donker uit de schoorsteen opstijgt, ontegenzeggelijk aanwezig maar van onbestemde herkomst. Griezelig, noemden de kinderen uit Napier Lane haar. En er was niet veel verbeeldingskracht voor nodig

om vandaar te komen op het minder vriendelijke 'heks'. Haar gedrag was eveneens merkwaardig. Op een vriendelijk 'hallo' van de buren reageerde ze nauwelijks. Ze deed nooit de deur open wanneer kinderen aanbelden die voor de padvinderij koekjes, snoepgoed, tijdschriften of cadeaupapier verkochten. Ze had geen belangstelling voor de koffieochtenden die op donderdag beurtelings bij een van de thuisblijvende moeders werden gehouden. En – dit was misschien haar grootste zonde – ze leek niet bereid om mee te doen aan ook maar één van de activiteiten die Napier Lane moesten helpen aan de top te komen van de korte lijst met huizen die in East Wingate tot een voorbeeld van perfectie werden bestempeld. Dus uitnodigingen voor etentjes werden genegeerd. De barbecue op 4 juli had net zo goed niet kunnen plaatsvinden. En wat het beschikbaar stellen van een deel van haar tuin voor het paaseieren zoeken betreft... Het was ondenkbaar.
Een halfjaar nadat Anfisa Telyegin Napier Lane 1420 had betrokken was alles wat men van haar wist wat men hoorde en wat men zag. Wat ze hoorden was dat ze 's avonds Russisch en Russische literatuur doceerde aan de volksuniversiteit. Wat ze zagen was een vrouw met reumatische handen, een zeer kromme rug, geen belangstelling voor mode, een neiging om in zichzelf te praten en een grote hartstocht voor haar tuin.
Althans, daar leek het in het begin op, omdat Anfisa Telyegin zodra ze het bordje TE KOOP van het zanderige landje dat haar voortuin was had verwijderd, buiten bezig was, in zichzelf mompelend terwijl ze Engelse klimop plantte, die ze vervolgens bemestte en water gaf, en die sneller groeide dan men ooit een plant in de straat had zien groeien.
De buren vonden dat het erop leek dat Anfisa Telyegins klimop elke nacht een stuk groeide, over de aangestampte aarde kroop en ranken alle kanten op stuurde. Binnen een

maand waren de glanzende bladeren zo tierig als zwerfhonden die uit het asiel zijn gehaald. Vijf maanden later was de hele voortuin één groot, groen meer.

Op dat moment dachten de mensen dat ze met het hekje zou beginnen, dat doorzakte als de knieën van een tachtigjarige. Of misschien de schoorstenen; er stonden er zes op het dak en allemaal waren ze besmeurd met vogelpoep en zaten ze vol nesten. Of zelfs de ramen, waar de afgelopen vijftig jaar dezelfde scheve rolluiken – zonder gestoft of vervangen te worden – voor het glas hadden gehangen. In plaats daarvan wijdde ze zich aan de achtertuin, waar ze meer klimop plantte, een heg neerzette tussen haar grond en die van de buren, en een heel groot kippenhok bouwde, waar ze 's morgens en 's avonds op geregelde tijden in en uit liep met een mand aan haar arm. Op de heenweg was de mand gevuld met maïs. Op de terugweg – althans zo leek het wanneer iemand een glimp van de vrouw opving – was hij leeg.

'Wat doet dat oude mens met al die eieren?' vroeg Johnny Hart, die aan de overkant van de straat woonde en veel te veel bier dronk.

'Ik heb geen eieren gezien,' antwoordde Leslie Gilbert, maar dat kon natuurlijk ook niet, omdat ze overdag nauwelijks van haar bank naar het raam liep; de talkshows op televisie eisten haar volledige aandacht op. En er kon niet van haar verwacht worden dat ze Anfisa Telyegin 's avonds zag. Niet in het donker en tussen de bomen die de vrouw vlak achter de heg op de grens van haar tuin had geplant, bomen die evenals de klimop met bovennatuurlijke snelheid leken te groeien.

Het duurde niet lang of de kinderen uit Napier Lane reageerden op de vreemde gewoonten van de alleenstaande vrouw zoals kinderen dat doen. De jongsten staken de straat over wanneer ze nr. 1420 moesten passeren. De ouderen daagden elkaar uit om de tuin in te lopen en een

klap te geven tegen de kromgetrokken hordeur die vorig jaar met Halloween zijn gaas was kwijtgeraakt.
Omstreeks die tijd had het uit de hand kunnen lopen als Anfisa Telyegin niet zelf de koe bij de horens had gepakt: ze vertoonde zich op Veteranendag bij de kookwedstrijd van Napier Lane. Weliswaar had ze geen chili bij zich, maar er moet ook gezegd worden dat ze niet met lege handen kwam. Het deed er niet toe dat Jasmine McKenna een lange, grijze haar aantrof in de bananensalade met gelatine die Anfisa's bijdrage aan het evenement vormde. Het ging om het gebaar – althans in de ogen van haar moeder, al dachten de buren er anders over – en die meegebrachte salade moedigde Willow aan om vanaf dat moment de vreemde oudere vrouw met een medelijdend oog te bekijken.
'Ik ga haar een portie van mijn overheerlijke chocoladekoekjes brengen,' zei Willow op een ochtend tegen haar man Scott, niet lang na de kookwedstrijd (die overigens, om dol van te worden, voor het derde opeenvolgende jaar was gewonnen door Ava Downey). 'Ik denk dat ze gewoon niet weet wat ze van ons moet denken. Ze is tenslotte buitenlandse', want dat hadden de buren van de vrouw zelf gehoord tijdens de kookwedstrijd: geboren in Rusland toen dat nog deel uitmaakte van de USSR, als kind in Moskou, als volwassene ergens ver in het noorden, tot de Sovjet-Unie uiteenviel en ze naar Amerika was geëmigreerd.
Scott McKenna zei: 'Hmm', zonder dat het echt tot hem doordrong wat zijn vrouw hem vertelde. Hij was net thuisgekomen uit de nachtdienst bij TriOptics Incorporated, waar hij, als technicus voor TriOptics ingewikkelde softwarepakket, gedwongen was uren aan de telefoon door te brengen met Europeanen, Aziaten, Australiërs en Nieuw-Zeelanders die midden in de nacht – voor hen overdag – de hulplijn belden en een onmiddellijke oplossing wensten voor de puinhoop die ze zojuist van hun computer hadden gemaakt.

'Scott, luister je naar me?' vroeg Willow. Ze voelde zich zoals ze zich altijd voelde wanneer uit zijn reactie gebrek aan de juiste belangstelling voor hun gesprek bleek: afgesneden en zwevend in de ruimte. 'Je weet dat ik het afschuwelijk vind wanneer je niet naar me luistert.' Haar stem was scherper dan ze bedoelde en haar dochter Jasmine, die in haar cornflakes zat te roeren tot die zo slap waren dat ze ze lekker vond, zei: 'Hé, mam, even dimmen.'
'Waar heeft ze dat vandaan?' Scott McKenna keek op uit de financiële pagina's van de krant die hij bestudeerde, terwijl de vijfjarige Max – altijd de echo van zijn zuster, zo niet haar schaduw – zei: 'Ja, mam. Dimmen', waarna hij zijn vinger in de dooier van zijn gebakken ei stak.
'Van Sierra Gilbert, waarschijnlijk,' zei Willow.
'Nee, hoor,' wierp Jasmine tegen en ze schudde haar hoofd. 'Sierra Gilbert heeft het van míj.'
'Wie het ook van wie heeft,' zei Scott, veelbetekenend met zijn krant ritselend, 'ik wil niet meer horen dat je het tegen je moeder zegt, oké?'
'Het betekent alleen...'
'Jasmine.'
'Puh.' Ze stak haar tong uit. Jasmine had haar pony weer afgeknipt, zag Willow, en ze zuchtte. Ze voelde zich verslagen door haar koppige dochter, die de snelle weg naar de volwassenheid was ingeslagen, en ze hoopte dat de kleine Blythe, of Cooper – van wie ze eindelijk tot haar grote vreugde zwanger was – meer het soort kind zou worden dat haar voor ogen stond.
Het was Willow duidelijk dat ze geen reactie van Scott hoefde te verwachten – laat staan zijn goedkeuring – voor haar plan wat betreft de chocoladekoekjes en tot ze duidelijk had gemaakt waarom ze dacht dat een vriendelijk gebaar naar haar buurvrouw op dit moment aan de orde was. Ze wachtte ermee tot de kinderen naar school waren, veilig begeleid naar de bushalte aan het eind van de straat,

waar ze, ondanks Jasmines protest, was blijven wachten tot de gele deuren zich achter hen sloten. Daarna liep ze terug naar huis, waar haar man aanstalten maakte van de dagelijkse vijf uur slaap te genieten die hij zich gunde voor hij aan het werk ging met de zes klanten die hij adviseerde en die tot dusver het begin vormden van McKenna Computing Designs. Nog negen klanten erbij, dan zou hij bij TriOptics weg kunnen en misschien zou hun leven dan een beetje normaler worden. Geen seks op vaste tijden tussen het moment waarop de kinderen naar bed waren en Scott naar zijn werk ging. Geen lange, eenzame nachten meer waarin ze lag te luisteren naar de krakende vloerplanken en probeerde zich ervan te overtuigen dat het alleen maar de geluiden waren die nu eenmaal bij een oud huis hoorden.

Scott was in de slaapkamer, waar hij zijn kleren uittrok. Hij liet alles liggen zoals het viel en liet zichzelf op de matras vallen, waarna hij op zijn zij ging liggen en de dekens over zijn schouder trok. Hij was nog 27 seconden verwijderd van een partijtje snurken toen Willow tegen hem begon te praten.

'Ik heb eens nagedacht, schat.'

Geen antwoord.

'Scott?'

'Hmm?'

'Ik heb nagedacht over mevrouw Telyegin.' Of misschien was het wel mejuffrouw Telyegin. Willow was er nog niet achter gekomen of haar buurvrouw getrouwd, vrijgezel, gescheiden of weduwe was. Vrijgezel leek Willow het meest waarschijnlijk, waarom kon ze echter niet verklaren. Misschien had het iets te maken met de gewoonten van de vrouw, die steeds duidelijker – en beslist eigenaardiger – werden naarmate de dagen en weken voorbijgingen. Het merkwaardigst waren de uren die ze aanhield, bijna alles speelde zich in de nacht af. Daarbij kwamen nog de vreemde zaken als de rolgordijnen van nr. 1420 die altijd gesloten bleven tegen het licht; de rubberlaarzen die mevrouw Telyegin altijd droeg wanneer ze haar huis verliet, of het nu regende of dat de zon scheen; het feit dat ze niet alleen nooit bezoek ontving, maar ook nergens anders heen ging dan naar haar werk en vandaar weer naar huis, elke dag op precies dezelfde tijd.

'Wanneer doet ze haar boodschappen?' vroeg Ava Downey.

'Die laat ze brengen,' antwoordde Willow.

'Ik heb de bestelauto gezien,' bevestigde Leslie Gilbert.

'Dus ze gaat overdag helemaal niet de deur uit?'

'Niet voor de schemering invalt,' zei Willow.

Dus werd 'vampier' toegevoegd aan 'heks', maar alleen de kinderen namen die bijnaam serieus. Niettemin begonnen de andere buren schichtig terug te deinzen voor Anfisa Telyegin, wat Willows sympathie aanwakkerde en ervoor zorgde dat ze nog meer waarde hechtte aan Anfisa Telyegins bijdrage aan de kookwedstrijd.

'Scott,' zei ze tegen haar slaperige echtgenoot, 'luister je naar me?'

'Kunnen we later praten, Will?'

'Dit duurt maar een minuutje. Ik heb nagedacht over Anfisa.'

Met een zucht liet hij zich op zijn rug rollen, vouwde zijn armen onder zijn hoofd en toonde wat Willow het minst graag wilde zien wanneer ze naar haar man keek: oksels die zo harig waren als Abrahams baard. 'Oké,' zei hij, zonder de moeite te nemen geduld voor te wenden. 'Wat is er met Anfisa?'

Willow ging op de rand van het bed zitten. Ze legde haar hand op Scotts borst om zijn hart te voelen. Ondanks zijn ongeduld van dit moment had hij er een. Een heel groot hart. Dat had ze voor het eerst gezien op een feestje van de middelbare school waar hij haar als partner had gevraagd

en haar had gered van een leven als muurbloempje. Nu vertrouwde ze erop dat hij zijn hart zou openstellen en haar idee zou goedkeuren.
'Het is moeilijk geweest, met je ouders die zo ver weg wonen,' zei Willow. 'Vind je ook niet?'
Scott kneep zijn ogen half dicht met de achterdocht van een man die er vanaf zijn kindertijd onder had geleden dat hij met zijn broer werd vergeleken en die maar al te graag naar een andere staat was verhuisd om daar een eind aan te maken. 'Hoe bedoel je, moeilijk?'
'Achthonderd kilometer,' zei Willow. 'Dat is een heel eind.'
Niet ver genoeg, dacht Scott, om de stem tot zwijgen te brengen die zei: 'Je broer de cardioloog', die hem overal achtervolgde.
'Ik weet dat je op afstand wilt blijven,' ging Willow door, 'maar de kinderen zouden veel aan hun grootouders hebben, Scott.'
'Niet aan deze grootouders,' merkte Scott op.
Ze had verwacht dat haar man dit zou zeggen, dus het was niet moeilijk om vervolgens met haar plan aan te komen. Ze had het idee, zei ze tegen Scott, dat Anfisa Telyegin aansluiting zocht bij de buren tijdens de kookwedstrijd, en ze wilde iets terugdoen. Zou het niet prettig zijn de vrouw beter te leren kennen, met de kans dat ze misschien een soort grootmoeder voor hun kinderen zou worden? Willow had geen ouders die hun wijsheid en levenservaring konden overbrengen op Jasmine, Max en de kleine Blythe of Cooper. En omdat Scotts familie zo ver weg woonde...
'Familie hoeft niet per se uit bloedverwanten te bestaan,' bracht Willow naar voren. 'Leslie is een soort tante voor de kinderen. Anfisa zou een grootmoeder kunnen zijn. Bovendien vind ik het afschuwelijk dat ze zo alleen is. Nu de feestdagen eraan komen... Het lijkt zo triest.'

Scotts gezicht drukte de opluchting uit die hij voelde toen hij merkte dat Willow niet voorstelde om te verhuizen zodat ze dichter bij zijn ouders konden wonen. Ze kon zich zijn tegenzin voorstellen, al begreep ze die niet, om zich nog langer bloot te stellen aan vergelijkingen met zijn broer, die zoveel meer succes had. En dat meegevoel van haar, wat hij altijd als haar beste eigenschap had beschouwd, was iets waarvan hij accepteerde dat het niet alleen hem betrof. Ze gaf om mensen, zijn vrouw Willow. Het was een van de redenen waarom hij van haar hield.
Hij zei: 'Ik denk niet dat ze zich met ons wil bemoeien, Will.'
'Ze is naar de kookwedstrijd gekomen. Ik geloof dat ze het wil proberen.'
Scott lachte. Hij stak zijn hand uit en streelde de wang van zijn vrouw. 'Altijd zwerfhondjes redden, hè?'
'Alleen als jij het goedvindt.'
Hij geeuwde. 'Oké. Maar verwacht er niet te veel van. Ze is een eenzelvige figuur, denk ik.'
'Ze heeft er alleen behoefte aan dat haar wat vriendschap geboden wordt.'
Daar begon Willow nog diezelfde dag mee. Ze bakte een dubbele portie chocoladekoekjes en legde er twaalf op een groene glazen schaal. Daarna verpakte ze die in doorschijnende folie, die ze vastmaakte met een vrolijk geruit lintje. Zo voorzichtig alsof ze mirre met zich meedroeg, liep ze met haar cadeautje naar de voordeur van nr. 1420.
Het was een koude dag. In dit deel van het land sneeuwde het niet en hoewel de herfst meestal lang en kleurrijk was, kon die ook ijzig en grijs uitvallen. Zo was het ook toen Willow haar huis uitliep. Er lag nog rijp op het gras van de keurige voortuin, op het smetteloze hek, op de vuurrode bladeren van de beuk aan de rand van het trottoir, en een mistbank kwam vastberaden de straat in rollen als een dikke man op zoek naar een maaltijd.

Behoedzaam liep Willow over het stenen paadje dat van haar voordeur naar het hek liep; ze hield de chocoladekoekjes tegen haar borst alsof ze schade zouden oplopen wanneer ze aan de openlucht werden blootgesteld. Ze huiverde en vroeg zich af hoe de winter zou zijn, als je je al zo voelde in de herfst.
Toen ze bij Anfisa's huis kwam moest ze haar schaal met koekjes even op de stoep zetten. Het oude hekje hing aan één scharnier en in plaats van het open te duwen moest je het optillen, draaien en weer neerzetten. Zelfs dan was het geen gemakkelijke manoeuvre met de klimop die zo uitbundig over het pad groeide.
Toen Willow dichter bij het huis kwam, viel haar iets op wat ze nog niet eerder had gezien. De klimop die door Anfisa's goede zorgen zo voorspoedig groeide, begon tegen de treden bij de voordeur op te kruipen, sloop over de brede veranda en slingerde zich om de leuning. Als Anfisa er niet snel de snoeischaar in zette zou het huis eronder verdwijnen.
Op de veranda, waar Willow niet meer had gestaan sinds de vorige bewoners van nr. 1420 hun pogingen tot restauratie hadden opgegeven en waren verhuisd naar een splinternieuwe – en sfeerloze – wijk even buiten de stad, zag Willow dat Anfisa nog iets had veranderd aan het huis, naast wat ze met de tuin had gedaan. Naast de voordeur stond een grote metalen kist waarop keurige witte letters vermeldden: HIER BOODSCHAPPEN AFLEVEREN.
Vreemd, dacht Willow. Je boodschappen laten bezorgen was één ding... Ze zou zelf wel van die service gebruik willen maken als ze de gedachte kon verdragen dat iemand anders dan zijzelf het voedsel voor haar gezin zou uitkiezen. Maar het was iets anders om het buiten te laten, waar het kon bederven als je niet uitkeek.
Aan de andere kant, Anfisa had de rijpe, hoge leeftijd bereikt van... wat die ook mocht zijn. Ze weet vast wel wat ze doet, dacht Willow.

Ze belde aan. Ze twijfelde er niet aan dat Anfisa thuis was en nog vele uren thuis zou blijven. Het was tenslotte klaarlichte dag.

Er werd niet opengedaan. Toch had Willow de stellige indruk dat er iemand vlakbij was, die achter de deur stond te luisteren. Daarom riep ze: 'Mevrouw Telyegin? Ik ben het, Willow McKenna. Het was zo leuk om u laatst bij de kookwedstrijd te zien. Ik kom u een paar chocoladekoekjes brengen. Mijn specialiteit. Mevrouw Telyegin? Ik ben Willow McKenna. Van hiernaast? Napier Lane 1410? Links van u?

Weer geen reactie. Willow keek naar de ramen maar zag dat die, zoals altijd, schuilgingen achter de rolgordijnen. Ze concludeerde dat de bel defect moest zijn en klopte daarom op de groene voordeur. Ze riep nog een keer: 'Mevrouw Telyegin?', waarna ze zich een beetje opgelaten begon te voelen. Ze besefte dat ze voor gek stond voor de hele buurt.

'Onze Willow stond aan de voordeur van die vrouw te kloppen als een weeskind in de storm,' zou Ava Downey die middag zeggen bij haar gin-tonic. En haar man, Beau, die altijd op tijd thuiskwam van het makelaarskantoor om de gin en de vermout precies zo te mixen als zijn vrouw lekker vond, zou die mededeling doorgeven aan zijn vrienden tijdens hun wekelijkse pokerspelletje, en die mannen zouden het weer thuis aan hun vrouw overbrieven, tot iedereen zou weten hoe Willow McKenna erop gebrand was om connecties aan te knopen in haar beperkte wereldje.

Willow voelde haar wangen langzaam rood worden. Ze besloot haar koekjes achter te laten en Anfisa Telyegin erover op te bellen. Daarom tilde ze het deksel van de boodschappenkist op en zette de schaal erin.

Op het moment dat ze het zware deksel liet zakken, hoorde ze achter zich iets ritselen in de klimop. Ze schonk er niet veel aandacht aan, tot ze iets hoorde krabbelen aan het

vermolmde hout van de oude veranda. Ze draaide zich om en gaf een gil, die ze achter haar hand smoorde. Een grote rat met glinsterende ogen en een kale staart zat naar haar te loeren. Het knaagdier bevond zich nog geen meter bij haar vandaan, aan de rand van de veranda en leek op het punt weg te duiken in de bescherming van de klimop.
'O, mijn god!' Willow sprong op de metalen boodschappenkist zonder te denken aan Ava Downey, Beau, de pokerspelers of de buurtgenoten die haar konden zien. Ratten waren angstaanjagend, al zou ze niet kunnen zeggen waarom, en ze keek om zich heen, op zoek naar iets om het beest mee weg te jagen.
Hij verdween echter zonder aandrang van haar kant tussen de klimop. Terwijl het laatste stukje van zijn grijze lijf verdween, haastte Willow McKenna zich hetzelfde te doen. Ze sprong van de kist en holde naar huis.

'Het wás een rat,' hield Willow vol.
Leslie Gilbert wendde haar blik van de televisie af. Toen Willow binnenkwam had ze het geluid zacht gezet, maar ze had zich niet helemaal kunnen losrukken van wat zich op het scherm afspeelde. MIJN VADER HAD SEKS MET MIJN VRIENDJE, stond onder aan het scherm te lezen, als aankondiging van het belangrijkste programma van de dag.
'Ik herken een rat wanneer ik er een zie,' zei Willow.
Leslie pakte wat chips en begon te knabbelen terwijl ze erover nadacht. 'Heb je het tegen haar gezegd?'
'Ik heb haar meteen opgebeld. Maar ze nam niet op en ze heeft geen antwoordapparaat.'
'Je zou haar een briefje kunnen schrijven.'
Willow huiverde. 'Ik ga die voortuin niet meer in.'
'Het komt door al die klimop,' was Leslies mening. 'Het is verkeerd om zoveel klimop te hebben.'
'Misschien weet ze niet dat ratten van klimop houden. Is het in Rusland niet te koud voor ratten?'

Leslie nam nog wat chips. 'Ratten zijn net kakkerlakken, Will,' zei ze. 'Niets is ze te erg.' Ze richtte haar ogen op het tv-scherm. 'We weten nu tenminste waarom ze die kist heeft voor haar boodschappen. Ratten knagen overal doorheen. Maar ze bijten niet dwars door staal.'

Er leek niets anders op te zitten dan een briefje aan Anfisa Telyegin te schrijven. Willow deed het meteen, maar ze had het gevoel dat ze dergelijk nieuws niet aan de teruggetrokken vrouw kon meedelen zonder tegelijkertijd met een oplossing voor het probleem te komen. Daarom voegde ze eraan toe: 'Ik zal iets doen om u te helpen', en ze kocht een val, smeerde die in met pindakaas en zette die op de veranda van nr. 1420.

De volgende ochtend aan het ontbijt vertelde ze haar man wat ze gedaan had en hij knikte bedachtzaam boven zijn krant. Ze zei: 'Ik heb ons telefoonnummer in het briefje gezet en ik dacht dat ze wel zou bellen, maar dat heeft ze niet gedaan. Ik hoop dat ze niet denkt dat we vinden dat het haar schuld is dat ze een rat in haar tuin heeft. Het was natuurlijk niet mijn bedoeling haar te beledigen.'

'Hmm,' zei Scott en hij ritselde met zijn krant.

Jasmine zei: 'Ratten? Rátten? Jakkie, mam.'

En Max zei: 'Jakkie, jakkie, jakkie.'

Omdat ze eenmaal aan iets was begonnen door de val op Anfisa Telyegins veranda te zetten, voelde Willow zich verplicht het af te maken. Daarom ging ze, toen Scott sliep en de kinderen naar school waren vertrokken, terug naar nr. 1420.

Ze liep het pad op, een stuk zorgelijker dan ze zich bij haar eerste bezoek had gevoeld. Elk geritsel in de struiken was de beweging van de rat en het krabbelende geluid dat ze hoorde moest toch zeker het knaagdier zijn dat achter haar aan kwam sluipen, gereed om een uitval naar haar enkels te doen.

Haar vrees bleek echter ongegrond. Toen ze de veranda op

stapte zag ze dat haar poging om het dier te vangen succes had gehad. In de val lag het verminkte rattenlijf. Willow huiverde toen ze het zag en het drong nauwelijks tot haar door dat de rat enigszins verbaasd keek omdat hij zijn nek had gebroken op het moment dat hij aan zijn ontbijt wilde beginnen.

Ze wilde dat Scott bij haar was om haar te helpen. Maar omdat ze wist dat hij zijn slaap nodig had was ze niet onvoorbereid gekomen. Ze had een schop en een vuilniszak meegenomen in de hoop dat haar eerste poging tot ongedierteverdelging met succes bekroond was.

Ze klopte aan de deur om Anfisa Telyegin te laten weten wat ze deed, maar evenals de vorige keer werd er niet opengedaan. Toen ze zich aan haar taak wilde wijden zag ze echter de rolluiken bewegen. Ze riep: 'Mevrouw Telyegin? Ik heb een val gezet voor de rat. Ik heb hem te pakken. U hoeft u geen zorgen te maken.' Ze was een beetje teleurgesteld toen haar buurvrouw de deur niet opendeed om haar te bedanken voor haar moeite.

Ze vermande zich om te doen wat ze doen moest – ze vond het nooit prettig om dode dieren tegen te komen en dit was net zoiets als restanten van aangereden dieren die aan haar autobanden plakten – en ze schepte de rat op met de schop. Ze wilde net het verstijfde dier in de vuilniszak stoppen toen ze werd afgeleid door geritsel in de klimop, gevolgd door een gekrabbel dat ze onmiddellijk herkende. Geschrokken draaide ze zich om. Er zaten twee ratten op de rand van de veranda, hun ogen glinsterden en hun staart zwiepte over het hout.

Willow McKenna liet de schop met veel kabaal vallen en spurtte naar de straat.

'Nóg twee?' Ava Downey klonk ongelovig en ze rammelde met het ijs in haar glas. Haar man, Beau, begreep de bedoeling en schonk haar een nieuwe gin-tonic in. 'Lie-

verd, weet je zeker dat je wel helemaal in orde bent?'
'Ik weet wat ik gezien heb,' zei Willow tegen haar buurvrouw. 'Ik heb het tegen Leslie gezegd en nu zeg ik het tegen jou. Ik heb er een gevangen, maar ik heb er nog twee gezien. En ik zweer bij god dat ze wísten wat ik deed.'
'Intelligente ratten dus?' vroeg Ava Downey. 'Lieve hemel, wat een verbijsterende toestand.' Ze sprak het woord 'verbijsterende' langgerekt uit met haar zuidelijke accent van Miss North Carolina die tussen de gewone stervelingen was komen wonen.
'Het is een probleem voor de hele buurt,' zei Willow. 'Ratten brengen ziekten over. Ze planten zich voort als... nou, als...'
'Als ratten,' zei Beau Downey. Hij gaf zijn vrouw haar drankje en kwam daarna bij de dames zitten in Ava Downeys gezellig ingerichte zitkamer. Ava had als hobby binnenhuisarchitectuur, en hoewel ze er niet haar beroep van had gemaakt, kon alles wat ze aanraakte onmiddellijk als toonbeeld van goede smaak in *Architectural Digest* worden geplaatst.
'Heel grappig, schat,' zei Ava tegen haar man, zonder te glimlachen. 'Lieve help, al zoveel jaar getrouwd en ik had er geen idee van dat je zo geestig was.'
Willow zei: 'Ze zullen zich door de hele buurt verspreiden. Ik heb geprobeerd er met Anfisa over te praten, maar ze neemt de telefoon niet op. Of ze is niet thuis. Maar er brandt wel licht, dus ik denk dat ze thuis is en... Hoor eens. We moeten iets doen. We moeten ook aan de kinderen denken.'
Willow had niet aan de kinderen gedacht tot eerder die middag, nadat Scott na zijn dagelijkse vijf uur durende slaapje uit bed was gekomen. Ze was achter het huis in haar groentetuin, waar ze de laatste herfstpompoenen plukte. Toen ze er een wilde pakken had ze met haar vingers een hoopje keutels geraakt. Het was een vies gevoel en

haastig had ze de pompoen tussen de verwarde ranken uit gehaald. De vrucht, zag ze, droeg de sporen van tanden.
De uitwerpselen en de tandafdrukken hadden het verraden. Er waren niet alleen ratten in de tuin van de buurvrouw. Er waren ratten in de buurt. Elke tuin was kwetsbaar.
Er speelden kinderen in die tuinen. Gezinnen hielden er 's zomers barbecues. Tieners lagen er te zonnebaden en op warme lenteavonden rookten de mannen er hun sigaar. Deze tuinen waren niet bedoeld voor knaagdieren. Knaagdieren vormden een gevaar voor de gezondheid van iedereen.
'Het probleem is niet de ratten,' zei Beau Downey. 'Het probleem is die vrouw, Willow. Ze denkt waarschijnlijk dat het normaal is om ratten te hebben. Verdorie, ze komt uit Rusland. Wat wil je?'
Wat Willow wilde was gemoedsrust. Ze wilde zeker weten dat haar kinderen veilig waren, dat ze Blythe of Cooper over het grasveld kon laten kruipen zonder dat ze zich ongerust hoefde te maken dat er ratten – of rattenkeutels – zouden zijn.
'Bel een ongediertebestrijder,' zei Scott tegen haar.
'Verbrand een kruis op haar grasveld,' adviseerde Beau Downey.
Ze belde Home Safety Ongediertebestrijders en korte tijd later kwam een van hun mensen op bezoek. Hij bekeek het bewijsmateriaal in Willows groentetuin en voor alle zekerheid bracht hij ook nog een bezoek aan de Gilberts, aan de andere kant van nr. 1420, waar hij hetzelfde deed. Dat zorgde er in elk geval voor dat Leslie van de bank opstond. Ze sleepte een keukentrapje naar de omheining en keek vanaf haar hoge positie uit over de achtertuin van nr. 1420.
Afgezien van een paadje naar het kippenhok groeide overal klimop, zelfs tegen de stammen van de snel omhoogschietende bomen.

'U hebt hier,' verklaarde de man van Home Safety, 'een echt probleem, mevrouwtje. De klimop moet weg. Maar eerst moeten de ratten verdwijnen.'
'Laten we dat dan doen,' zei Willow.
Dat bleek echter inderdaad een probleem op te leveren. Home Safety kon rattenvallen zetten op het erf van de McKenna's. Ze konden vallen zetten in de tuin van de Gilberts. Ze konden de straat door lopen en bij de Downeys aan de slag gaan en zelfs oversteken naar de familie Hart. Ze konden echter niet een tuin in lopen zonder toestemming, zonder dat er contracten waren getekend en afspraken waren gemaakt. En dat kon niet gebeuren tenzij iemand contact had met Anfisa Telyegin.
De enige manier om dat voor elkaar te krijgen, was de vrouw op te wachten wanneer ze op een avond naar buiten kwam om les te gaan geven bij de volksuniversiteit. Willow benoemde zichzelf tot tussenpersoon namens de buren. Ze zat op wacht voor haar keukenraam en gaf haar gezin een aantal dagen Chinese afhaalmaaltijden en pizza's te eten om niet het moment te missen waarop de Russin op weg ging naar de bushalte aan het eind van Napier Lane. Toen dat eindelijk gebeurde greep Willow haar jack en rende haar buurvrouw achterna.
Ze haalde haar in voor het huis van de Downeys, dat, zoals altijd, al verlicht was met kerstversiering hoewel het nog niet eens Thanksgiving was geweest. Bij het schijnsel van de kerstman met zijn rendier op het dak legde Willow de situatie uit.
Anfisa stond met haar rug naar het licht, dus Willow kon de reactie van de vrouw niet zien. Ze kon het gezicht van de Russin zelfs helemaal niet zien, omdat het schuilging onder een sjaal en een breedgerande hoed. Het leek Willow redelijk dat het doorgeven van de informatie het enige was wat de onaangename situatie vereiste. Er wachtte haar echter een verrassing.

'Er zijn geen ratten in de tuin,' zei Anfisa Telyegin met, alles welbeschouwd, aanzienlijke waardigheid. 'Ik ben bang dat u zich vergist, mevrouw McKenna.'
'O, nee,' sprak Willow haar tegen. 'Ik vergis me niet, mevrouw Telyegin. Werkelijk niet. Niet alleen heb ik er een gezien toen ik u die chocoladekoekjes bracht... Overigens, hebt u die gevonden? Ze zijn mijn specialiteit... Maar ik heb ook een val gezet en ik heb er echt een in gevangen. Toen zag ik er nog twee. En nadat ik de uitwerpselen in mijn tuin had gevonden en de ongediertebestrijder had gebeld en híj heeft rondgekeken...'
'Nou, ziet u nu wel,' zei Anfisa. 'Het probleem is uw tuin, niet de mijne.'
'Maar...'
'Ik moet nu echt gaan.'
En zo wandelde ze weg, zonder dat er iets tussen hen was geregeld.
Toen Willow met dit nieuws bij Scott kwam, besloot hij dat er krijgsraad in de buurt gehouden moest worden, wat een andere uitdrukking was voor een pokeravond waarop geen poker werd gespeeld en waarvoor de vrouwen werden uitgenodigd. Willow raakte bijna overspannen bij de gedachte aan wat er kon gebeuren wanneer de buren bij het probleem betrokken werden. Ze hield niet van moeilijkheden. Maar juist daarom wilde ze dat haar kinderen gevrijwaard zouden zijn van ongedierte. Het grootste deel van de vergadering zat ze nerveus op haar nagels te bijten.
Elke benadering van het probleem was een kant van het prisma dat de menselijke natuur vormt. Scott, met zijn 'alles volgens de regels'-karakter, wilde de officiële weg bewandelen. Beginnen met de afdeling Volksgezondheid, als dat niets opleverde de politie inschakelen en vervolgens een advocaat in de arm nemen. Owen Gilbert voelde echter totaal niets voor dat idee. Hij mocht Anfisa Telyegin niet om redenen die meer te maken hadden met haar wei-

gering om haar aangifte inkomstenbelasting door hem te laten verzorgen dan met de knaagdieren die op zijn terrein waren doorgedrongen. Hij wilde de FBI en de belastingdienst bellen en die de kwestie met haar laten afhandelen. Ze hield zich beslist bezig met iets wat het daglicht niet kon verdragen. Alles was mogelijk, van belastingontduiking tot spionage. Het noemen van de belastingdienst riep bij Beau Downey gedachten op aan de immigratiedienst, wat meer dan genoeg was om hém nijdig te maken. Hij was ervan overtuigd dat immigranten Amerika aan de rand van de afgrond brachten, en omdat de autoriteiten en de regering kennelijk niet van plan waren om iets te doen verdomme, zoals de grenzen dichtgooien voor de binnendringende horden, vond Beau dat deze instanties op z'n minst iets moesten ondernemen om ze uit hun buurt te weren.

'We moeten dat vrouwtje laten merken dat ze hier niet welkom is,' zei hij. Bij die opmerking rolde zijn vrouw Ava met haar ogen. Ze maakte er nooit een geheim van dat ze Beau geschikt vond om haar drankjes te mixen en aan haar seksuele behoeften te voldoen, maar weinig meer dan dat.

'Hoe wil je dat we dat aanpakken, schat?' vroeg Ava. 'Een hakenkruis op haar voordeur schilderen?'

'Verdomme, er zou toch eigenlijk een gezin moeten wonen,' zei Johnny Hart, met zijn biertje in de hand. Het was zijn zevende en zijn vrouw had ze geteld, evenals Willow, die zich afvroeg waarom Rose hem, telkens als hij zich in het openbaar als een idioot aanstelde, niet tegenhield in plaats van alleen maar met een wanhopige uitdrukking op haar gezicht te zitten toekijken. 'Er hoort een echtpaar te wonen van onze leeftijd, mensen met kinderen, misschien zelfs een tienerdochter... eentje met een stel behoorlijke tieten.' Hij grinnikte en wierp Willow een blik toe die ze niet prettig vond. Haar borsten – die gewoonlijk de afmetingen hadden van een theekopje – waren gezwollen als

gevolg van haar zwangerschap en hij richtte zijn ogen erop en knipoogde tegen haar.
Is het een wonder dat er, met zoveel verschillende meningen die naar voren werden gebracht, niets werd afgesproken? Het enige wat er gebeurde was dat de gemoederen zeer verhit raakten. En Willow voelde zich daarvoor verantwoordelijk.
Misschien, dacht ze, was er een andere manier om de kwestie aan te pakken. Maar hoewel ze de volgende paar dagen haar hersens pijnigde kon ze geen benadering van het probleem bedenken.
Willow kreeg een idee voor een mogelijk actieplan toen er een brief verkeerd bij haar werd bezorgd. Want tussen een stapel catalogussen en rekeningen vond ze een bruine envelop die naar Anfisa Telyegin was doorgestuurd van een adres in Port Terryton, een dorpje aan een rivier, de Weldy, zo'n 125 kilometer ten noorden van Napier Lane. Misschien, dacht Willow, zou iemand uit de buurt waar Anfisa vroeger had gewoond haar huidige buren kunnen adviseren hoe die haar het best konden benaderen.
Dus pakte Willow, op een frisse ochtend toen de kinderen naar school waren en ze Scott had ingestopt voor zijn vijf uur welverdiende slaap, haar wegenatlas en zette een route uit die haar voor het middaguur naar Port Terryton zou brengen. Leslie Gilbert ging mee, ondanks het feit dat ze haar dagelijkse dosis ellende op tv zou moeten missen.
Beide vrouwen hadden wel eens van Port Terryton gehoord. Het was een bijna driehonderd jaar oud, schilderachtig dorp, gelegen te midden van een oeroud loofbomenwoud dat zich uitstrekte tot de oevers van de Weldy. Er woonde geld in Port Terryton. Oud geld, nieuw geld, aandelengeld, internetgeld, geërfd geld. Herenhuizen, gebouwd in de achttiende en negentiende eeuw, dienden als uitstalling van buitensporige rijkdom.
Er waren ook minder rijke buurten in het dorp, straten

met op het oog aardige landhuisjes, waar de hulpjes in de huishouding en de mindere goden woonden. Leslie en Willow vonden Anfisa's vorige woning in een van deze wijken: een charmant, keurig geschilderd grijs met wit zoutvaatjesbouwsel, beschaduwd door een esdoorn met koperkleurige bladeren, met een kortgeknipt gazon in de voortuin en bloembedden met een overdaad aan viooltjes.
'Wat proberen we nu eigenlijk precies uit te zoeken?' vroeg Leslie, toen Willow langs het trottoir stopte. Ze had een doos geglaceerde donuts meegenomen, waaraan ze zich het grootste deel van de rit tegoed had gedaan. Terwijl ze de vraag stelde, likte ze haar vingers af en daarna bukte ze zich om door het raampje naar Anfisa's vorige huis te gluren.
'Ik weet het niet,' zei Willow. 'Iets wat kan helpen.'
'Owens plan was het beste,' zei Leslie loyaal. 'We moeten de politie erbij halen en haar uitleveren.'
'Er moet toch iets... nou, iets minder drastisch zijn. We willen haar leven niet verwoesten.'
'We hebben het wel over een tuin vol ratten,' bracht Leslie haar in herinnering. 'Een tuin vol ratten, waarvan zij beweert dat die niet bestaan.'
'Dat weet ik, maar misschien is er een reden waarom ze niet weet dat ze er zijn. Of waarom ze niet wil toegeven dat ze er zijn. We moeten haar helpen om het onder ogen te zien.'
Leslie slaakte een zucht en zei: 'Wat je wilt, liefje.'
Ze waren naar Port Terryton gekomen zonder dat ze wisten wat ze zouden doen wanneer ze er eenmaal waren. Maar omdat ze er tamelijk onschadelijk uitzagen – aan de een begon je net te zien dat ze zwanger was en de ander was rustig genoeg om vertrouwen te wekken – besloten ze op een paar deuren te kloppen. Het derde huis dat ze probeerden verschafte hun de informatie waarnaar ze op zoek waren. Het was echter niet de informatie die Willow graag wilde horen.

Bij Barbie Townsend, aan de overkant van Anfisa Telyegins voormalige huis, kregen ze thee met citroen, chocoladekoekjes en een schat aan informatie. Barbie had zelfs een plakboek bijgehouden van de Zaak van de Rattenvrouw, zoals de krant van Port Terryton die had genoemd.

Op de terugweg naar huis spraken Leslie en Willow vrijwel niet met elkaar. Ze waren van plan geweest om in Port Terryton te lunchen, maar geen van beiden had veel trek na het gesprek met Barbie Townsend. Ze wilden alle twee zo snel mogelijk terug naar Napier Lane om hun echtgenoot op de hoogte te brengen van wat ze hadden gehoord. Echtgenoten waren tenslotte bedoeld om met dergelijke situaties om te gaan. Waar had je hen anders voor? Van hen werd verwacht dat ze hun gezin beschermden. Vrouwen voedden het. Zo was het nu eenmaal.
'Ze waren overal,' zei Willow tegen haar man. Ze onderbrak hem midden in een telefoongesprek met een mogelijke cliënt. 'Scott, de krant had er zelfs foto's van.'
'Ratten,' deelde Leslie haar Owen mee. Ze ging rechtstreeks naar zijn kantoor en stapte er resoluut binnen, haar gebloemde sjaal sleepte achter haar aan als een troeteldier waar ze niet buiten kon. 'De tuin was ervan vergeven. Ze had klimop geplant. Net als hier. De gezondheidsdienst, de politie en de rechter hebben zich er allemaal mee beziggehouden... De buren hebben een aanklacht tegen haar ingediend, Owen.'
'Het vergde vijf jaar,' zei Willow tegen Scott. 'Mijn god, vijf jaar. Over vijf jaar is Jasmine twaalf, en Max tien. Dan hebben we Blythe of Cooper ook nog. En mogelijk nog twee. Misschien drie. Als we tegen die tijd dit probleem niet hebben opgelost...' Ze begon te huilen, zo bang werd ze om haar kinderen.
'Het heeft hun een fortuin gekost aan advocaten,' vertelde Leslie Gilbert aan Owen. 'Omdat ze, telkens als de recht-

bank haar beval iets te doen, zelf een aanklacht indiende. Of ze tekende beroep aan. Wij hebben niet zoveel geld als die lui in Port Terryton. Wat moeten we doen?'
'Ergens is ze ziek,' zei Willow tegen Scott. 'Dat weet ik, en ik wil haar niet kwetsen. Maar toch moeten we haar laten inzien... Maar hoe kunnen we het haar laten inzien als ze blijft ontkennen dat er een probleem is? Hóé?'
Willow zocht het in geestelijke onbekwaamheid. Terwijl de mannen van Napier Lane 's avonds bij elkaar kwamen om een actieplan op te stellen dat hen zo spoedig mogelijk van het probleem af zou helpen, zocht Willow op internet. Wat ze daar zag schonk haar begrip voor de Russin, die, dat besefte ze nu, duidelijk niet volledig verantwoordelijk was voor de onveiligheid van haar tuin.
'Lees dit eens,' zei Willow tegen haar man. 'Het is een ziekte, Scott. Het is een geestesziekte. Het is zoiets als... Weet je wel, wanneer mensen te veel katten hebben? Vrouwen, meestal? Oudere vrouwen? Je kunt ze al hun katten afnemen maar als je het probleem van de geestesziekte niet aanpakt, halen ze gewoon nog meer katten in huis.'
'Wil je beweren dat ze rátten verzamelt?' vroeg Scott. 'Ik geloof het niet, Willow. Als je het vanuit psychologisch oogpunt wilt bekijken, laten we het dan bij de naam noemen: ontkenning. Ze kan niet toegeven dat ze ratten heeft, omdat ze weet wat ratten met zich meebrengen.'
De mannen waren het met Scott eens, in het bijzonder Beau Downey die opmerkte dat Anfisa als buitenlandse waarschijnlijk niet het flauwste benul had van hygiëne, persoonlijke of anderszins. God mocht weten hoe haar huis er vanbinnen uitzag. Had een van hen dat wel eens gezien? Nee? Nou, dan stelde hij het volgende voor. Ze moesten een ongelukje veroorzaken op nr. 1420. Een brandje, laten we zeggen, ontstaan door slechte bedrading of misschien door een gaslek in het huis.
Scott wilde er niet van horen en Owen Gilbert mompelde

dat hij zich van de hele zaak wilde distantiëren. Rose Hart, die aan de overkant woonde en voor wie er niet zoveel op het spel stond, bracht naar voren dat ze niet precies wisten hoeveel ratten er waren, dus misschien wonden ze zich te veel op over iets wat in feite heel simpel was. 'Willow heeft er maar drie gezien: de rat die in de val zat en twee andere. Misschien maken we ons te druk. Het probleem kon wel eens simpeler liggen dan we denken.'

'Maar in Port Terryton was het een pláág!' riep Willow handenwringend uit. 'En ook al zijn er hier maar twee over, als we ons er niet van ontdoen hebben we er algauw twintig. We kunnen dit niet over onze kant laten gaan. Scott? Zeg jij nou ook eens wat...'

Een paar vrouwen keken elkaar veelbetekenend aan. Willow McKenna had nooit op eigen benen kunnen staan, zelfs nu niet.

Het was Ava Downey – wie had dat gedacht? – die met een mogelijke oplossing kwam. 'Als ze het ontkent, zoals jij gelooft, Scott, lieverd,' zei Ava, 'waarom doen we dan eenvoudig niet iets om haar fantasiewereld echt te maken?'

'Wat zou dat moeten zijn?' vroeg Leslie Gilbert. Ze mocht Ava niet omdat ze geloofde dat die achter iedere man aan zat, en meestal vermeed ze het om tegen haar te praten. De omstandigheden waren echter zorgwekkend genoeg om ervoor te zorgen dat ze haar tegenzin opzijzette en wilde luisteren naar alles wat een snelle oplossing voor het probleem beloofde. Tenslotte had ze juist vanochtend geprobeerd haar auto te starten, om tot de ontdekking te komen dat ongedierte de kabels had stukgeknaagd.

'Laten we die beesten voor haar opruimen,' zei Ava. 'Twee, drie, of twintig. Laten we ze gewoon opruimen.'

Johnny Hart sloeg het restant van zijn negende biertje van de avond achterover en merkte op dat geen enkele ongediertebestrijder het karwei op zich zou willen nemen, zelfs

niet al betaalden de buren ervoor. Niet zonder Anfisa Telyegins medewerking. Owen viel hem bij, evenals Scott en Beau. Wist Ava niet meer wat de man van Home Safety tegen Leslie en Willow had gezegd?
'Natuurlijk weet ik het nog,' zei Ava. 'Wat ik voorstel is dat we het zelf doen.'
'Het is haar terrein,' zei Scott.
'Ze kan de politie bellen en ons laten arresteren als we haar tuin vol vallen zetten, schat,' voegde Beau Downey eraan toe.
'Dan moeten we het doen wanneer ze niet thuis is.'
'Ze zal toch de vallen zien,' zei Willow. 'En de dode ratten erin. Dan weet ze...'
'Je begrijpt me niet, liefje,' kirde Ava. 'Ik wilde er niet mee zeggen dat we vallen moeten gebruiken.'

Iedereen die in de buurt van nr. 1420 woonde kende de gewoonten van de anderen: hoe laat Johnny Hart 's morgens naar buiten hobbelde om de ochtendkrant te pakken, bijvoorbeeld, of hoelang Beau Downey elke dag de motor van zijn bestelwagen liet warmdraaien voor hij ten slotte naar zijn werk ging. Dit hoorde erbij, omdat ze goed met elkaar konden opschieten. Daarom voelde niemand zich gedwongen een opmerking te maken over het feit dat Willow McKenna tot op de minuut af kon zeggen hoe laat Anfisa Telyegin 's avonds naar de volksuniversiteit ging en hoe laat ze weer thuiskwam.
Het plan was eenvoudig: nadat Owen Gilbert het juiste schoeisel voor iedereen had verzameld – geen enkele man wilde op zijn instappers rondsjouwen door wat van ratten vergeven klimop kon zijn – zouden ze de aanval inzetten. Acht wegbereiders – zoals ze zich noemden – zouden schouder aan schouder een rij vormen en met hun zware rubberlaarzen langzaam door de met klimop begroeide voortuin lopen. Deze rij zou de ratten naar het huis drij-

ven, waar de uitroeiers de dieren zouden opwachten wanneer ze vanonder de klimop tevoorschijn kwamen, vluchtend voor de rubberlaarzen. De uitroeiers zouden gewapend zijn met knuppels, met schoppen en verder met alles wat de gemene beesten kon elimineren. 'Het lijkt me de enige manier,' bracht Ava Downey naar voren. Niemand wilde echt dat Anfisa Telyegin haar tuin bezaaid met dode ratten in vallen zou aantreffen, maar niemand wilde evenmin ratten in zijn eigen tuin zien, waar ze misschien naartoe zouden strompelen alvorens dood te gaan aan een langzaam werkend vergif, als de buren die oplossing kozen.
Een gevecht van man tegen knaagdier scheen dus de enige oplossing. En zoals Ava Downey het stelde op haar onnavolgbare manier: 'Ik geloof toch niet dat jullie grote, sterke mannen het erg vinden een beetje bloed aan jullie handen te krijgen... niet voor zo'n goede zaak als deze.'
Wat konden ze zeggen op een dergelijke uitdaging aan hun mannelijkheid? Een paar voeten schuifelden en iemand mompelde: 'Ik weet het niet', maar Ava kwam tussenbeide met: 'Ik zie geen andere manier om het te doen. Maar natuurlijk wil ik best naar andere suggesties luisteren.'
Die waren er niet. Dus er werd een datum geprikt en iedereen begon zich voor te bereiden.

Drie avonden later werden alle kinderen bij elkaar gebracht in het huis van de Harts, om hen uit de weg te houden en uit het zicht van wat er bij nr. 1420 ging gebeuren. Niemand wilde dat zijn kroost iets zou horen of zien van de vernietiging die stond te gebeuren. Kinderen zijn gevoelig voor dit soort zaken, deelden de vrouwen hun echtgenoot mee na 's morgens bij de koffie te hebben besloten één lijn te trekken. Hoe minder ze wisten van wat hun papa's van plan waren, des te beter voor allemaal, zeiden de vrouwen. Geen nare herinneringen en geen akelige dromen.

De mannen onder hen die een hekel hadden aan bloed, geweld of dood sterkten zich met twee gedachten. Om te beginnen ging het om de gezondheid en de veiligheid van hun kinderen. Ten tweede streefden ze een hoger doel na. Een paar hielden zich voor dat een tuin vol ratten geen beste indruk zou maken bij de *Wingate Courier*, en evenmin zou Napier Lane er ver mee komen om de status van perfecte plek om te wonen te bereiken. Anderen zeiden bij zichzelf dat het maar twee ratten waren waar ze over praatten. Twee ratten en bijna tien keer zoveel mannen...? Nou, met die getallen kon iedereen leven.
Een halfuur nadat Anfisa Telyegin nr. 1420 had verlaten en op weg was gegaan naar de bushalte, de rit naar de volksuniversiteit en haar Russische literatuurklas, begonnen de mannen in het donker aan hun karwei. Groot was de opluchting van de zwakkere broeders toen de wegbereiders erin slaagden slechts vier ratten in de wachtende rij uitroeiers te drijven. Beau Downey hoorde tot de laatstgenoemde groep en hij ontdeed zich met veel plezier zelf van alle vier, schreeuwend: 'Geef me wat licht hier! Maak ze doodsbenauwd!', terwijl hij het ene knaagdier na het andere achtervolgde. Later zou zelfs gezegd worden dat hij te veel genoegen beleefde aan de hele gang van zaken. Hij droeg zijn met bloed bespatte overall met de trots van een man die nooit in een echte oorlog heeft gestreden. Hij praatte over 'de kleine rotzakken mores leren' en slaakte een oorlogskreet toen zijn knuppel in contact kwam met nummer vier.
Hij was dan ook degene die erop aandrong dat ze ook iets aan de achtertuin moesten doen. Dezelfde strategie werd toegepast, wat resulteerde in nog vijf harige rattenlijven, nog vijf lijken in de vuilniszak.
'Negen ratten, helemaal niet gek,' zei Owen Gilbert met de opluchting van iemand die er van tevoren voor gezorgd had bij de wegbereiders te behoren en als gevolg daarvan

gelukkig gevrijwaard was gebleven voor het bloed der onschuldigen.
'Ik geloof toch niet dat het klopt,' merkte Johnny Hart op. 'Niet met al die keutels in de tuin van de McKenna's en niet met die doorgebeten kabels van Leslies auto. Ik geloof niet dat we ze allemaal hebben. Wie is ervóór om onder het huis te kruipen? Ik heb een paar rookbommen, die kunnen we gebruiken om ze aan het schrikken te maken.'
Dus er werden rookbommen aangestoken en nog drie ratten ondergingen het lot van hun soortgenoten. Maar een vierde ontsnapte aan Beaus verwoede pogingen en vluchtte in de richting van Anfisa's kippenhok.
Iemand riep: 'Pak hem!' maar niemand was snel genoeg. Hij glipte onder de zijwand door en verdween uit het zicht.
Het eigenaardige was dat de kippen niet merkten dat ze een rat in hun midden hadden. Uit het hok klonk geen enkel geluid van een ritselende vleugel, noch een verontwaardigd gekakel. Het leek alsof de kippen verdoofd waren of, erger nog... opgegeten door ratten.
Het lag voor de hand dat er iemand moest gaan kijken of dat laatste het geval was, maar niemand meldde zich. De mannen liepen behoedzaam naar het kippenhok, en degenen die een zaklantaarn bij zich hadden merkten dat ze moeite hadden die stil genoeg te houden om op het gebouwtje te kunnen richten.
'Grijp die deur en doe hem open, Owen,' zei een van de mannen. 'Laten we die laatste rakker te pakken nemen, dan kunnen we weg.'
Owen aarzelde; hij voelde er weinig voor te worden geconfronteerd met tientallen verminkte, dode kippen. En dat de kippen dood waren leek heel waarschijnlijk, omdat er zelfs bij de nadering van de mannen geen geluid uit het hok was gekomen.
Beau Downey zei vol afkeer: 'Verdomme', toen Owen zich

niet verroerde. Hij schoof langs hem heen, gooide de deur open en smeet een rookbom naar binnen.
Toen gebeurde het.
Ratten stroomden naar buiten door de opening. Tientallen ratten. Honderden ratten. Kleine ratten. Grote ratten. Kennelijk goed doorvoede ratten. Ze stroomden uit het kippenhok als kokende olie tijdens een beleg en ze vlogen alle kanten op.
De mannen sloegen erop los met knuppels en schoppen, waar ze de dieren maar konden raken. Botten versplinterden. Ratten piepten en krijsten. Bloed spoot in de lucht. Zaklantaarns hielden het tafereel in heldere lichtcirkels gevangen. De mannen spraken niet. Ze kreunden slechts terwijl de ratten stuk voor stuk werden opgejaagd. Het leek een primitieve strijd om het territorium tussen twee oerrassen waarvan er slechts één kon overleven.
Ten slotte was Anfisa Telyegins tuin bezaaid met bloed, beenderen en de lijken van de vijand. De ratten die ontsnapten zouden óf in de tuin van de McKenna's óf in die van de Gilberts terechtkomen en daar konden deskundigen zich later mee bezighouden. Wat het terrein betreft dat de paar overlevende ratten bij hun vlucht achter zich hadden gelaten... Het leek het toneel van een ramp, geen plek die snel kon worden opgeruimd en zeker geen plek die snel vergeten zou worden.
De mannen hadden hun vrouw echter beloofd dat het karwei verricht zou worden zonder sporen na te laten, dus ze deden hun best om de verminkte harige slachtoffers van de grond te schrapen en het bloed van de klimop en de buitenkant van het kippenhok af te spoelen. Terwijl ze hiermee bezig waren begrepen ze dat er nooit kippen in het hok hadden gezeten, en wat dat wilde zeggen over Anfisa's dagelijkse tocht naar het hok met een mand vol maïs... Sterker nog, wat dit wilde zeggen over Anfisa Telyegin zelf...
Het was Johnny Hart die zei: 'Ze is gestoord', en Beau

Downey die opperde: 'Verdomme, we moeten haar uit de buurt weg zien te krijgen.' Maar voor er op deze opmerkingen kon worden gereageerd, ging het gammele hekje van nr. 1420 open en stapte Anfisa de tuin in.

Bij het maken van het plan was er geen rekening mee gehouden dat er die avond tentamens werden afgenomen, zodat de lessen eerder dan gewoonlijk afgelopen waren. Er was evenmin voldoende over nagedacht wat een rij van acht mannen die door de klimop stampten met die begroeiing zou doen. Anfisa Telyegin wierp één blik op de puinhoop in haar tuin – voldoende verlicht door de straatlantaarn die voor haar huis stond – en ze slaakte een afgrijselijke gil die tot bij de bushalte te horen was.
Ze huilde niet zozeer omdat ze van haar klimop hield en de ontbladering betreurde die door acht paar in laarzen gestoken voeten was aangericht. Ze huilde omdat ze intuïtief wist wat die platgetrapte klimop betekende.
'Mijn god!' jammerde ze. 'Nee! Mijn god!'
Er was geen andere uitgang uit haar tuin behalve via het hekje aan de voorkant, dus de mannen kwamen een voor een tevoorschijn. Ze troffen Anfisa op haar knieën midden in de vertrapte klimop; met haar armen om haar lichaam geslagen wiegde ze heen en weer.
'Nee, nee!' riep ze en ze begon weer te huilen. 'Jullie begrijpen niet wat je hebt gedaan!'
De mannen waren er niet op bedacht om hiermee om te gaan. Ratten doodslaan, ja. Dat lag precies in hun straatje. Maar troost bieden aan een vreemde, wier verdriet volslagen onzinnig leek...? Dat was een totaal andere kwestie. Goede god, ze hadden de dwaze vrouw een dienst bewezen, toch? Jezus. Goed, daarbij hadden ze een beetje klimop vernield. Klimop groeide als onkruid, zeker in deze tuin. Over een maand zou alles weer als vanouds zijn.
'Roep Willow,' zei Scott McKenna, terwijl Owen Gilbert

mompelde: 'Ik ga Leslie halen.' De anderen verspreidden zich zo snel ze konden, schichtig als kleine jongens die misschien te veel plezier hebben gehad aan iets waarvoor ze weldra gestraft zullen worden.

Willow en Leslie kwamen uit Rose Harts huis aanhollen. Ze troffen Anfisa huilend en heen en weer wiegend aan, terwijl ze zich met haar vuisten op haar borst sloeg.

'Kun je haar naar binnen brengen?' vroeg Scott McKenna aan zijn vrouw.

Owen Gilbert zei tegen Leslie: 'Tjee, zorg dat ze inziet dat het alleen maar klimop is, Les. Het groeit wel weer aan. En het moest gebeuren.'

Willow, wier meegevoel bijna als een vloek op haar rustte, moest zelf vechten tegen een aanval van emotie bij het zien van het verdriet van de Russin. Ze had niet verwacht dat ze iets anders zou voelen dan opluchting over het verwijderen van de ratten, dus haar schuldgevoel en het verdriet dat ze voelde brachten haar danig in de war, zodat de tranen haar in de ogen sprongen. Ze kuchte een keer en zei tegen Leslie: 'Help je even...?', waarna ze zich bukte en Anfisa bij haar arm pakte. 'Mevrouw Telyegin,' zei ze, 'het komt goed. Echt waar. Het komt allemaal goed. Gaat u niet liever mee naar binnen? Zullen we een kop thee voor u zetten?'

Met de hulp van Leslie kreeg ze de snikkende vrouw overeind en terwijl de overige buurvrouwen zich op het gazon voor Rose Harts huis begonnen te verzamelen, beklommen Willow en Leslie de treden van de veranda van nr. 1420, waar ze Anfisa hielpen de deur open te doen.

Scott liep hen achterna. Na wat hij in het kippenhok had gezien was hij niet van plan zijn vrouw zonder hem dat huis in te laten gaan. God mocht weten wat ze daar binnen zouden aantreffen. Maar zijn verbeelding had hem op het verkeerde spoor gezet. Want in Anfisa Telyegins huis stond

alles keurig op zijn plaats. Hij zag het, schaamde zich voor wat hij had verwacht en verontschuldigde zich, het aan Leslie en Willow overlatend Anfisa zo goed mogelijk te troosten.
Leslie bracht water aan de kook. Willow zocht kopjes, en thee. En Anfisa zat aan de keukentafel, haar schouders schokten en ze snikte: 'Vergeef me. Alsjeblieft, vergeef me.'
'O, mevrouw Telyegin,' fluisterde Willow, 'soms gebeuren deze dingen nu eenmaal. Er valt niets te vergeven.'
'Jullie vertrouwden me,' zei Anfisa huilend. 'Ik heb zo'n spijt van wat ik gedaan heb. Ik zal het huis verkopen. Ik zal verhuizen. Ik ga zoeken...'
'Dat hoeft helemaal niet,' zei Willow. 'We willen niet dat u gaat verhuizen. We willen alleen dat u veilig op uw eigen terrein kunt wonen. We willen allemáál veilig zijn.'
'Wat ik jullie heb aangedaan,' riep Anfisa uit. 'Niet één keer, maar twee keer. Dat kunnen jullie me niet vergeven.'
Het waren de woorden 'maar twee keer' die Leslie Gilbert het onbehaaglijke gevoel gaven dat, hoe moeilijk dat ook was voor te stellen, de Russin en Willow McKenna over twee verschillende dingen praatten. Ze zei voorzichtig: 'Hoor eens, Will...' op hetzelfde ogenblik dat Anfisa zei: 'Mijn lieve vriendjes. Nu zijn jullie allemaal dood.'
Dat was het moment waarop het bij Willow, die koude rillingen over haar hele lichaam voelde, ten slotte begon te dagen.
Ze keek Leslie aan. 'Bedoelt ze...?'
'Ja, Will. Ik denk dat ze dat bedoelt.'

Pas toen Anfisa Telyegin twee weken later het bordje TE KOOP in de voortuin van haar huis aan Napier Lane zette, slaagde Willow McKenna erin het hele verhaal uit de immigrante los te krijgen. Ze was naar nr. 1420 gegaan met een schaal kerstkoekjes als zoenoffer en in tegenstelling tot de vorige keer, toen ze de chocoladekoekjes kwam

brengen, deed Anfisa de deur open. Met een knikje nodigde ze Willow uit binnen te komen. Ze nam haar mee naar de keuken en zette thee voor haar. Het zag ernaar uit dat de periode van twee weken voldoende was geweest om de oude vrouw niet alleen tijd te geven om te rouwen, maar ook tijd om te besluiten Willow deelgenoot te maken van wat er zich in haar leven had afgespeeld.
'Twintig jaar,' zei ze, toen ze aan de tafel zaten. 'Ik wilde niet worden wie zij wilden dat ik zou worden, en ik wilde niet zwijgen. Dus ze stuurden me weg. Eerst naar Lubjanka, weet je wat dat is? Waar de KGB heerst? Ja? Een vreselijke plaats. En vandaar naar Siberië.'
Willow zei fluisterend: 'De gevangenis? U hebt in de gevangenis gezeten?'
'De gevangenis zou mooi geweest zijn. Dit was een concentratiekamp. O, ik heb de mensen hier wel horen lachen om Siberië. Voor hen is het een grap: de zoutmijnen van Siberië. Ik heb het gehoord. Maar om daar te zijn. Alleen. Jaar na jaar. Te worden vergeten omdat je geliefde de belangrijke stem was, de stem die telde, terwijl hij tot hij stierf niet meer was dan een partner, nooit door iemand serieus genomen tot de autoriteiten hem serieus namen. Het was een verschrikkelijke tijd.'
'U was...?' Hoe noemden ze het ook weer? Willow probeerde het zich te herinneren. 'Een dissidente?'
'Een stem die ze niet wilden horen. Die niet wilde zwijgen. Die lesgaf en schreef tot ze haar kwamen halen. En toen was het Lubjanka. En daarna Siberië. En daar, in die cel, kwamen de kleintjes. Eerst was ik bang. Het vuil. De ziekten. Ik joeg ze weg. Maar ze bleven komen. Ze kwamen en ze keken naar me. En toen zag ik het. Ze wilden heel weinig en ze waren ook bang. Dus ik gaf ze iets te eten. Wat brood. Een stukje vlees als ik het had. Zo bleven ze en was ik niet meer alleen.'
'De ratten...' Willow probeerde de afkeer niet in haar stem

te laten doorklinken. 'Ze waren daar uw vrienden.'
'Tot op de dag van vandaag,' antwoordde ze.
'Maar mevrouw Telyegin,' zei Willow, 'u bent een intelligente vrouw. U hebt gelezen. U hebt gestudeerd. U moet toch weten dat ratten ziekten overbrengen.'
'Ze waren goed voor me.'
'Ja. Ik begrijp dat u dat gelooft. Maar dat was toen, toen u in de gevangenis zat en wanhopig was. U hebt nu geen ratten nodig. Laat mensen hun plaats innemen.'
Ze liet haar hoofd hangen. 'Binnendringen en moorden,' zei ze. 'Sommige dingen kunnen niet vergeten worden.'
'Ze kunnen wel vergeven worden. En niemand wil dat u weggaat. We weten... ik weet dat u al eens eerder uit uw huis hebt moeten vertrekken. In Port Terryton. Ik weet wat daar gebeurd is. De politie, de aanklachten, de rechtszaken... Mevrouw Telyegin, u moet toch inzien dat, als u weggaat en weer opnieuw begint en weer ratten aanmoedigt om op uw terrein te leven... Begrijpt u niet dat u dan weer terug bent waar u bent begonnen? Niemand zal toestaan dat u ratten verkiest boven mensen.'
'Ik zal het niet nog eens doen,' zei Anfisa. 'Maar hier kan ik niet blijven. Niet na wat er gebeurd is.'

'Het is maar goed ook,' zei Ava Downey boven haar gin-tonic. Er waren acht maanden verstreken sinds de avond van de ratten, en Anfisa Telyegin was uit hun midden verdwenen. De buurt was tot de orde van de dag teruggekeerd en de nieuwe bewoners van nr. 1420 – een gezin dat Houston heette, waarvan de man advocaat was en de vrouw kinderarts, met een Deense au pair en twee schoongeboende kinderen van acht en tien jaar, die in uniform naar hun particuliere scholen gingen en hun boeken de auto in en uit droegen in keurige rugtassen – deden eindelijk waar de buurtgenoten al zo lang op hadden gehoopt. Weken achtereen hanteerden schilders hun kwast, droegen

behangers rollen naar binnen, kwamen timmerlieden schuren en schaven, creëerden woninginrichters meesterwerken voor de ramen... Het kippenhok werd afgebroken en verbrand, de klimop werd verwijderd, het hek werd vervangen en voor het huis werden een gazon en bloemperken aangelegd terwijl de achtertuin werd omgetoverd naar Engels model. Een halfjaar later werd Napier Lane eindelijk door de *Wingate Courier* uitgeroepen tot perfecte plek om te wonen, met nr. 1420 als het huis dat was verkozen tot symbool van de fraaie wijk.
Daarover bestond geen jaloezie, hoewel de Downeys tamelijk koel deden toen de andere buren de Houstons feliciteerden met het feit dat nr. 1420 door de krant was gekozen als voorbeeld van een volmaakte woning. Tenslotte hadden de Downeys hun huis eerder gerestaureerd en Ava was van het begin af aan zo vriendelijk geweest aan Madeline Houston haar ervaring op het gebied van woninginrichting aan te bieden... Het deed er niet toe dat Madeline er de voorkeur aan had gegeven vrijwel al die suggesties af te wijzen. De normale beleefdheid vereiste dat de Houstons de eer die hun was toegekend afwezen om die door te geven aan de Downeys, die toch zeker met kop en schouders boven iedereen uitstaken wanneer het op restauratie en woninginrichting aankwam. De Houstons waren echter blijkbaar een andere mening toegedaan, dus ze poseerden vrolijk bij het hek van nr. 1420 toen de persfotografen op bezoek kwamen. Ze hadden de voorpagina van de *Wingate Courier* ingelijst en in de hal opgehangen zodat iedereen – ook de jaloerse Downeys – die kon zien wanneer ze op bezoek kwamen.
Dus de woorden 'het is maar goed ook' werden door Ava Downey met gemengde gevoelens uitgesproken toen Willow McKenna tijdens een wandeling bleef staan voor een praatje, met de kleine Cooper slapend in zijn buggy. Ava zat in haar schommelstoel op de veranda een warme lente-

dag te vieren met haar eerste gin-tonic van het seizoen die ze buiten kon opdrinken. Haar woorden sloegen op het vertrek van Anfisa Telyegin, iets waar Willow het met zichzelf nog steeds niet helemaal over eens was, ondanks de komst van de Houstons die – met hun kinderen, hun au pair en hun ijver om verbeteringen aan het huis aan te brengen – zoveel beter pasten bij Napier Lane. 'Kun je je voorstellen wat we nu zouden doormaken als we geen stappen hadden ondernomen om met het probleem af te rekenen?' vroeg Ava.

'Als je haar die avond had gezien...' Willow kon de aanblik van de Russin, zoals die huilend op haar knieën midden in de klimop had gezeten, niet uit haar hoofd zetten. 'En dan te horen wat de ratten voor haar betekenden... Ik voel me gewoon zo...'

'Een late postnatale depressie,' zei Ava. 'Dat is het. Wat jij nodig hebt is een drankje. Beau! Beau, lieverd, ben je daar? Maak voor Willow eens...'

'O, nee. Ik moet voor het eten gaan zorgen. En de kinderen zijn alleen. En... Ik wil alleen maar zeggen dat ik er nog steeds treurig van word. Alsof we haar hebben weggejaagd. Ik had nooit gedacht dat ik zoiets zou doen, Ava.'

Schouderophalend rammelde Ava met haar ijsblokjes. 'Voor haar eigen bestwil,' verklaarde ze.

Leslie Gilbert zei: 'Natuurlijk denkt Ava er zo over. Mensen uit het zuiden zijn eraan gewend mensen uit hun huis te jagen. Het is een van hun hobby's.' Ze zei dit echter voornamelijk omdat ze Ava tijdens het oudejaarsavondfeestje werk had zien maken van Owen. Ze was nog niet vergeten dat ze getongzoend hadden, hoewel Owen het bleef ontkennen.

Willow zei: 'Ze hoefde toch niet weg te gaan? Ik had haar vergeven. Jij niet?'

'Natuurlijk. Maar wanneer iemand zich schaamt... Wat kon ze anders doen?'

Willow schaamde zich ook. Ze schaamde zich omdat ze in paniek was geraakt, omdat ze had uitgezocht waar Anfisa vroeger had gewoond, en ze schaamde zich het meest omdat ze, nadat ze de waarheid had achterhaald in Port Terryton, de Russin niet de kans had gegeven alles in orde te brengen voor de mannen in actie kwamen. Als ze dat had gedaan, als ze Anfisa had verteld wat ze over haar te weten was gekomen, dan zou Anfisa beslist stappen hebben genomen om ervoor te zorgen dat wat in Port Terryton was gebeurd niet in East Wingate herhaald zou worden.
'Ik heb haar niet echt de kans gegeven,' zei ze tegen Scott. 'Ik had haar moeten vertellen wat we van plan waren als ze er geen ongediertebestrijders bij wilde halen. Ik geloof dat ik haar dat nu moet vertellen: wát we gedaan hebben was goed, maar hóé we het gedaan hebben was verkeerd. Ik geloof dat ik me beter zal voelen als ik dat doe, Scott.'
Scott McKenna dacht niet dat het nodig was om dit aan Anfisa Telyegin uit te leggen. Maar hij kende Willow. Ze zou niet rusten voor ze het goed had gemaakt, voorzover ze dat nodig vond, met hun voormalige buurvrouw. Persoonlijk beschouwde hij het als tijdverspilling, maar eerlijk gezegd had hij het zo druk met de – godzijdank – twáálf cliënten die McKenna Computing Designs inmiddels had, dat hij niet veel meer deed dan mompelen: 'Je doet maar wat je denkt dat goed is, Will', toen zijn vrouw ten slotte zei dat ze Anfisa ging opzoeken.
'Ze heeft in de gevangenis gezeten,' bracht Willow hem in herinnering. 'In een concentratiekamp. Als we dat destijds geweten hadden weet ik zeker dat we het anders hadden aangepakt. Toch?'
Scott luisterde maar half, dus hij zei: 'Ja, ik denk het wel.' Wat Willow beschouwde als instemming.
Het was niet moeilijk om Anfisa op te sporen. Willow deed het via de volksuniversiteit, waar een sympathieke secretaresse koffie met haar dronk en haar over de tafel een

papiertje toeschoof met een adres in Lower Waterford, 150 kilometer van East Wingate.
Deze keer nam Willow Leslie Gilbert niet mee, maar vroeg of die een dag op Cooper wilde passen. Omdat Cooper in het stadium was van slapen, eten en plassen, en de rest van de tijd lag te kraaien tegen de mobiles boven zijn wieg, wist Leslie dat ze door hem niet van haar dagelijkse talkshows zou worden afgehouden, dus ze stemde toe. En omdat ze zich verheugde op het thema van die dag van haar favoriete programma – IK HAD GROEPSSEKS MET DE VRIENDEN VAN MIJN ZOON – vroeg ze Willow niet waar die naartoe ging, waarom ze erheen ging en evenmin of ze behoefte had aan gezelschap.
Dat kwam goed uit. Willow wilde liever alleen met Anfisa Telyegin praten.

Ze vond Anfisa's nieuwe huis aan Rosebloom Court in Lower Waterford en toen ze het zag werd ze opnieuw overmand door schuldgevoelens, omdat ze het vergeleek met haar vorige woningen in Port Terryton en aan Napier Lane. Dat waren beide historische gebouwen. Dit niet. De vorige huizen waren een afspiegeling geweest van de periode waarin ze gebouwd waren. Dit weerspiegelde niet meer dan de wens van een projectontwikkelaar om zoveel mogelijk geld te verdienen met zo min mogelijk creatieve inspanning. Het was zo'n huis waar gezinnen na de Tweede Wereldoorlog in drommen waren ingetrokken: gestuukte muren, een betonnen oprit met een barst in het midden waar onkruid uit opschoot, en een dak van geteerd papier. Willow werd mismoedig toen ze het zag.
Ze bleef in haar auto zitten en ze had overal spijt van, maar het meest van alles betreurde ze haar neiging tot paniek. Als ze niet in paniek geraakt was bij het zien van de eerste rat, als ze niet in paniek geraakt was toen ze de uitwerpselen in haar moestuin vond, als ze niet in paniek geraakt

was toen ze hoorde van Anfisa's problemen in Port Terryton, zou ze de arme vrouw misschien niet veroordeeld hebben tot een leven in dit trieste doodlopende straatje met zijn kale grasvelden met één boom, zijn kromgetrokken garagedeuren die de voorkant van de huizen domineerden, en zijn rommelige, oneffen trottoirs.
'Het was haar keuze, liefje,' zou Ava Downey gezegd hebben. 'En laten we het kippenhok niet vergeten, Willow. Ze hoefde toch geen ratten in haar tuin te laten wonen, of wel?'
Deze laatste vraag bleef Willow door het hoofd spoken terwijl ze voor Anfisa's huis zat. Ze werd erdoor gedwongen te erkennen dat er meer verschillen waren tussen dit huis en het laatste huis dan de bouw alleen. Want in tegenstelling tot het huis aan Napier Lane, zag ze in deze tuin nergens klimop. Er stond beslist niets in waar een rat zich onder kon verschuilen. De tuin bevatte niets dan bloemperken, keurig beplant met netjes gesnoeide struikjes en een gazon dat zo strak was als een ijsbaan.
Misschien, dacht Willow, waren er voor Anfisa Telyegin twee huizen en twee buurten in rep en roer voor nodig geweest om te beseffen dat ze haar woning niet kon delen met ratten en hopen dat het onopgemerkt zou blijven.
Willow moest zich ervan overtuigen dat er iets goeds was voortgekomen uit wat er in haar straat was gebeurd, dus ze stapte uit haar auto en sloop zachtjes naar het hek van de achtertuin om te kijken. Een kippenhok, een hondenkennel of een schuurtje zou een heel slecht teken zijn. Maar een blik over het hek op de patio, het gazon en de rozenstruiken bewees dat de Russin deze keer geen onderkomen voor ratten had gebouwd.
'Soms moeten mensen hun lesje kwaadschiks leren, Willow', zou Ava Downey gezegd hebben.
Het zag er in elk geval naar uit dat Anfisa Telyegin haar lesje had geleerd, kwaadschiks of niet.
Willow voelde zich enigszins gerustgesteld door wat ze

zag, maar ze wist dat ze pas volledige gemoedsrust zou vinden wanneer ze zich er persoonlijk van overtuigde dat Anfisa zich prettig voelde in haar nieuwe omgeving. Ze hoopte eigenlijk dat een gesprek met haar voormalige buurvrouw zou uitdraaien op een dankbetuiging van Anfisa jegens de bewoners van Napier Lane, die haar – zij het dan op een drastische manier – haar gezond verstand terug hadden gegeven. Dat zou iets zijn waarmee Willow thuis kon komen bij haar man en haar vrienden, waardoor ze zich ook in hun ogen kon rehabiliteren, want zij had tenslotte alles op gang gebracht.
Willow klopte aan de deur, die was verstopt in een klein, vierkant portiek met een enkele betonnen trede ervoor. Ze voelde een steek van bezorgdheid toen de vitrage naast de deur bewoog en ze riep: 'Mevrouw Telyegin, bent u thuis? Ik ben het, Willow McKenna', in de hoop de vrouw gerust te stellen.
Haar begroeting leek het gewenste effect te hebben. De deur ging een paar centimeter open en onthulde een streepje Anfisa Telyegin, van hoofd tot voeten.
Willow glimlachte. 'Hallo. Ik hoop dat u het niet erg vindt dat ik langskom. Ik was in de buurt en ik wilde graag zien...' Haar stem stierf weg. Anfisa keek haar met volslagen onbegrip aan. Willow zei: 'Willow McKenna? Uw naaste buurvrouw uit Napier Lane? Kent u me nog? Hoe gaat het met u, mevrouw Telyegin?'
Bij die woorden vertrokken Anfisa's lippen plotseling en ze ging achteruit bij de deur vandaan, geschrokken bij de naam Napier Lane. Willow zag deze beweging aan voor toestemming om binnen te komen, dus ze gaf een duwtje tegen de deur en stapte het huis in.
Alles leek prima in orde. Het huis was zo schoon als een operatiekamer: geveegd, gestoft en geboend. Toegegeven, er hing een eigenaardig luchtje, maar Willow schreef dat toe aan het feit dat er geen enkel raam openstond, ondanks

de mooie lentedag. Het huis had waarschijnlijk de hele winter potdicht gezeten met de verwarming hoog, zodat alle geurtjes, van koken tot schoonmaakmiddelen, waren blijven hangen.
'Hoe gaat het toch met u?' zei Willow tegen de oude dame. 'Ik heb aldoor aan u gedacht. Geeft u hier nu les op een universiteit? U rijdt toch niet heen en weer naar East Wingate?'
Anfisa glimlachte gelukzalig. 'Het gaat goed met me,' zei ze. 'Heel goed. Drinkt u een kopje thee met me?'
De opluchting die Willow voelde bij die hartelijke begroeting was als een donzen dekbed in een ijzige nacht. Ze zei: 'Hebt u me vergeven, Anfisa? Hebt u me écht kunnen vergeven?'
Het antwoord van Anfisa had niet troostrijker kunnen zijn als Willow de woorden zelf geschreven had. 'Ik heb veel geleerd in Napier Lane,' fluisterde ze. 'Ik leef nu niet zoals ik daar leefde.'
'O, gelukkig,' zei Willow. 'Wat ben ik dáár blij om.'
'Ga zitten, ga zitten,' zei Anfisa. 'Hier. Alstublieft. Ik zal thee zetten.'
Willow trok maar al te graag een stoel onder de tafel uit en ze bleef toekijken hoe Anfisa bedrijvig in de keuken heen en weer liep, babbelend terwijl ze een ketel vulde en een blikje thee, kopjes en schoteltjes uit een kast pakte.
Dit was een goede plek om je thuis te voelen, vertelde Anfisa aan Willow. Het was een eenvoudiger buurt, zei ze, geschikter voor iemand zoals zij, met simpele behoeften en een eenvoudige smaak. De huizen en de tuinen waren eenvoudig, net als zij, en de mensen bemoeiden zich voornamelijk met zichzelf.
'Dit is beter voor me,' zei Anfisa. 'Het is meer wat ik gewend ben.'
'Toch vind ik het vervelend dat u Napier Lane als een vergissing beschouwt,' zei Willow.
'In Napier Lane heb ik veel over het leven geleerd,' merkte

Anfisa op, 'veel meer dan ik ergens anders geleerd zou hebben. Daar ben ik dankbaar voor. Jou. Iedereen. Ik zou me niet zo voelen als ik me nu voel als Napier Lane er niet geweest was.'

Ze voelde zich op dit moment vredig. Ze zei het niet met zoveel woorden, maar het bleek uit haar optreden, de uitdrukkingen van plezier, blijdschap en voldoening die onder het praten beurtelings op haar gezicht verschenen.

Ze wilde alles weten over Willows gezin: hoe ging het met haar man? Met haar dochtertje en haar zoontje? En er was een baby bijgekomen, nietwaar? Zouden er nog meer volgen? Ja, er zouden toch zeker nog meer baby's volgen?

Willow bloosde bij de laatste vraag en wat die aangaf over Anfisa's intuïtie. Ja, vertrouwde ze de Russin toe, er zouden nog meer baby's komen. Eerlijk gezegd, ze had het haar man nog niet verteld, maar ze was er tamelijk zeker van dat ze zwanger was van de vierde McKenna.

'Ik was het niet van plan, zo snel na Cooper,' bekende Willow. 'Maar nu het zover is moet ik zeggen dat ik dolblij ben. Ik hou van grote gezinnen. Dit heb ik altijd gewild.'

'Ja,' zei Anfisa glimlachend. 'Kleintjes. Die maken het leven mooi.'

Willow lachte terug. Ze was zo dankbaar voor Anfisa's vriendelijke ontvangst, voor elke tevreden uitroep van Anfisa bij elk nieuwtje dat Willow haar vertelde, dat ze naar voren leunde en de hand van de Russin stevig drukte. Ze zei: 'Ik ben zo blij dat ik u ben komen opzoeken. U lijkt hier een heel ander mens.'

'Ik bén een ander mens,' zei Anfisa. 'Ik doe niet meer wat ik vroeger heb gedaan.'

'U hebt iets geleerd,' zei Willow. 'Daar gaat het om in het leven.'

'Het leven is goed,' zei Anfisa instemmend. 'Het leven is heel goed.'

'Ik had niets liever willen horen. Het klinkt me als muziek

in de oren, Anfisa. Mag ik je zo noemen? Mag ik Anfisa tegen je zeggen? Is dat goed? Ik wil zo graag dat we vriendinnen zijn.'

Anfisa greep Willows hand. 'Vriendinnen,' zei ze, 'ja. Dat zou fijn zijn, Willow.'

'Misschien kun je een keer naar East Wingate komen om ons op te zoeken,' zei Willow. 'En wij kunnen naar jou toe komen. Onze familie woont achthonderd kilometer bij ons vandaan en we zouden het prettig vinden als je... nou, als je een soort grootmoeder voor mijn kinderen zou willen zijn. Dat hoopte ik eerlijk gezegd al toen je pas in Napier Lane kwam wonen.'

Anfisa straalde en ze legde een hand op haar borst. 'Ik? Je hebt aan mij gedacht als grootmoeder voor je kleintjes?' Ze lachte, blijkbaar was ze verrukt bij het vooruitzicht. 'Dat wil ik heel graag. Ik zal er heel erg van genieten. En jij...' Ze pakte opnieuw Willows hand. 'Jij bent te jong om grootmoeder te zijn. Dus jij moet tante zijn.'

Willow zei: 'Tante?' Ze lachte, hoewel ze het niet begreep.

'Ja, ja,' zei Anfisa. 'Tante van mijn kleintjes, zoals ik grootmoeder zal zijn van jouw kinderen.'

'Van je...' Willow slikte. Onwillekeurig keek ze om zich heen. Met een geforceerd lachje zei ze: 'Heb je dan zelf kleintjes? Dat wist ik niet, Anfisa.'

'Kom,' zei Anfisa en ze legde haar hand op Willows schouder. 'Je moet kennis met ze maken.'

Zonder te willen dat haar voeten in beweging kwamen volgde Willow Anfisa van de keuken naar de zitkamer en van de zitkamer een smalle gang in. De geur die ze had geroken toen ze het huis was binnengekomen, was hier sterker en werd nog sterker toen Anfisa een van de slaapkamerdeuren opendeed.

'Ik hou ze hier,' zei Anfisa over haar schouder tegen Willow. 'De buren weten het niet en jij mag het hun niet vertellen. Ik heb zoveel geleerd van Napier Lane.'

Toelichting op *Ik zal altijd van je blijven houden*

Over dit verhaal heb ik verdraaid lang nagedacht. Een aantal jaren geleden vertelde een vriendin van me over een situatie waarin een echtgenoot op zijn sterfbed een liefdesverklaring had uitgesproken tegen zijn vrouw die, gezien de omstandigheden, helemaal niets met liefde te maken had. Mijn eerste reactie op het verhaal was woede. Mijn tweede reactie was boosheid. Mijn derde reactie was typisch voor iemand die een geboren schrijver is: ik had het gevoel dat dit een goed verhaal zou kunnen worden.
Het moeilijkste deel was proberen te besluiten welke omstandigheden in het leven van de man en de vrouw in dit verhaal zouden culmineren in zijn uiteindelijke liefdesverklaring tegen haar, om nog maar niet te spreken van het moment waarop hij die verklaring uitsprak. Ik bedacht van alles. Ik ging op trektocht naar Italië, in Cinque Terre, en dacht erover het verhaal zich daar te laten afspelen. Ik deed hetzelfde in het Italiaanse merengebied en overwoog Isola de Pescatores als een volmaakte plaats om mijn vertelling te situeren. Het enige probleem was dat me, afgezien van eventuele locaties, verder absoluut niets te binnen wilde schieten.
Ten slotte kwam ik, tijdens een gesprek met mijn vriend, bij de kern voor dit verhaal, de reden waarom de man overlijdt. Toen ik die goed en wel had, was ik op weg. Ik stuurde mijn assistente naar de bibliotheek, en liet haar informatie voor me zoeken op internet. Terwijl zij daarmee bezig was begon ik de personages te creëren die de wereld van Eric en Charlotte Lawton zouden bevolken. Ik begreep al snel dat ik helemaal geen exotische locatie

nodig had voor dit verhaal. Het zou zich heel goed hier in Zuid-Californië kunnen afspelen, in mijn eigen achtertuin.

Nadat ik mijn elfde boek had voltooid, had ik eindelijk de tijd om dit verhaal te schrijven. Dus hier is het, mijn antwoord op de vraag waarom die onbekende man in een verhaal dat me door een van mijn vriendinnen werd verteld, vlak voor zijn dood tegen zijn vrouw zei: 'Denk eraan, ik zal altijd van je blijven houden.'

Ik zal altijd van je blijven houden

Charlie Lawton huilde niet bij de begrafenis van haar man. Ze had al genoeg gehuild, eerst toen het gebeurde en daarna bij de herdenkingsdienst. Tijdens de nasleep van zijn afschuwelijke dood had ze zoveel gehuild dat ze geen tranen meer overhad. Daarom sloeg ze de plechtigheid versuft gade.

Van tevoren hadden ze haar alle mogelijkheden voor de begrafenis opgesomd. Ze kon de dominee nog een keer een gebed laten uitspreken – deze keer kort – en daarna kon ze onmiddellijk weggaan naar een sombere bijeenkomst, waar de begrafenisgasten iets te eten en te drinken zouden krijgen en hun de laatste kans geboden zou worden om ontoereikende woorden van troost te mompelen tegen Eric Lawtons weduwe. Of ze kon blijven en toezien hoe men de haastig gekozen kist in het graf liet zakken. Daarna kon ze een bloem uit de krans halen die ze zelf twee dagen daarvoor had uitgezocht, als verdoofd en met door verdriet wazige ogen. Ze kon die bloem in het graf werpen, wat de andere aanwezigen zou aanmoedigen hetzelfde te doen en daarna kon ze naar de klaarstaande limousine wandelen. Of ze kon er de hele begrafenis bij blijven, tot het moment waarop de graafmachine – die op discrete afstand geparkeerd stond – over het gras kwam aandreunen en zand op de notenhouten kist begon te verspreiden. Ze kon blijven tot het graf verzegeld was, de aarde was aangestampt en de plaggen waren teruggelegd. Ze kon zelfs blijven kijken terwijl ze het plastic kaartje aan een paaltje bevestigden dat de plek zou markeren tot de grafsteen gereed was. Ze zou zijn naam kunnen lezen, Eric

Lawton, alsof dat haar zou helpen om tot haar te laten doordringen dat hij weg was en ze de rest zelf kon invullen: Eric Lawton, geliefde echtgenoot van Charlotte. Eric Lawton, overleden op de leeftijd van 42 jaar.
Ze koos voor de eerste optie. Het was gemakkelijker om weg te gaan dan om de kist in de eeuwigheid te zien verdwijnen. En wat betreft de gelegenheid voor de andere aanwezigen om blijk te geven van hun genegenheid voor Eric door bloemen in zijn graf te werpen... Ze wilde niets doen wat haar eraan zou herinneren hoe weinig belangstellenden er eigenlijk waren.
Later, thuis, overviel het verdriet haar als een virus. Ze stond voor het raam, haar keel zat dicht en gloeide, en ze had het gevoel dat ze koorts kreeg. Ze keek naar de achtertuin; aan het ontwerpen ervan hadden zij en haar man zoveel aandacht besteed en ze hadden die met zoveel liefde onderhouden. Achter haar klonken stemmen, gedempt door smart en de gevoeligheid van de situatie.
'Tragedie,' hoorde ze fluisteren.
'Beste man,' werd er verscheidene malen gemompeld.
'In alle opzichten een beste kerel,' werd er een keer gezegd.
In alle opzichten, op één na, dacht Charlie.
Ze voelde dat er een arm om haar heen geslagen werd en ze koesterde zich in de jarenlange vriendschap van Bethany Franklin, die van Hollywood naar deze zielloze buitenwijk van het zielloze Los Angeles was komen rijden, nog dezelfde avond nadat Charlie haar had gebeld om haar het nieuws te vertellen. Ze had gegild: 'Eric! Bethie! O, mijn god!', en Bethany was zo snel mogelijk gekomen. Ze had gezegd: 'Die verdómde motor', op een verbeten toon, en vervolgens: 'Ik ben onderweg. Hoor je me, Charlie? Ik ben onderweg.'
Nu zei ze zacht: 'Hou je het nog vol, schatje? Wil je dat ik die lui de deur wijs?'
Moeizaam legde Charlie haar hand op die van Bethany,

die op haar schouder rustte. Ze zei: 'Alles is begonnen toen ik hem de Harley liet kopen, Beth.'
'Je hebt hem niets láten doen, Charles. Zo werkt het niet.'
'Hij had ook een tatoeage genomen. Had ik je dat verteld? Eerst de tatoeage. Alleen maar op zijn arm en ik dacht: och, waarom niet? Mannen vinden zoiets nu eenmaal leuk, toch? En toen de Harley. Wat heb ik verkeerd gedaan?'
'Niets,' zei Bethany. 'Het was jouw schuld niet.'
'Hoe kun je dat nu zeggen? Dit is allemaal gebeurd omdat...'
Bethany draaide Charlie om. Ze zei: 'Niet doen, Charlie. Wat was het laatste wat hij tegen je gezegd heeft?' Ze wist het natuurlijk al. Het was een van de eerste dingen die Charlie haar verteld had, nadat de hysterie was weggeëbd en de daaropvolgende shock was begonnen. Ze vroeg het alleen omdat Charlie zelf de woorden weer moest horen en verwerken.
'"Denk eraan, ik zal altijd van je blijven houden,"' herhaalde ze.
'Hij had er een reden voor om dat te zeggen,' verklaarde Bethany.
'Maar waarom...'
'Er zijn vragen in het leven waar je nooit antwoord op krijgt. Waarom is er meestal een van.' Bethany drukte haar tegen zich aan, om haar te vertellen dat ze niet alleen was, hoe ze zich ook voelde en hoe leeg het huis ook zou lijken: het grote, dure huis in de buitenwijk dat ze drie jaar geleden hadden gekocht omdat 'het tijd wordt voor een gezinnetje, Char, vind je ook niet? En niemand gelooft dat een stad goed is voor kinderen'. Het was gezegd met een aanstekelijk lachje, verklaard in zo'n opwelling van energie die Eric altijd actief, nieuwsgierig, betrokken en levendig had gehouden.
Charlie keek naar de verzamelde gasten. 'Ik kan nog steeds niet geloven dat zijn familie niet is gekomen. Ik heb zijn

ex-vrouw gebeld om haar te vertellen wat er gebeurd was. Ik heb haar gevraagd het aan de rest van de familie door te geven – nou ja, aan zijn ouders dan... wie is er verder nog? – maar niemand heeft me ook maar een briefje gestuurd, Beth. Zijn vader niet, zijn moeder niet, zijn eigen dochter niet.'

'Misschien heeft de ex niet... Hoe heet ze?'

'Paula.'

'Misschien heeft Paula het niet doorgegeven. Als de scheiding vervelend was... was dat zo?'

'Tamelijk. Er was een andere man bij betrokken. Eric heeft een proces tegen Paula aangespannen voor de voogdij over Janie.'

'Dat kan het geweest zijn.'

'Het was jaren geleden.'

'Misschien is ze tot zijn dood toe verbitterd gebleven. Sommige mensen kunnen niet loslaten.'

'Denk je dat ze het misschien niet aan zijn ouders heeft verteld?'

'Daar lijkt het wel op,' zei Bethany.

Het was de gedachte dat Paula, in een laatste aanval van posthume wraak op haar voormalige echtgenoot geweigerd kon hebben het bericht van zijn dood aan Erics ouders door te geven, die Charlie ertoe bracht dan zelf maar contact op te nemen met de familie Lawton. Het probleem was dat Eric sinds lang van zijn ouders vervreemd was, een triest feit dat hij Charlie had geopenbaard tijdens de eerste vakantie die ze samen doorbrachten. Omdat ze zelf goed contact had met haar familie ondanks de afstand die hen van elkaar scheidde, was ze begonnen over afspraken maken voor de feestdagen. 'Wil je die bij jouw familie doorbrengen of bij de mijne? Of moeten we het verdelen? Of iedereen hier uitnodigen?'

'Hier' was destijds een driekamerappartement in de heuvels van Hollywood, vanwaar Eric elke dag vertrok naar zijn baan in een verre buitenwijk, terwijl Charlie zich naar haar sollicitatiegesprekken spoedde in de hoop dat de toekomst iets anders voor haar in petto had dan de rol van huismoeder met het volmaakte gezin in een reclame voor WoW!-zeep. Een driekamerflat, met een keukentje dat niet groter was dan een voorraadkast in een vliegtuig, en één badkamer, was niet de ideale plek om wederzijdse familieleden te ontvangen, dus ze had zich voorbereid op het onvermijdelijke verdelen van de tijd tussen eind november en begin januari. Thanksgiving op de ene plaats, kerstavond op een andere, eerste kerstdag op een derde en oudejaarsavond met zijn tweeën thuis voor de namaak-open haard, met fruit en champagne. Zo pakten de feestdagen echter niet uit omdat Eric haar het droevige verhaal vertelde over hoe hij van zijn ouders vervreemd was geraakt: over het ongeluk tijdens de jacht dat die verwijdering had veroorzaakt en over wat er op dat ongeluk was gevolgd.

'Ik struikelde en het geweer ging af,' biechtte hij op een nacht in het donker op, met zijn mond in haar haren. 'Als ik geweten had wat ik... ik wist niet wat ik moest doen. Ik had geen verbanddoos. Hij bloedde dood, Char. En ik schudde aan hem en riep zijn naam en zei hem, smeekte hem om vol te houden, om alsjeblieft vol te houden.'

'Wat erg voor je,' had ze gezegd en ze had zijn hoofd tegen haar borst gedrukt omdat zijn stem brak en zijn lichaam trilde en hij zich aan haar vastklampte en omdat ze niet gewend was aan een man die zijn emoties toonde. 'Je eigen broer, Eric, wat afschuwelijk.'

'Hij was achttien. Ze probeerden het me te vergeven. Maar hij was... Brent was in hun ogen zoiets als de kroonprins. Ik kon zijn plaats niet innemen. Ten slotte raakte ik van hen verwijderd. Eerst een beetje. Daarna steeds verder. Ze besloten me te laten begaan. Dat was het beste voor ons

allemaal. We konden er niet overheen komen. We konden het niet van ons afzetten.'
Charlie probeerde zich voor te stellen hoe het voor hem was geweest: volwassen worden en vervolgens naar de middelbare leeftijd toe groeien en altijd met het besef dat hij zijn eigen broer had neergeschoten. Ze hadden bij het aanbreken van de ochtend op vogels gejaagd, aan de rand van de woestijn waar de duiven overwinterden. Sinds hun kinderjaren hadden ze op vogels gejaagd, eerst met hun vader en later – toen Brent oud genoeg was om een auto te besturen – samen. En tijdens de tweede tocht die ze op die manier maakten was het gebeurd.
'Ze hebben je waarschijnlijk jaren geleden al vergeven,' had ze loyaal tegen haar man gezegd. 'Heb je geprobeerd om weer contact met hen op te nemen?'
'Ik wil het niet in hun ogen zien. De manier waarop ze me aankijken en proberen het te laten overkomen alsof er niets dan liefde achter die blikken schuilgaat.'
'Nou, er gaat geen haat achter schuil.'
'Nee. Alleen een groot verdriet, dat ik heb veroorzaakt. Door stom te zijn, slordig. Door het geweer niet goed vast te houden. Door niet uit te kijken waar ik liep.'
'Je was pas vijftien,' wierp Charlie tegen.
'Ik was oud genoeg.'
Waarvoor, vroeg ze zich af. Maar uiteindelijk vond ze het antwoord: oud genoeg om te verdwijnen.
Toch hadden ze er recht op te weten dat hij dood was. Hoewel Charlie er geen idee van had waar Marilyn en Clark Lawton woonden, besloot ze dat ze hen zou zoeken en hen op de hoogte zou brengen. Ze wist dat Eric het zo gewild zou hebben. Alleen al het feit dat hij een hele verzameling familiefoto's had neergezet had haar verteld dat de pijn, omdat er voor hem geen plaats was in het hart van zijn ouders, nooit was overgegaan.
De dag na de begrafenis stond ze voor die foto's, duizelig

en met pijnlijke spieren na het trauma van de afgelopen week. De smartelijke brok in haar keel was er nog steeds – dat was al zo sinds de avond waarop Eric was gestorven – evenals het weeïge, koortsachtige gevoel dat ze al dagen had. Ze wist niet eens meer hoe het was om je normaal te voelen. Maar bepaalde dingen moesten nu eenmaal gedaan worden.

De foto's stonden in de zitkamer, waar ze als doelbewuste, opdringerige gedachten hier en daar tussen de boeken aan weerskanten van de haard waren neergezet. Ze wist wie de mensen waren die erop afgebeeld stonden omdat Eric het haar dikwijls had verteld. Hij had de meesten van hen echter slechts bij hun voornaam genoemd, wat onder de gegeven omstandigheden weinig hulp bood: tante Marianne bij haar eindexamen van de middelbare school, oudtante Shirley met oudoom Pat, oma Louise (van vaders- of van moederskant, Eric?), oom Ross, Brent op zijn zevende, mam op haar tiende, pap toen hij dertien was, mam en pap op hun trouwdag, opa en zijn broers, oma Jessie-Lynn. Maar afgezien van de achternaam van zijn ouders kende ze geen van de achternamen van de anderen. Ze zocht in het telefoonboek, maar kwam tot de ontdekking dat er geen Lawtons met de naam Clark of Marilyn in de buurt woonden.

Niet dat ze verwacht had dat ze dichtbij zouden zijn. Ze had erop gehoopt, maar tegelijkertijd besefte ze dat tieners die op jacht gaan aan de rand van de woestijn wees op een stad die niet ver weg lag van een plek die zelfs nog droger was dan de voorstad van Los Angeles waar zij en Eric hun huis hadden gekocht.

Ze haalde een kaart van Californië tevoorschijn met het idee dat ze moest beginnen in het zuiden te zoeken, vlak bij de grens. Ze kon Inlichtingen bellen voor elke stad die in de buurt lag van Highway 805. Ze was echter nog niet veel verder gekomen dan Paradise Hills voor ze deze tijdrovende benadering staakte.

Charlie liep weer naar de foto's en nam ze mee naar de keuken, waar ze ze voorzichtig op het granieten aanrecht legde. Het waren allemaal oude foto's, de meest recente was die van Brent op zevenjarige leeftijd, sommige ervan waren zorgvuldig behandelde daguerreotypieën. Ze wist echter dat mensen soms aantekeningen maakten over personen op foto's en over de plaatsen waar die foto's waren genomen. En als dat het geval was met Erics familiefoto's zou er misschien een aanwijzing te vinden zijn over de huidige verblijfplaats van zijn bloedverwanten.
Ze begon daarom het karton aan de achterzijde uit de lijsten te halen, waarna ze de achterkant van de foto's bekeek. Op slechts twee ervan stond iets geschreven. Een keurige hand had BRENT LAWTON, ZEVEN JAAR OUD, YOSEMITE, op de achterkant van de foto van Erics broer geschreven. Een pen had in kriebelig schrift JESSIE-LYNN TER GELEGENHEID VAN MERLES HUWELIJK achter op de foto van een van de grootmoeders in Erics leven gekrabbeld. Maar dat was alles.
Met een zucht begon Charlie de lijsten en hun inhoud weer in elkaar te zetten: glas, foto, stukje karton en het met fluweel overtrokken afdekplaatje. Toen ze toe was aan de trouwfoto van de Lawtons ontdekte ze echter dat er behalve het glas, de foto en de dekplaatjes nog iets tussen de lijst was gestopt. Misschien was het gedaan omdat, hoe recenter de foto was, des te dunner het papier was waarop die was afgedrukt. Voor de trouwfoto was iets extra's nodig geweest om de lijst op te vullen. Dit iets was een opgevouwen stukje papier, dat bij nader inzien een blanco reçu bleek te zijn. Bovenaan stond gedrukt TIME ON MY SIDE, en een adres: Front Street in Temecula, Californië.
Opnieuw pakte Charlie de kaart. Een schok van opwinding flitste door haar heen toen ze Temecula vond, aan de rand van de woestijn, naast een snelweg, alsof het stadje op haar wachtte om zijn geheimen prijs te geven.

Ze ging er niet onmiddellijk heen. Ze was van plan geweest de volgende dag op weg te gaan, maar toen ze wakker werd merkte ze dat haar keel in brand stond en dat de stijfheid in haar spieren was overgegaan in koude rillingen. Het was meer dan alleen maar uitputting en verdriet, begreep ze. Ze had griep.
Ze berustte erin maar het verbaasde haar niet. Dagen achtereen had ze op haar zenuwen geleefd, vrijwel zonder eten en met nog minder slaap. Het was niet verwonderlijk dat ze vatbaar was voor ziekten.
Ze sleepte zich naar de drogist, waar ze de afdeling Verkoudheid en Griep opzocht en met waterige ogen de etiketten las op medicamenten die een snelle genezing beloofden – of althans tijdelijke verlichting – voor het gemene virus dat haar lichaam was binnengedrongen. Ze wist wat haar te doen stond: veel drinken en bedrust, dus ze sloeg een voorraad pakjes soep, kant-en-klaarmaaltijden en thee in. Zolang de magnetron het bleef doen was er niets aan de hand, hield ze zich voor. Erics familie kon wel een of twee dagen wachten tot ze weer op krachten was gekomen.

Twee dagen later vertrok Charlie richting Temecula. Voor alle zekerheid had ze Bethany Franklin meegevraagd, want hoewel ze min of meer opgeknapt was na twee dagen bedrust, slechts onderbroken door wandelingetjes naar de koelkast en de magnetron, vertrouwde ze zichzelf toch niet voldoende om zo'n eind te rijden zonder dat er iemand bij haar was.
Bethany vond het geen goed idee. Openhartig zei ze: 'Je ziet er belazerd uit', nadat ze was komen aanscheuren in haar trots en glorie, een zilveren BMW sportwagen. 'Je zou in bed moeten liggen en niet door Californië rondbanjeren op zoek naar... wie zoeken we eigenlijk?' Ze had een zak Chipito's bij zich – 'absoluut goddelijk voedsel,' verklaarde ze, met de zak zwaaiend als een vrouw die een taxi

roept – en ze knabbelde op de zoutjes terwijl ze achter Charlie aan van de voordeur naar de keuken liep. Daar stonden de familiefoto's waar Charlie ze had achtergelaten. Charlie pakte de foto van Erics ouders en het reçu van Time on My Side.

Ze zei: 'Ik wil zijn familie vertellen wat er gebeurd is. Ik weet niet waar ze wonen en dit is de enige aanwijzing die ik heb.'

Bethany nam de foto en het reçu van haar over en Charlie legde uit waar ze het papiertje had gevonden. Haar vriendin zei: 'Waarom bellen we die zaak niet op, Charlie? Er staat een nummer bij.'

'En als die zaak nu eens van Erics ouders is? Wat zeggen we dan?' vroeg Charlie. 'We kunnen hen toch niet botweg vertellen over...' Ze voelde de tranen dringen, alweer. Alweer. Denk eraan, ik zal altijd van je blijven houden, Char. 'Niet door de telefoon, Beth. Dat zou niet goed zijn.'

'Nee. Je hebt gelijk. Het kan niet via de telefoon. Maar jij bent niet in staat om over de snelweg heen en weer te jakkeren. Laat mij dan gaan, als je hier zo op gebrand bent.'

'Het gaat prima met me. Ik voel me veel beter. Het was maar een griepje.'

Het compromis was dat ze zouden rijden met de kap dicht en dat Charlie een thermosfles kippensoep zou meenemen en een pak sinaasappelsap, die ze zou moeten nuttigen tijdens de lange rit naar het zuidoosten. Zo gingen ze op weg naar Temecula, via Highway 5, een strook asfalt dwars door de met rotsen bezaaide heuvels die de Californische woestijn van de zee scheidden. Hier hadden hebzuchtige projectontwikkelaars het stoffige land verkracht om er het zaad van hun woonwijken in te planten, allemaal volkomen identiek, allemaal in dezelfde, vaalbruine kleur, allemaal zonder de schaduw van ook maar een enkele boom, allemaal bedekt met pannen, wat de bouwer van een van

de wijken ertoe had geïnspireerd de monstruositeit de belachelijke naam Tuscany Hills te geven.
Kort na een uur 's middags arriveerden ze in Temecula, waar het hen weinig moeite kostte om Front Street te vinden. Die lag in wat de gemeenteraad eufemistisch 'het historische district' noemde en werd al zo'n twee kilometer voor de afslag met borden langs de snelweg aangekondigd. Het 'historische district' bleek een aantal huizenblokken te zijn die van de rest van de stad – de moderne helft – waren gescheiden door een spoorlijn, de snelweg, een klein industrieterrein en opslagplaatsen. De blokken stonden langs een straat met aan beide kanten souvenirwinkels, restaurants en antiekzaken, met hier en daar een café of een ijssalon ertussen. Om kort te gaan, 'historisch district' was een andere naam voor een toeristische attractie. Ooit was het misschien het centrum van de stad geweest, nu was het bedoeld voor mensen die een dagje weg wilden uit de saaie voorsteden die van Los Angeles in alle richtingen uitvloeiden als een winstgevende olievlek. Er lagen houten trottoirs en de gebouwen waren uit hout, stucwerk of steen opgetrokken. Voorts hingen er kleurige vlaggen, grappige uithangborden en aan de rand van het parkeerterrein stond een informatiebord met een pijl naar U BEVINDT ZICH HIER. Het was de hoofdstraat van Disneyland die bezocht kon worden zonder een hoge entreeprijs te betalen.
'En dan vraag jij me nog waarom ik het afschuwelijk vind om me buiten Los Angeles te wagen,' was Bethany's commentaar, nadat ze een parkeerplaats had gevonden en huiverend om zich heen keek. 'Dit is pure nep. Namaakgeschiedenis die plezier en winst moet opleveren. Het lijkt Calico Ghost Town wel. Ben je daar wel eens geweest? Het enige spookstadje op de hele wereld waar iemand een winkelcentrum van heeft weten te maken.'
Charlie lachte en wees naar het informatiebord. 'Laten we daar eerst maar op kijken.'

Op het bord vonden ze Time on My Side als een van de winkels in het eerste blok van het historische district. Onderweg waren ze het er al over eens geworden dat het waarschijnlijk een klokkenwinkel was, maar toen ze ervoor stonden kwamen ze tot de ontdekking dat het – zoals vele andere winkels in de straat – een antiekzaak was. Ze gingen naar binnen.

Een dof gegrom begroette hen, gevolgd door een vermanende mannenstem: 'Hé, Mugs, laat dat.' De woorden waren gericht tot een Norwich-terriër die opgerold op een kussen lag, op een oude bureaustoel. Deze stond naast een antiek cilinderbureau waar een man aan zat die onder een felle lamp een porseleinen flesje bekeek door een juweliersloep. Hij keek over de toonbank naar Bethany en Charlie en zei: 'Sorry. Sommige mensen vatten het verkeerd op. Het is gewoon haar manier om hallo te zeggen. Ga maar weer slapen, Mugs.' De hond begreep hem blijkbaar. Met een diepe zucht legde ze haar kop tussen de poten en haar oogleden vielen dicht.

Charlie zocht het gezicht van de man af naar een gelijkenis, hopend in die gelaatstrekken iets terug te vinden van Eric, die nooit zo oud zou worden. Hij had de juiste leeftijd om Erics vader te kunnen zijn: hij leek een jaar of zeventig. En hij was pezig, evenals Eric, met Erics open blik en Erics energie, die zich manifesteerde in een voet die onophoudelijk tegen een van de stoelpoten tikte.

'Doe of u thuis bent,' zei de oude heer. 'Kijk gerust rond. Zoekt u iets speciaals?'

'Eigenlijk,' zei Charlie, terwijl ze met Bethany naar de toonbank liep, 'ben ik op zoek naar een familie. De familie van mijn man.'

De man krabde zich op zijn hoofd. Hij zette het porseleinen flesje op zijn bureau en legde de loep ernaast. 'Ik verkoop geen families,' zei hij lachend.

'Deze mensen heten Lawton,' zei Bethany.

'Marilyn en Clark Lawton,' vulde Charlie aan. 'We hoopten... nou, ík hoopte dat u misschien... Bent u toevallig meneer Lawton?'
'Henry Leel,' zei hij.
'O.' Charlie was teleurgesteld. Het raakte haar dieper dan ze had gedacht toen ze hoorde dat de man niet Erics vader was. Ze zei: 'Tja, we zijn op goed geluk hiernaartoe gereden. Maar ik hoopte... U kent zeker toevallig geen mensen in de stad die Lawton heten?'
Henry Leel schudde zijn hoofd. 'Ik zou het niet weten. Zitten ze in de antiekhandel?' Hij gebaarde naar de winkel om hem heen die bijna claustrofobisch vol stond met meubels en snuisterijen.
'Ik voel me niet...' Charlie merkte dat ze duizelig werd en ze moest zich aan de toonbank vasthouden.
Bethany pakte haar vriendin bij de arm. Ze zei: 'Wacht even. Kalm aan', en daarna tegen Henry Leel: 'Ze heeft net griep gehad. En haar man... Hij is vorige week overleden. Zijn ouders weten het nog niet en we zijn naar hen op zoek.'
'Zijn dat de Lawtons?' zei Henry Leel en toen Bethany knikte keek hij vol meegevoel naar Charlie. 'Ze ziet er erg jong uit voor een weduwe, arme stakker.'
'Ze ís erg jong om weduwe te zijn. En zoals ik al zei, ze is ziek geweest.'
'Breng haar hier, dan kan ze gaan zitten. Mugs, ga van die stoel af en geef hem aan die mevrouw. Schiet op. Je hoort me wel. Hier. Ik zal het kussen eraf halen, mevrouw... hoe was de naam ook weer?'
'Lawton,' zei Charlie. 'Neemt u me niet kwalijk, ik ben ziek geweest. Zijn dood... het gebeurde plotseling.'
'Ik vind het heel erg voor u. Gaat u zitten. Ik zal een kop thee voor u maken met een scheut cognac. Daar zult u van opknappen. Blijf rustig zitten.'
Hij deed de winkeldeur op slot en liep vervolgens naar

achteren. Toen hij met de thee terugkwam had hij het plaatselijke telefoonboek bij zich, bereid om de dames van dienst te zijn. Na het te hebben doorgebladerd bleek echter dat er geen Lawtons in de stad woonden.

Charlie drong haar teleurstelling naar de achtergrond. Ze dronk de thee op, waarna ze zich voldoende opgeknapt voelde om Henry Leel te vertellen waarom zij en Bethany deze winkel in Temecula hadden gekozen als startpunt voor de zoektocht naar Erics familie. Nadat ze haar verhaal had afgestoken haalde ze de trouwfoto van Erics ouders tevoorschijn. Henry keek er lang en aandachtig naar, hij fronste zijn voorhoofd alsof hij zijn hersens kon dwingen iemand te herkennen. Na een poosje te hebben gekeken schudde hij zijn hoofd. Hij zei: 'Ze komen me bekend voor, dat moet ik toegeven. Maar ik zou niet durven zeggen dat ik hen ken. Bovendien verkoop ik oude foto's, die hier veel op lijken, dus na een tijdje lijkt iedereen op een foto op iemand die ik ergens gezien heb. Kijk, ik zal het u laten zien.'

Hij liep naar een donkere uithoek van de winkel en pakte een bakje van de plank van een keukenkast. Hiermee kwam hij bij Charlie en Bethany terug. 'Ik verkoop er niet veel van. Meestal aan tearooms, theatergroepen, lijstenwinkels die ze voor hun etalage willen gebruiken. Iets dergelijks. Hier. Kijkt u zelf maar.' Hij zette het bakje op het bureau. 'Kijk. Die foto van u... die past bij het laatste stapeltje in het bakje. Van iets latere datum, maar ik heb er wel een paar die zo oud zijn. Het lijkt... eens even kijken... ja, het lijkt op een opname uit de jaren vijftig. Achter in de jaren vijftig, misschien begin jaren zestig.'

Charlie had een onbehaaglijk gevoel gekregen toen de man over de foto's begon. Ze durfde Bethany niet aan te kijken, bang voor wat haar eigen gezicht zou onthullen. Bereidwillig bekeek ze de foto's, waarbij haar opviel dat die alle mogelijke stijlen en perioden vertegenwoordigden. Er

waren daguerreotypieën bij, oude zwart-witopnamen, portretten, met de hand ingekleurde foto's. Bij sommige stond er iets achterop geschreven, de namen van de geportretteerden of de plaats waar de foto was genomen. Charlie wilde er niet aan denken wat dit betekende. JESSIE-LYNN TER GELEGENHEID VAN MERLES HUWELIJK.
Henry Leel zei: 'Hoe komt u erbij dat die familie Lawton hier zou zijn? In deze winkel en in Temecula?'
'Er was een reçu,' antwoordde Bethany. 'Charlie, laat eens zien wat je tussen die lijst hebt gevonden.'
Charlie gaf de man het stukje papier. Terwijl Henry Leel het met half dichtgeknepen ogen bekeek zei ze: 'Het moet puur toeval zijn. Deze foto... van zijn ouders... die zat een beetje los in de lijst, en hij moet het papiertje gebruikt hebben om de ruimte op te vullen. Ik zag het en... Omdat ik hoopte zijn familie te vinden trok ik een voorbarige conclusie. Meer niet.'
Henry Leel trok nadenkend aan zijn kin. Hij hield zijn hoofd schuin en tikte met zijn wijsvinger, waarvan de nagel zwart was als gevolg van een infectie, op het reçu. Hij zei: 'Deze zijn genummerd. Ziet u wel? Eén-nul-vijf-acht, in de rechterbovenhoek? Wacht eens even. Misschien kan ik u toch helpen.' Hij begon in het cilinderbureau te zoeken, waarbij hij Mugs wakker maakte, die ernaast lag te dommelen. De hond tilde haar kop op en knipperde slaperig met haar ogen, voor ze haar kop weer tussen haar poten begroef. Haar baas haalde een versleten zwart boek met een slappe kaft tevoorschijn dat er officieel uitzag, en legde het op het bureaublad. 'Laten we eens kijken wat we hierin kunnen vinden.'
Het boek bleek doorslagen te bevatten van de reçu's van alles wat bij Time on My Side was verkocht. Even later had de antiekhandelaar teruggebladerd om te zien wat er aan weerszijden van 1058 was. 1059 was uitgeschreven op naam van ene Barbara Fryer, met een adres in Huntington

Beach. 'Dat helpt niet veel,' zei Henry Leel spijtig, maar daarna liet hij erop volgen: 'Kijk nu eens. Dit is wat we zoeken,' toen hij het reçu zag dat eraan voorafging. 'Hier heb ik wat u zoekt. U zei toch Lawton? Nou, hier heb ik een Lawton.'

Hij draaide het boek om zodat Charlie erin kon kijken en ze zag wat ze verwacht had te zullen zien – zonder te weten of te begrijpen waarom ze het zou zien – vanaf het moment dat ze de oude foto's had bekeken. Reçu nummer 1058 stond op naam van ERIC LAWTON. In plaats van een adres was er slechts een telefoonnummer. Erics nummer bij de farmaceutische industrie, waar hij, gedurende de zeven jaar dat Charlie hem kende, directeur van de afdeling Verkoop was geweest.

Onder Erics naam stond een lijst van de aankopen. Charlie las: GOUDEN MEDAILLON (14 KT.), 19E EEUWS PORSELEINEN DOOSJE, DAMESRING MET DIAMANT, EN JAPANSE WAAIER. Onder deze laatste woorden zag ze het cijfer 10 en de afkorting *fot.* Ze hoefde niet te vragen wat die laatste aantekening betekende.

Bethany wees ernaar en ze zei: 'Charles, is dit...'

Charlie viel haar in de rede. Haar ledematen waren loodzwaar geworden, maar ze schonk er geen aandacht aan. Ze schoof het boek naar de antiekhandelaar terug en ze zei: 'Nee. Het is... Ik zoek Clark of Marilyn Lawton. Dit is iemand anders.'

Henry Leel zei: 'O. Tja, ik denk trouwens ook niet dat het deze man zou kunnen zijn. Hij was te jong om degene te zijn die u zoekt. Ik herinner me hem nog wel, hij was... wat zal ik zeggen... een jaar of veertig? Vijfenveertig. Ik weet het nog omdat hij voor bijna zevenhonderd dollar kocht – de ring en het medaillon waren het duurst – en zoiets verkoop je niet elke dag. Ik zei tegen hem: "Een of andere mevrouw boft maar", en hij knipoogde. "Iedere vrouw boft wanneer ze mijn vrouw is," zei hij. Dat weet ik

nog. Verwaand, dacht ik. Maar verwaand op een aardige manier. Begrijpt u wat ik bedoel?'
Charlie glimlachte zwakjes. Ze stond op en zei: 'Dank u wel. Heel erg bedankt voor al uw hulp.'
'Jammer dat ik niet meer voor u kon doen,' antwoordde Henry Leel. 'Hoor eens, wilt u nu al weggaan? U ziet nog een beetje pips. Volgens mij zou een slokje pure cognac u goed doen.'
'Nee, nee, het gaat prima. Nogmaals bedankt,' zei Charlie. Ze pakte Bethany bij de arm en duwde haar vastberaden de winkel uit.
Buiten was een ouderwetse leuning om paarden aan vast te maken langs het trottoir neergezet en Charlie klemde zich eraan vast, intussen de straat in kijkend. Ze dacht na over 10 fot, en wat dat betekende: een familie, die gemakshalve was gekocht in Temecula, Californië. Maar wat betekende dát? En wat zei het haar over haar echtgenoot?
Charlie knipperde met haar ogen om de tranen terug te dringen. Ze voelde dat Bethany naast haar kwam staan en ze was haar vriendin dankbaar dat die zo tactisch was om niets te zeggen. De stilte duurde voort terwijl in de drukke straat auto's langzaam voorbijreden en voetgangers ertussendoor schoten om een volgende winkel in te duiken.
Toen ze eindelijk weer in staat was te spreken, zei Charlie: 'Wat er gebeurd is, is dat ik hem ervan beschuldigde dat hij een verhouding had. Niet die avond. Een week of zo daarvoor.'
Bethany zei somber: 'Hij heeft jou dat medaillon zeker niet gegeven. En de ring ook niet.'
'Het porseleinen doosje ook niet. Nee, die heeft hij me niet gegeven.'
'Misschien heeft hij ze naar Janie gestuurd? In een poging een aardige vader te zijn?'
'Daar heeft hij nooit iets over gezegd.' Ondanks haar pogingen om zich te beheersen sprongen Charlie toch de

tranen in de ogen, ze stroomden over haar wangen in een zwijgend spoor van ellende. 'Hij gedroeg zich al drie maanden anders. Eerst dacht ik dat het door zijn werk kwam, dat de verkoop terugliep of zoiets. Maar toen waren er de telefoontjes die werden afgebroken wanneer ik de kamer in kwam. De dagen waarop hij laat thuiskwam. Hij belde me altijd, maar de uitvluchten waren... Beth, ze waren zo doorzichtig.'
Bethany zuchtte. 'Charlie, ik weet het niet. Het ziet er niet goed uit. Dat begrijp ik ook wel. Maar het lijkt me helemaal niets voor Eric.'
'Is een Harley Davidson iets voor Eric? Een tatoeage van een slang die over zijn arm kruipt?' Toen begon Charlie pas echt te huilen en de rest van haar angsten, haar vermoedens en haar heimelijke activiteiten in de laatste week voor Erics dood rolden haar over de lippen. Haar vriendin bleef zwijgend luisteren. Hij had ontkend dat hij een verhouding had toen ze hem er een tijd geleden naar vroeg, vertelde ze Bethany. Hij had het met zoveel ongelovige woede ontkend dat Charlie had besloten hem te geloven. Maar drie weken later stelde hij achteloos voor dat ze het langzaamaan moest doen met de inrichting van hun huis en in het bijzonder dat ze moest wachten met de plannen voor een kinderkamer omdat 'we niet precies weten hoelang we in dit huis blijven wonen', wat haar vermoedens weer had aangewakkerd.
Ze had een hekel aan zichzelf gehad omdat ze aan Eric twijfelde, maar dat had haar er niet van kunnen weerhouden achterdocht te blijven koesteren. Ze was zelfs zover gekomen dat ze op een walgelijke manier was gaan snuffelen, ze schaamde zich om het toe te geven, dat ze zo diep gezonken was dat ze, godnogantoe, zelfs in zijn badkamer had gezocht naar tekenen dat er een andere vrouw bij Eric in huis was geweest toen ze zelf niet thuis was.
Terwijl ze haar verhaal vertelde veegde Charlie haar ogen

af en ze lachte zelfs bibberig om haar gedrag. Ze had wel een figuur uit een soapserie geleken, een vrouw wier leven van kwaad tot erger gaat, maar dat alles door haar eigen schuld. Ze had telefoonrekeningen bekeken, op zoek naar onbekende nummers; ze had de agenda van haar man doorgebladerd om te zien of er cryptische initialen in stonden in plaats van de naam van een maîtresse; ze had zijn wasgoed geïnspecteerd op veelzeggende sporen van lipstick die niet van haar afkomstig waren; ze had in de laden van zijn kast gekeken naar notities, reçu's, brieven, boodschappen, afgescheurde kaartjes of wat dan ook dat hem kon verraden; ze had het slot van zijn aktetas geforceerd en alle documenten die hij erin bewaarde gelezen alsof de ingewikkelde verslagen van Biosyn Inc. in code geschreven liefdesbrieven of dagboeken waren.
Ze had zich echter genoodzaakt gezien dit alles op te biechten toen ze zo diep gezonken was dat ze een fles hoestsiroop, die ze in zijn badkamer had gevonden, had opengemaakt zonder zelfs maar te weten waarom ze die opende... wat verwachtte ze erin te vinden? Een geest die haar de waarheid zou vertellen? De fles was uit haar vingers geglipt en stukgevallen, zodat de inhoud over de tegelvloer liep. Daardoor was ze weer bij haar positieven gekomen: dat toenemende gevoel van frustratie omdat ze niet kon bewijzen dat wat ze geloofde waar was, dat gemompelde aha!, toen ze de fles zag, het tegen haar borst drukken van de medicijn en het met trillende handen losschroeven van de dop, om vervolgens suffig te blijven kijken toen die haar uit de vingers glipte en op de grond aan scherven viel, zodat de siroop er als een amberkleurige plas uit liep. Toen dit gebeurde had ze beseft hoe vruchteloos haar onderzoek was en hoe lelijk ze zich gedroeg. Daarom bekende ze het ten slotte aan haar echtgenoot. Het leek de enige manier om over datgene wat haar zorgen baarde heen te komen.

'Hij luisterde. Hij was verschrikkelijk overstuur. En nadat we met elkaar gepraat hadden, trok hij zich in zichzelf terug. Ik dacht dat hij me strafte voor wat ik gedaan had, en ik wist dat ik het verdiende. Wat ik gedaan had was verkeerd. Maar ik dacht dat hij eroverheen zou komen, dat we er beiden overheen zouden komen en dat het daarmee afgelopen zou zijn. Maar een week later was hij dood. En nu...' Charlie keek naar de deur van Time on My Side. 'Nu weten we het, nietwaar? We weten wat er aan de hand was. We weten alleen niet wie. Laten we naar huis gaan, Beth.'
Bethany Franklin had er moeite mee het ergste over Eric Lawton te geloven. Ze wees Charlie erop dat Charlies onderzoek niets had opgeleverd en dat Eric, volgens haar, alvast kerstcadeautjes voor zijn vrouw had gekocht en die had verstopt. Of verjaardagscadeautjes. Of geschenken voor Valentijnsdag. Sommige mensen kopen dingen wanneer ze die zien, verklaarde Bethany, en houden die achter tot de dag dat ze ze willen geven.
Dat was toch geen verklaring voor de foto's, zei Charlie. Hij had zijn 'familie' gekocht bij Time on My Side. En wat betekende dát?
Dat hij ergens een andere familie had, was haar conclusie. Naast zijn vorige huwelijk met Paula, naast zijn dochter Janie, naast haarzelf.

De daaropvolgende twee dagen worstelde Charlie tegen de terugkerende griep. Ze gebruikte de tijd die ze in bed doorbracht met na te gaan wie van Erics beperkte aantal vrienden in staat en bereid zou zijn haar de waarheid te vertellen over het privé-leven van haar man. Ze besloot dat Terry Stewart de geschikte persoon was: Erics juridisch adviseur en vaste tennispartner, met wie hij al bevriend was sinds de kleuterschool. Als Eric Lawton een verborgen leven leidde moest Terry Stewart ervanaf weten.
Voor ze hem kon bellen om een afspraak met hem te

maken kreeg ze echter de eerste hint van wat Erics verborgen leven zou kunnen zijn. Een van zijn collega's kwam haar opzoeken, een vrouw die Charlie nog nooit ontmoet had en van wie ze zelfs nog nooit had gehoord. Haar naam was Sharon Pasternak ('Geen familie,' zei ze lachend toen ze zich bij de voordeur voorstelde) waarna ze zich verontschuldigde dat ze onaangekondigd langskwam. Ze vroeg zich af of ze Erics paperassen van zijn werk mocht doorkijken, zei ze. Ze hadden samen een verslag voor de directie opgesteld, en Eric had de meeste papieren mee naar huis genomen om die in logische volgorde te brengen.
'Ik weet dat het verschrikkelijk snel is na... nou, je weet wel. En als ik ermee kon wachten zou ik het doen, eerlijk,' zei Sharon Pasternak nadat Charlie haar had binnengelaten. 'Maar de directievergadering is volgende maand en omdat ik dit nu alleen moet afmaken... Het spijt me echt dat ik gekomen ben... Maar ik moet eraan verder.' Ze keek ernstig, spijtig omdat ze Erics naam moest uitspreken, omdat ze zijn weduwe niet nog meer verdriet wilde bezorgen. Ze zei alle toepasselijke woorden. Ze vertelde echter ook dat ze moleculair bioloog was, wat Charlie ertoe bracht zich af te vragen waarom een van Biosyns wetenschappers en de verkoopdirecteur van het bedrijf samen een verslag zouden schrijven.
Voorzichtig, met al haar zintuigen op scherp, nam Charlie Sharon Pasternak mee naar Erics werkkamer, waar zijn aktetas op zijn bureau lag. Sharon schonk haar een flitsende glimlach, zei: 'Mag ik... is het goed als ik hier ga zitten?' en ze legde een hand op Erics draaistoel. 'Het kan wel even duren.' Ze keek de kamer rond. 'Hij heeft zoveel dossiers.'
'Natuurlijk,' zei Charlie zo vriendelijk mogelijk. 'Neem er de tijd voor. Ik moet dit op den duur allemaal nakijken, maar je kunt alles meenemen wat betrekking heeft op...' Opzettelijk wachtte ze even. 'Op je werk.'
Sharon bloosde en sloeg haar ogen neer. Ze zei: 'Heel erg

bedankt', en daarna hief ze haar hoofd op en vervolgde: 'Ik vind het zo erg van... van alles, mevrouw Lawton. Hij was een goede man. Hij was zó'n goede man.' Haar ogen boorden zich veelbetekenend in die van Charlie, en bleven er veel te lang op gevestigd.

Dit was het dus, was Charlies reactie. Zo voelde het wanneer je oog in oog kwam te staan met het onderwerp van de geheime hartstocht van je man. Behalve dan dat Sharon Pasternak niet Erics type was. Fors gebouwd, een hoofd met slordig, donker haar, een vleugje make-up, te dikke enkels. Ze was zijn type niet. Toch moest het gevraagd worden: wat wás Erics Lawsons type? Wíé was zijn type? Wist zijn vrouw dat zelf eigenlijk wel?

Charlie ging naar haar slaapkamer en trok de gordijnen dicht. In het donker lag ze op bed, luisterend naar de geluiden van Erics collega die doorkeek wat het dan ook was dat ze in de werkkamer wilde doorkijken. Tijdens haar koortsachtige speurtocht naar bewijzen van haar mans ontrouw had Charlie al een groot deel van de kamer doorzocht. Als Sharon inderdaad de geheimzinnige vrouw was, wilde Charlie haar vertellen, was haar geheim veilig, of althans was het veilig geweest tot ze bij Eric Lawtons voordeur was verschenen. Niet zo'n slimme zet, mevrouw Pasternak.

'Zoals van Boris?' vroeg Bethany Charlie later. 'Dat is nu niet bepaald een naam die veel voorkomt. Heb je haar identiteitsbewijs gezien? Ze kan je wel een valse naam hebben opgegeven.'

'Waarom? Als ze Erics minnares was, wat doet het er dan toe of ik haar naam weet of niet?'

'Misschien was ze niet Erics minnares, Charlie. Misschien is ze heel iemand anders.'

Charlie dacht over dit gegeven na en over alles wat het met zich meebracht. 'Ik moet met Terry Stewart praten,' besloot ze. 'Terry moet weten met wie Eric omging.'

'Als hij met iemand omging. Maar waarom moet je dat weten?'
'Omdat ik...' Charlie haalde diep adem. 'Ik heb vergiffenis nodig. De waarheid zal me vergiffenis schenken.'
'Waarvoor?'
'Omdat ik niet wist wat ik moest geloven.'
'Dat is geen zonde.'
'Voor mij wel.'

Charlie wist dat ze bij Erics oudste vriend, Terry Stewart, over wie hij zo vaak had gezegd: 'mijn beste vriend op de hele wereld... hij heeft me niet in de steek gelaten... dat zou hij nooit doen', moest aankomen zonder dat hij tijd had om een smoes voor te bereiden voor wat het ook mocht zijn dat hij met betrekking tot Eric verborgen hield. Omdat hij advocaat was – om precies te zijn Erics juridisch adviseur – wist ze hoe waarschijnlijk het was dat hij de geheimen van zijn cliënten met zich mee zou nemen in het graf. Daarom wilde ze niet dat haar bezoek aan hem op de een of andere manier officieel zou overkomen. Wat betekende dat ze hem te pakken moest zien te krijgen op een plek die ver verwijderd was van zijn in een glazen toren gevestigde kantoor.
De sportschool bleek de juiste locatie te zijn. Ze zag zijn auto ervoor geparkeerd staan toen ze op weg was naar de tennisbaan om uit te zoeken waar hij was, en ze herkende de speciaal voor hem gemaakte nummerplaat: 10S NE1. Daarom zette ze haar auto op het parkeerterrein, zag hem door de dubbele beglazing van het gebouw zwoegen op de hometrainer, en besloot te wachten tot hij naar buiten kwam. Ernaast was een Starbuck-koffieshop en daar bleef ze hem opwachten.
Ze zat voor het raam een koffie-verkeerd te drinken toen Terry de deur van de sportschool opende. Hij ging naar zijn auto, onder het lopen zijn das rechttrekkend. Terry

kwam net onder de douche vandaan: een en al vochtig haar en gloeiende huid. Ze tikte op het raam om zijn aandacht te trekken. Hij draaide zich om, bleef staan en lachte. Daarna kwam hij naar haar toe en even later stond hij naast haar.
'Hoe gaat het, Charlie?' Zijn gezicht stond ernstig en vriendelijk.
Charlie haalde haar schouders op. 'Het gaat. Ik heb me wel eens beter gevoeld, maar ik overleef het wel.'
'Het spijt me dat ik je niet gebeld heb. Ik ben een lafaard, denk ik. Als ik erover praat gaat ze huilen, zei ik tegen mezelf. En ik kan het niet vermijden om erover te praten, want als ik dat doe is het net zoiets als negeren dat er een krokodil in je badkuip zwemt. Maar ik wil haar niet aan het huilen maken. Ze heeft al genoeg gehuild. Misschien voelt ze zich juist wat beter en dan kom ik en laat haar alles opnieuw doormaken.' Hij schoof een stoel bij en ging zitten. 'Het spijt me.'
'Hij had een verhouding, nietwaar?'
Terry schoof met een ruk naar achteren op zijn stoel, kennelijk geschrokken door deze frontale aanval. 'Eric?'
'Eerst dacht ik dat het zo was. Daarna veranderde ik van gedachten. Nou, feitelijk overtuigde hij me. Maar nu... Hij hád toch een verhouding?'
'Nee. God, nee. Waarom denk je...'
'Al die veranderingen, Terry. De Harley, en de tatoeage, om maar iets te noemen.'
'Dit land is vól mannen van in de veertig die in het weekend op Harleys rondrijden. Ze hebben een vrouw, kinderen, katten, honden, een auto op afbetaling en een hypotheek, en op een ochtend worden ze wakker en zeggen: is dit nu alles? En dan willen ze meer. Midlifecrisis. Ze willen hun jeugd terug. Harleys geven hun die. Daar gaat het om.'
'Er waren telefoontjes. Avonden waarop hij zogenaamd tot

laat bleef werken. En er is een vrouw bij me langsgekomen om zijn spullen door te kijken. Ze zei dat ze Sharon Pasternak heette, en dat ze moleculair bioloog was bij Biosyn. Ze zei dat ze samen aan een verslag werkten – zij en Eric, Terry, waarom zou Eric in godsnaam met een bioloog aan een verslag werken? – en ze zei dat hij gegevens had die zij nodig had om het verslag af te maken nu hij dood is. Maar toen ze wegging heeft ze niets meegenomen. Wat moet ik daaruit opmaken?'
'Ik weet het niet.'
'Ik denk dat het nogal voor de hand ligt. Ze zocht naar bewijzen.'
'Waarvan?'
'Dat weet je wel. Hij ging met iemand om. Misschien was zij het.'
'Dat is onmogelijk.'
'Waarom? Waarom is het onmogelijk?'
'Omdat... God, Charlie. Hij was gek op je. Ik bedoel, echt gék op je. Dat was al zo sinds de dag dat jullie elkaar leerden kennen.'
'Dan zocht ze iets anders. Wat?'
'Charlie, jeetje, doe nu eens even rustig. Je ziet er moe uit. Kun je wel slapen? Eet je genoeg? Heb je er wel eens aan gedacht om er een paar dagen tussenuit te gaan?'
'Hij heeft tegen me gelogen over zijn familie. Hij had foto's, die hij gebruikte om te doen alsof... Je hebt ze gezien, Terry. Je bent bij ons thuis geweest. Je hebt die foto's gezien en je kent zijn familie. Je bent samen met hem opgegroeid. Dus je moet geweten hebben...' Charlie klemde haar handen om de tafelrand omdat ze plotseling maagkrampen kreeg. Het rommelde in haar ingewanden. Haar handpalmen waren klam. Ze stortte in en dat vond ze afschuwelijk en omdat ze het afschuwelijk vond verhief ze haar stem en ze schreeuwde: 'Ik wil het weten. Daar heb ik recht op. Je moet me vertellen wat je weet.'

Terry leek buitengewoon verbaasd. 'Welke foto's?' vroeg hij, 'waar heb je het over?'
Charlie vertelde het hem. Hij luisterde, maar schudde daarna zijn hoofd. 'Natuurlijk kende ik Erics familie. Maar alleen zijn moeder, zijn vader en zijn broer, Brent. En zelfs al had ik die foto's bekeken – wat ik niet heb gedaan... Ik bedoel, wie kijkt er nu naar foto's in het huis van een ander? Je werpt er in het voorbijgaan een vluchtige blik op, zo is het toch? – zou ik niemand herkend hebben. Erics moeder stierf toen we een jaar of acht waren en daarvóór lag ze al vijf jaar in bed, als gevolg van een beroerte. Ik heb haar – hoe vaak? – misschien één keer gezien, dus op een foto... Beslist niet. Ik zou haar niet herkend hebben. En Brent of Erics vader heb ik in geen jaren gezien. Minstens tien, misschien meer. Dus als er een foto was van een van beiden, of de hele familie, of iemand anders, zou het verschil me niet zijn opgevallen.'
Charlie luisterde, het gonsde in haar oren. 'Brent?' zei ze fluisterend. 'Die is dóód. Het ongeluk. En daarna wilden Erics vader en moeder...'
'Welk ongeluk?' vroeg Terry.
'Met het geweer. Toen ze op jacht waren naar vogels. In de woestijn. Eric struikelde en Brent werd...' Ze kon de zin niet afmaken omdat Terry's gezicht haar meer vertelde dan ze wilde weten. Ze voelde haar eigen gezicht verschrompelen. 'O, god. O, gód.'
Terry zei: 'Jeetje. Jeetje, Charlie.' Onhandig gaf hij haar een klopje op haar hand. 'Jeetje, ik weet niet wat ik moet zeggen.'
'Vertel me wat je weet. Vertel me waarom hij loog. Vertel me wie ze is. Vertel me wie hij was.'
'Bij god, ik zweer je...'
Haar hand kwam met een klap op de tafel neer. 'Hij was je beste vriend!'
Terry keek achterom naar de toonbank, waar de serveer-

ster meer aandacht aan hen begon te schenken dan aan de koffie die ze zette. Hij wendde zich weer tot Charlie. 'Er was een enorme ruzie in zijn familie. Jaren geleden. Dat is het enige wat ik weet. Hij praatte er niet over en ik vroeg er niet naar.'

'Waarom heeft hij me dat dan niet verteld? Waarom deed hij alsof...'

'Ik weet het niet. Misschien klonk het... opwindender of zo.'

'Dat je je eigen broer hebt doodgeschoten? Ik geloof het niet. De enige reden dat een man een vrouw dat verhaal zou vertellen, zou zijn dat hij haar ervan wilde weerhouden zich af te vragen waarom hij nooit over zijn familie sprak, waarom hij hen nooit zag of iets van hen hoorde. Waarom zou hij dat in vredesnaam doen, Terry? Dat weet je evengoed als ik: als hij een ander leven had, waar zij iets vanaf wisten. Klopt dat?'

'Dat is niet zo.'

'Hoe weet je dat?'

'Hoor eens. Weet je wel hoe zorgvuldig het zou moeten worden voorbereid om een dubbelleven te leiden zoals jij je dat voorstelt? Jeetje, weet je wel hoeveel geld daarmee gemoeid zou zijn? Zoveel geld had hij niet, Charlie. Het enige wat hij had waren luchtkastelen, zoals wij allemaal.'

'Wat voor luchtkastelen?'

'Hij fantaseerde. Je weet toch hoe hij was?'

'Waar fantaseerde hij over?'

'Ik wil nog een kop koffie.' Terry stond op en liep naar de toonbank, waar hij een bestelling plaatste, zijn portemonnee pakte en wachtte.

Hij rekt tijd, dacht Charlie. Om een verhaal in elkaar te draaien. Voor het eerst sinds de dood van Eric vroeg ze zich af of er nog íémand was die ze kon vertrouwen en bij die gedachte liet ze zich achterover op haar stoel zakken en voelde ze zich tot in haar ziel geraakt.

'Hij praatte over Barbados, Granada, de Bahama's,' zei Terry, nadat hij weer bij haar terug was gekomen. Hij zette een cappuccino op het tafeltje en scheurde een suikerzakje open. 'Hij praatte erover om zijn geld daar op de bank te zetten, een nieuw leven te beginnen, in een hangmat op het strand te slapen en pinacolada's te drinken.'
'Lieve god, wat mankeerde hem?' riep Charlie uit.
'Begrijp je het niet? Níéts. Hij was 42. Dát mankeerde hem. Hij praatte, dat is alles. Dat doen mannen. Ze praten over investeringen. Over buitenlandse rekeningen. Over snelle auto's en vrouwen met grote tieten en jachten en zeilen voor de America's Cup. Over trektochten in de Himalaya en over een palazzo huren in Venetië. Hij praatte, Charlie. Dat doen kerels wanneer ze 42 zijn.'
'Doe jij het?'
Terry kreeg een kleur. 'Het is echt iets voor mannen.'
'Doe jij het?'
'Niet alle mannen zijn hetzelfde.' Bij het zien van de wanhoop op haar gezicht haastte hij zich eraan toe te voegen: 'Charlie, het stelde niets voor. Het was vanzelf wel weer overgewaaid.'
'Hij voelde zich opgesloten en hij had er iets aan gedaan.'
'Absoluut niet.'
'Er gebeurde echter iets wat hem belette door te gaan met wat hij van plan was en toen voelde hij zich pas echt opgesloten en toen...'
'Nee! Dat is het niet.'
'Wat is het dan? Wat wás het?'
Hij pakte zijn cappuccino maar dronk er niet van. 'Ik weet het niet,' zei hij.
'Ik geloof je niet.'
'Ik vertel je de waarheid.' Hij keek haar aan, lang, strak en ernstig alsof zijn blik de kracht bezat om haar te overtuigen en gerust te stellen. 'Je moet bij me op kantoor komen,' zei hij. 'We moeten zijn testament bekijken. De

verificatie ervan afhandelen... Charlie, ik wil je hierdoorheen helpen. Ik ben ook kapot van verdriet. Hij was mijn beste vriend. Kunnen we er niet voor elkaar zijn?'
'Zoals Eric er was, voor ons allebei? Wat heeft dat nog voor betekenis, Terry?'

Hij was er niet meer en dat was al moeilijk genoeg voor Charlie. De manier waarop hij was gestorven – het plotselinge en het onverklaarbaar afschuwelijke ervan – maakte het nog veel moeilijker. Maar onder ogen te moeten zien dat de man van wie ze had gehouden en die ze had verloren niet degene geweest was die ze dacht dat hij was... Het was te veel om te dragen en veel te veel om te verwerken.
Ze reed naar huis met het gevoel alsof ze door een besmettelijke ziekte was getroffen, een kwaadaardige indringer die haar lichaam dwong te lijden door iets wat haar hersens in de verste verte niet konden bevatten.
Psychosomatisch. Ze herinnerde zich de uitdrukking uit haar eerste psychologielessen van zoveel jaar geleden. Ze kon zich er niet toe brengen de volledige waarheid te accepteren, maar haar lichaam kende die volledige waarheid en reageerde dienovereenkomstig. Ze had helemaal geen griep. Het was psychosomatisch. Haar lichaam probeerde haar van Erics leugens te zuiveren. Tijdens de rit naar huis werd ze overvallen door een gevoel van misselijkheid dat zo heftig was dat ze dacht dat ze haar huis niet zou halen zonder te moeten overgeven.
Ze haalde het niet. Nadat ze de auto op de oprit had neergezet, duwde ze het portier open en wankelde naar buiten. Op het onberispelijke gazon van de voortuin viel ze op haar knieën en de ene kramp na de andere teisterde haar maag, dwong de inhoud omhoog en naar buiten in een vernederende en vies ruikende golf. Ze kokhalsde als gevolg van de smaak en de geur ervan en ze gaf nog meer over, tot het enige wat overbleef de krampen waren die ze

niet onder controle kon krijgen. Ten slotte liet ze zich hijgend op haar zij vallen, het koude zweet drukte zwaar op haar hals en haar oogleden. Ze staarde naar het huis en ze voelde hoe het braaksel over het schuin aflopende grasveld gleed en haar wang raakte. Denk eraan, ik zal altijd van je blijven houden.
Moeizaam kwam ze overeind en ze strompelde naar de veranda, dankbaar dat haar straat, zoals zoveel chique straten in de voorsteden van Zuid-Californië, op dit moment van de dag verlaten was. De twee naburige gezinnen zouden pas 's avonds weer thuiskomen, dus niemand had haar gezien. Dat was een zegen.
Ze merkte niets vreemds op, tot ze bij haar voordeur kwam. Toen ze haar sleutel wilde gebruiken zag ze de diepe groeven om wat er van het slot was overgebleven.
Zwakjes duwde ze de deur open, maar ze had de tegenwoordigheid van geest om niet naar binnen te gaan. Vanaf de veranda kon ze alles zien wat ze zien moest.

'Jezus,' mompelde de agent. 'Verdomme, wat een bende.'
Hij had zich aan Charlie voorgesteld als agent Marco Doyle, en hij was tien minuten na haar telefoontje komen aanscheuren met zwaailicht en gillende sirene alsof ze daar haar belastinggeld voor betaalde. Zijn collega was een hond, Simba, afkomstig uit Europa, die op een kruising leek tussen een Duitse herder en de hond van de Baskervilles. 'Ze heeft dienst,' had Doyle verklaard toen hij het huis binnenging. 'U mag haar niet aanhalen.'
Dat was Charlie ook niet van plan geweest.
Simba was waakzaam op de veranda gebleven en Doyle was het huis in gegaan. Vanuit de zitkamer maakte hij de opmerking tegen Charlie, die haar gsm omklemde als een reddingsboei en hem op de veranda kon verstaan.
Doyle zei: 'Simba, kom', en de hond stoof het huis in. De agent droeg haar op om indringers te zoeken en terwijl ze

daarmee bezig was – met Doyle op haar hielen van de ene kamer naar de andere lopend – overzag Charlie de ravage. Het was duidelijk dat het de bedoeling was geweest ergens naar te zoeken, niet om iets te stelen, omdat haar spullen in het rond verspreid lagen op een manier die aangaf dat iemand snel te werk was gegaan. Hij moest geweten hebben wat hij zocht, en dingen over zijn schouder hebben gegooid om ze uit de weg te hebben toen hij het niet vond. Elke kamer toonde dezelfde chaos: alles was van de muren getrokken; de inhoud van laden en kasten was in het midden gedumpt. Foto's waren opgepakt en boeken waren geopend en opzij gesmeten.

'Er is hier niemand,' zei Doyle. 'Wie het ook geweest is, hij werkte snel. Maar er zijn te veel geuren voor Simba om er iets bruikbaars uit te pikken. Hebt u onlangs een feestje gegeven?'

Een feestje. 'Er zijn mensen hier geweest. Na de begrafenis. Mijn man...' Charlie liet zich op een stoel zakken, haar knieën werden slap en de rest van haar lichaam volgde.

'O, wat erg voor u,' zei Doyle. 'Verdomme. Wat een pech. Kunt u zeggen of er iets vermist wordt?'

'Ik weet het niet. Ik geloof het niet. Het lijkt wel... ik weet het niet.' Charlie was zo uitgeput dat ze alleen nog maar kon denken aan in bed kruipen en een jaar slapen. De nachtmerrie van me af slapen, dacht ze.

Doyle zei dat hij via de radio het forensisch team zou oproepen. Ze zouden komen om vingerafdrukken te nemen en eventueel bewijsmateriaal dat ze konden vinden te verzamelen. Intussen kon Charlie misschien haar verzekeringsmaatschappij bellen. En was er iemand die haar kon helpen de rommel op te ruimen wanneer de mensen van de technische opsporingsdienst klaar waren?

Ja, zei Charlie gedwee. Ze had een vriendin die haar kon helpen.

'Wilt u dat ik haar bel?'

Nee, nee, zei Charlie. Ze zou zelf bellen. Maar het had geen zin dat te doen voor het forensisch team naar bewijzen had gezocht.
Doyle zei dat het heel verstandig was en dat hij buiten zou wachten met de hond tot zijn mensen kwamen. Dat gebeurde na een uur; ze kwamen voorrijden in een witte auto met de woorden TECHNISCHE OPSPORINGSDIENST in discreet grijs op de portieren.
Terwijl ze alles deden wat nodig was om naar bewijsmateriaal te zoeken in de puinhoop die Charlies huis was, bleef Charlie in de achtertuin dof zitten staren naar de decoratieve fontein, waar zij en haar man twee jaar geleden van hadden gezegd dat ze hem misschien moesten weghalen 'wanneer de baby's komen'. Nu leek dat alles iets uit een ander leven, een leven dat niet alleen geen gelijkenis vertoonde met dat wat ze op dit moment leidde, maar dat bovendien een verzinsel was geweest.
'Wauw, die man is te mooi om waar te zijn,' had haar zus Emily gefluisterd toen ze Eric voor het eerst ontmoette.
Dat was blijkbaar het geval geweest.
Toen de mensen van de technische opsporingsdienst klaar waren met hun werk, gaven ze Charlie naam en telefoonnummer van iemand die gespecialiseerd was in opruimen na een dergelijke inbraak. 'U kunt haar vragen of ze u wil helpen de boel schoon te maken. Ze is heel redelijk.'
Charlie wist niet of ze haar karakter of haar vraagprijs bedoelden.
Het deed er echter niet toe. Ze wilde niet nog meer beroepsmensen in de ruïne van haar wereld laten rondneuzen.
Ze dwong zich de puinhoop in haar eentje te lijf te gaan en ze begon waar ze wist, zonder dat ze het tegenover zichzelf wilde toegeven, dat de indringer was begonnen: in Erics werkkamer.
Dit had ze te danken aan Sharon Pasternak, dacht Charlie

toen ze tegen de deurstijl geleund in de deuropening stond. Ze zou wel stapelgek moeten zijn om geen verband te leggen tussen deze inbraak en Sharon Pasternaks bezoek 'om een paar papieren te zoeken'. Toen Sharon niet gevonden had wat ze zocht, had ze er iemand bij gehaald met wat meer verbeeldingskracht op het terrein van onderzoek. En nu zag Charlie het resultaat voor zich.
Ze stapte over een stapel mappen en liep naar Erics bureau. Ze begon met het gemakkelijkste karweitje: de laden er weer in schuiven en de inhoud ervan verzamelen. Terwijl ze ermee bezig was, vond ze een aanwijzing waar de 'papieren' waren die Sharon Pasternak en de na haar gekomen indringer hadden gezocht. Want in een slordige hoop naast Erics bureau op de grond lag een aantal documenten die hier niet hoorden: de koopakte van het huis, de roze formulieren van de auto's, verzekeringspolissen, geboortebewijzen en paspoorten. Dat alles hoorde in hun kluisje bij de bank, niet hier in huis. Waardoor Charlie zich begon af te vragen waardoor deze documenten in die beschermde kluis waren vervangen, als er al zoiets bestond.
Ze wachtte tot de volgende dag. In de namiddag, volgend op een ochtend die ze in bed had doorgebracht, vechtend tegen de lusteloosheid die haar daar blijvend dreigde te houden, strompelde ze naar de badkamer, schuifelde door de rommel en liet het bad vollopen. Ze bleef erin tot het water afgekoeld was, waarna ze er opnieuw warm water in liet stromen en zich traag begon te wassen. Ze probeerde zich een moment te herinneren waarop alles, zelfs maar de geringste beweging, haar zoveel moeite had gekost. Zo'n moment was er niet.
Het was twee uur toen ze eindelijk de bank binnenstapte met de sleutel van haar kluisje in de hand. Nadat ze had gebeld kwam er een bankbediende om haar te helpen, een meisje dat nog maar net van de middelbare school leek te

zijn, met gitzwart haar, gitzwarte eyeliner en een naambordje dat vermeldde dat ze Linda heette.
Charlie vulde de vereiste kaart in. Linda las haar naam en het nummer van het kluisje en daarna keek ze van de kaart naar Charlies gezicht. Ze zei: 'O! U bent... ik bedoel, u bent nog nooit...' Ze slikte de rest van haar woorden in, alsof ze zich herinnerde wat haar plaats was. 'Deze kant uit, mevrouw Lawton,' zei ze ten slotte.
Het kluisje was een van de grootste in de onderste rij. Charlie stak haar sleutel in het rechterslot, terwijl Linda hetzelfde deed bij het slot aan de linkerkant. Nadat ze waren omgedraaid gleed het kistje uit de wand. Linda tilde het op en zette het op de balie. Ze zei: 'Kan ik verder nog iets voor u doen, mevrouw Lawton?' Ze keek Charlie zo gespannen aan bij het stellen van de vraag dat Charlie zich afvroeg of het meisje iets met Erics geheime leven te maken had.
'Waarom vraag je dat?'
'Wat?'
'Waarom vraag je of je verder nog iets voor me kunt doen?'
Linda deinsde terug, alsof ze zich er plotseling van bewust was dat ze tegenover een krankzinnige vrouw stond. 'Dat vragen we altijd. Dat moeten we vragen. Wilt u misschien een kopje koffie? Of thee?'
Charlies ongerustheid ebde weg. Ze zei: 'Nee. Sorry, ik voel me de laatste tijd niet goed. Ik bedoelde niet...'
'Dan laat ik u alleen,' zei Linda en ze leek blij dat ze weg kon gaan.
Alleen gelaten in de kluis haalde Charlie diep adem. Het was er bedompt, veel te warm en doodstil. Ze had het gevoel dat ze werd gadegeslagen en ze keek om zich heen op zoek naar camera's, maar zag die nergens. Ze had alle privacy die ze nodig had.
Het werd tijd dat ze te weten kwam wat Sharon Pasternak in Erics werkkamer had gezocht. Het werd tijd dat ze te

weten kwam waarom een indringer in haar huis had ingebroken en het overhoop had gehaald.
Ze deed het deksel van de doos open en bij het zien van de inhoud hield ze haar adem in: keurig op stapeltjes, bij elkaar gehouden door elastiekjes, steeg uit dikke pakken honderddollarbiljetten de geur van ouderdom, gebruik en misdaad op.
Charlie fluisterde: 'O, mijn gód', en deed haastig het deksel van de doos dicht. Ze leunde over de balie, hijgend als een hardloper, terwijl ze probeerde zich te realiseren wat ze zojuist had gezien. Het leken pakjes van vijftig biljetten. Er waren... hoeveel?... vijftig, zeventig, honderd pakjes in de doos? Wat betekende...? Wat? Het was meer geld dan ze, behalve in films, ooit bij elkaar had gezien. Lieve hemel, wat was haar echtgenoot voor een man geweest? Wat had hij gedaan?
Uit haar ooghoek zag Charlie iets bewegen en ze draaide haar hoofd om. Door de kier tussen de wand van de kluis en de deur stond het meisje, Linda, naar haar te kijken. Ze liep snel weg – 'ik moet weer aan het werk' in eigen persoon – toen ze Charlies blik op haar zag rusten.
Charlie liep snel de kluis uit en riep het meisje bij haar naam. Linda draaide zich om, ze probeerde een uitdrukking van zakelijke onverschilligheid op haar gezicht tevoorschijn te toveren. Ze slaagde er echter niet in, ze leek meer op een ree die gevangen is in de koplampen van een auto. Zacht zei ze: 'Ja, mevrouw Lawton? Is er nog iets?'
Met een hoofdbeweging beduidde Charlie het meisje dat ze wilde dat Linda met haar mee zou gaan, de kluis in. Linda keek hulpzoekend om zich heen maar zag niemand. Een echtpaar zat in de verte achter een bureau met de procuratiehouder, om een rekening te openen. De kassiers waren bezig aan hun loketten. De deur van de filiaaldirecteur was dicht. Voor het overige heerste in de bank de typi-

sche middagrust die voorafgaat aan de drukte tegen sluitingstijd.
'Ik moet...' Linda speelde met een ring aan haar vinger. Een ring met een diamant. Verlovingsring, of iets anders, vroeg Charlie zich af.
'Ik kan me niet voorstellen dat het de bedoeling is dat je cliënten in de kluis bespioneert,' zei Charlie. 'Ik zou het vervelend vinden dat aan de directeur te moeten melden. Ga je met me mee naar binnen, of moet ik bij hem aankloppen?'
Linda slikte en streek een lok haar achter haar oor. Ze liep achter Charlie aan.
De doos stond nog op de balie waar Charlie hem had achtergelaten. Dwangmatig keek Linda ernaar. Ze klemde haar handen voor haar lichaam ineen en wachtte af wat Charlie zou zeggen.
'Je kende mijn man. Je herkende zijn naam. Je liet doorschemeren dat hij hier vaak kwam.'
'Het was niet mijn bedoeling dat u zou denken...'
'Vertel me wat je hiervan weet.' Charlie maakte de doos open. 'Want je wist dat het hier was. Je hield me in het oog. Je wilde weten wat mijn reactie zou zijn.'
Linda zei haastig: 'Ik had niet moeten blijven kijken. Het spijt me. Ik wil mijn baan niet kwijtraken. Het is moeilijk voor me geweest. Ik heb een dochtertje, ziet u.'
Erics kind? Charlie zette zich schrap om het ergste te horen.
'Ze is pas anderhalf,' vervolgde Linda. 'Haar vader wil ons geen geld geven en míjn vader wil niet dat we bij hem intrekken. Ik werk hier nu een jaar en ik doe het heel aardig en als ik ontslagen word...'
'Hoelang hadden jij en mijn man... Hoe hebben jullie elkaar leren kennen?'
'Kennen...?' Linda keek geschokt toen het tot haar doordrong. 'Hij is áárdig, dat is alles. Hij... nou, hij flirt graag

een beetje, meer niet. Ik wist niet eens dat hij getrouwd was tot ik op een keer uw naam op de kaart zag. En... heus, er was níéts tussen ons. Hij is gewoon heel lief en hij komt en gaat en ik werd nieuwsgierig naar hem. Dat is alles.'
'Dus je hebt naar hem gekeken toen hij in de kluis was.'
'Eén keer maar. Ik zweer het. Eén keer. De andere keren... Nou, toen hij de eerste keer kwam om geld te storten – op de lopende rekening, weet u wel? – wachtte hij op mij. Hij liet andere mensen voorgaan tot ik vrij was. Op een keer zag hij de foto van Brittany – dat is mijn dochtertje – die ik bij mijn loket heb staan, daarginds, en hij vroeg naar haar en zo kwamen we met elkaar in gesprek. Hij zei dat hij ook een dochter had, maar dat die ouder was en dat ze elkaar al jaren niet meer hadden gezien en dat hij haar miste. Daar praatten we over. Hij was gescheiden. Dat wist ik omdat hij zei "mijn ex-vrouw" en eerst dacht ik... Nou, hij gaf me een heel speciaal gevoel en ik dacht: zou het niet leuk zijn als ik hier op de bank iemand ontmoette? Dus ik hielp hem en ik was vriendelijk tegen hem. Hij leek het niet erg te vinden.'
'Hij is dood.'
'Dood? O, gossie, wat erg. Dat wist ik niet.' Ze wees naar de metalen doos. 'Ik was nieuwsgierig hiernaar. Echt, meer niet.'
'Hoelang is dit hier?' vroeg Charlie. 'Het geld, bedoel ik.'
'Ik weet het niet precies... Twee weken? Drie?' zei Linda. 'Hij bracht het tussen de dagen waarop hij gewoonlijk met zijn salarischeque kwam.'
'Wat gebeurde er toen? Waarom hield je hem in het oog?'
'Omdat hij... Hij was die dag zo vrolijk. Hij was hyper.'
'Had hij drugs gebruikt?'
'Nee, dat niet. Gewoon, hyper van geluk. Zweverig. Hij had een aktetas bij zich en hij drukte op de bel net als u en ik ging naar hem toe en hij tekende de kaart af. Hij zei: "Ik ben blij dat jij me vandaag helpt, Linda. Ik zou déze

dag aan niemand anders willen toevertrouwen."'
'Deze dag?'
'Ziet u, ik wist niet wat hij bedoelde, daarom bleef ik kijken. Hij legde de tas op de balie. Hij maakte de doos open en haalde er een stapel papieren uit en stopte die in de aktetas, en wat er in de tas zat legde hij in de doos. En dát was het geld. Dat heb ik gezien. Ik dacht dat hij... Nou, het leek erop of hij drugs had verkocht of zo; waarom zou hij anders zoveel contant geld bij zich hebben? En ik kon het niet geloven omdat hij zo eerlijk leek. Dat is alles wat ik gezien heb. Ik heb niet met hem gepraat toen hij wegging en daarna heb ik hem niet meer gezien.'
Eric die drugs verkocht. Charlie klampte zich aan die gedachte vast. Drugs. Ja. Dat was het antwoord. Maar niet het soort waar Linda aan dacht. Het meisje had zich in het hoofd gehaald dat Eric handelde in die op bakstenen lijkende pakjes cocaïne die je op tv zag, of in films. Ze stelde zich voor dat hij meisjes van de middelbare school marihuana verkocht, op straat voor de plaatselijke slijterij. Ze dacht dat hij yuppies voorzag van heroïne, xtc of een ander verdovend middel dat op het moment in was. Maar ze had er niet aan gedacht dat hij medicijnen zou kunnen stelen van Biosyn – een doeltreffend immunosuppressiemiddel, een afgeleide vorm van chemotherapie zonder bijwerkingen, een aidsvaccin dat gereed was om op de markt gebracht te worden, een viagrapil voor vrouwen... wat was het, Eric? – die hij op de internationale zwarte markt verkocht aan de hoogste bieder, die een fortuin zou verdienen aan de vervaardiging ervan.
Terry's woorden schoten Charlie weer te binnen terwijl ze neerkeek op de gesloten doos in de bedompte kleine ruimte van de bankkluis: luchtkastelen, Charlie. Meer niet. Maar dat waren het niet geweest. Niet voor Eric. Hij was 42 en het grootste deel van zijn leven lag achter hem. Hij had zijn kans gezien en die gegrepen. Een onderhandeling,

een deal en een enorme hoeveelheid contant geld. Zoveel dingen begonnen nu op hun plaats te vallen. Dingen die hij gezegd had. Dingen die hij gedaan had. Wie hij was geworden.
Charlie sloot de doos af en zette die weer op zijn plaats in de kluis. Ze was verdrietig, maar ze begon tenminste de waarheid over haar man te ontdekken. De enige vraag die haar restte was: wat had Eric van Biosyn gestolen? En het enig mogelijke antwoord leek te zijn: helemaal niets.
Hij had geld aangenomen – een aanbetaling misschien? – voor iets wat hij had beloofd te zullen leveren. Hij was er niet in geslaagd voor de dag te komen met wat hij had verkocht, en als gevolg daarvan was hij gestorven. Na zijn dood was haar huis doorzocht in een poging de medicijn te vinden, en die inbraak voorspelde gevaar voor haar zolang het beloofde artikel niet in handen kwam van degene die ervoor had betaald. Charlie wist dat ze die medicijn te pakken moest krijgen en moest overhandigen als ze haar veiligheid wilde waarborgen. Omdat het onmogelijk was, zat er voor haar niets anders op dan degene die betaald had op te sporen en het geld terug te geven.

Sharon Pasternak leek de waarschijnlijkste informatiebron. Zij was tenslotte de eerste geweest die Erics werkkamer had doorzocht. Nu ze onverwacht het geld gevonden had, wist Charlie dat het heel dom van haar zou zijn te geloven dat Sharon iets was komen zoeken dat geen verband hield met dat geld in de bankkluis.
Ze verliet de bank en reed naar de snelweg.
Biosyn was gevestigd aan een stuk van de snelweg dat de Ortega heette. Die kronkelde over de heuvels langs de kust en verbond het saaie stadje Lake Elsinore met het levendiger San Juan Capistrano. Het was een stoffige weg die tijdens de weekends duizenden fietsers aantrok. Door de week was het een voornamelijk boomloze, met rotsen

bezaaide doorgaande weg die genomen werd door mannen en vrouwen die hun werk hadden in de restaurants en de dure hotels langs de kust.
Het bedrijf lag zo'n achttien kilometer in de heuvels, een onaantrekkelijk, laag, vaal gebouw, van de rest van de omgeving gescheiden door een hoog gazen hek met rollen prikkeldraad erbovenop. Charlie was nooit bij Biosyn geweest en ze zou de afslag totaal over het hoofd gezien hebben als ze niet had moeten remmen voor een FedEx-truck die vanuit de verborgen inrit naar Biosyn links afsloeg, de snelweg op.
Het was feitelijk een eigenaardige plaats om een farmaceutisch bedrijf aan te treffen, dacht Charlie, toen ze de smalle oprit in draaide. Het was een eigenaardige plaats voor welk bedrijf dan ook. De meeste ondernemingen stonden kilometers verderop, waar ze oprezen uit lelijke industrieterreinen en als een rij rotte tanden langs het uitgebreide wegennet van dit deel van de staat stonden opgesteld.
Zo'n vijftig meter verder stond een wachthuisje en een ijzeren hek sloot de ingang af voor iedereen die onverwacht kwam aanrijden. Charlie stopte bij het huisje en gaf Sharon Pasternaks naam en die van haarzelf op. Ze wachtte nerveus een paar minuten terwijl de bewaker belde met het gebouw dat vóór haar tegen de heuvel lag. Misschien was Sharon Pasternak wel een valse naam, wat beslist waarschijnlijk leek als de vrouw bij Erics activiteiten betrokken was.
Dat bleek niet het geval. De bewaker kwam naar Charlies auto terug met een pasje en zei: 'Ze wacht op u in de hal. U kunt uw auto neerzetten op het parkeergedeelte voor bezoekers. Ga meteen naar binnen, denkt u erom? U mag niet gaan rondzwerven.'
Waarom zou ze in vredesnaam willen rondzwerven, vroeg Charlie zich af terwijl ze het pasje aannam. Het was een woestenij van stof, rotsblokken, cactussen en struiken. Niet bepaald ideaal voor een wandeling.

Ze parkeerde de auto bij de hoofdingang en daarna liep ze naar binnen. Het was er ijzig koud en ze begon te huiveren. Even voelde ze zich verdwaald, verblind door het contrast tussen het heldere licht buiten en de donker geverfde muren.
Iemand zei: 'Ja? Kan ik u helpen?' vanuit een schemerige hoek.
Voor Charlies ogen zich konden aanpassen klonk er een tweede stem van de andere kant van de hal. 'Ze is hier voor mij, Marion. Dit is Eric Lawtons vrouw.'
'Meneer Lawtons...? O, ik vind het heel erg. Van... Hoe maakt u het? Ik vind het écht heel erg. Hij was... zo'n enige man.'
'Al goed, Marion. Mevrouw Lawton...?'
Eindelijk begon Charlie dingen te onderscheiden: de witharige vrouw achter een mahoniehouten receptiebalie en, weerkaatst in de spiegel achter haar, Sharon Pasternak, die zojuist uit een zwaar uitziende, met metaal beslagen deur was gekomen. Ze had een laboratoriumjas aan over een zwarte legging, en droeg gymschoenen en sportsokken.
Sharon Pasternak liep naar Charlie toe en legde een hand op haar arm. 'Hebt u echt die papieren gevonden waar we mee bezig waren?' vroeg ze dringend, met haar ogen strak op Charlie gevestigd. 'U redt mijn leven als u ja zegt.' Ze kneep in Charlies arm, het voelde aan als een waarschuwing. Daarom dwong Charlie zich tot een glimlachje, en ze knikte.
'Geweldig,' zei Sharon. 'Wat een opluchting. Gaat u mee naar achteren.'
'Daar heeft ze geen toestemming voor, doctor Pasternak,' protesteerde Marion.
'Het is oké, Mar. Maak je geen zorgen. Ik neem haar mee naar de koffiekamer.'
'Doctor Cabot zal het niet...'
'Het is goed,' zei Sharon. 'We zullen nog geen vijf minuten

wegblijven. Hou de tijd maar in de gaten.'
'Ik kijk op de klok,' zei Marion waarschuwend.
Sharon nam Charlie mee de hal door, niet naar de zware deur waar ze zelf uit was gekomen, maar naar een minder beveiligde deur die leidde naar een cafetaria-achtige ruimte, die op dit tijdstip verlaten was. Toen ze goed en wel binnen waren begon ze zonder plichtplegingen: 'U bent erachter gekomen. Iemand moet u thuis hebben gebeld. Heeft die persoon een naam opgegeven? Een nummer dat ik kan bellen?'
'Iemand heeft mijn huis doorzócht,' zei Charlie. 'Iemand heeft het volledig overhoopgehaald. Nadat jij bij me bent geweest.'
'Wát?' Gehaast keek Sharon om zich heen. 'Dat betekent een serieus probleem. Dan kunnen we hier niet praten. De muren hebben oren. Als u me de naam geeft zal ik zelf contact met hen opnemen. Dat zou Eric gewild hebben.'
'Ik heb geen naam.' Charlie had het nu warm; ze werd in verwarring gebracht. 'Ik dacht dat jíj wist wie het was. Dat nam ik aan omdat je naar mijn huis bent gekomen en daarna zonder iets bent weggegaan en het huis vervolgens werd doorzocht... Wat zocht je? Wiens naam? Het enige wat ik heb is het...' Ze kon zich er niet toe brengen het te zeggen, zo afschuwelijk en min leek het dat haar echtgenoot – een man die ze had aanbeden en die ze gedacht had te kennen – iets had gestolen van zijn werkgever. 'Ik wil het geld teruggeven,' zei ze snel voor ze een excuus kon bedenken om niets te zeggen.
Sharon zei: 'Welk geld?'
'Ik moet het teruggeven omdat ze het er niet bij zullen laten zitten als ik het niet doe. Wie het ook zijn. Ze hebben het huis al een keer doorzocht, en ze zullen terugkomen. Dat wéét ik. Niemand geeft zoveel geld uit zonder te verwachten dat hij de – hoe moet je het noemen? De goederen? – krijgt.'

'Maar zo werkt het niet,' zei Sharon. 'Ze betalen nóóit. Dus als er ergens geld is...'
'Wie zijn het?' Charlie hoorde zelf dat ze luider begon te spreken naarmate ze nerveuzer werd. 'Hoe neem ik contact met hen op?'
Sharon zei: 'Ssst. Alstublieft. Hoor eens, hier kunnen we niet praten.'
'Je bent toch naar mijn huis gekomen? Je hebt gezocht. Je wilde...'
'Ik wilde hun naam. Begrijpt u het dan niet? Ik wist niet met wie Eric praatte. Hij zei alleen dat het CBS was. Maar CBS waar? Los Angeles? New York? Was het *Sixty Minutes* of alleen de lokale nieuwszender?'
Charlie staarde haar aan. *'Sixty Minutes?'*
'Zachtjes praten! Lieve god! Het gaat hier om mijn toekomst. Ik ben ongeveer zes stappen verwijderd van mijn ontslag, of de gevangenis, of god mag weten wat nog meer, en wat kan ik dan nog voor iemand betekenen?' Ze keek naar de deur alsof ze verwachtte dat er een cameraploeg zou binnenkomen. 'Hoor eens, u moet weg.'
'Niet voor je me vertelt...'
'Ik zie u over een uur. In San Juan. Los Rios-district. Kent u dat? Achter het busstation. Daar is een tearoom. Ik weet de naam niet, maar u ziet het wanneer u de spoorwegovergang bent gepasseerd. Sla daarna rechts af. De zaak ligt aan de linkerkant. Oké? Over een uur. Ik kán hier niet praten.'
Ze duwde Charlie naar de deur van de koffiekamer en liep daarna snel met haar terug naar de receptie. In de hal zei ze opgetogen: 'U hebt me zeker tien dagen werk bespaard. Ik kan u niet genoeg bedanken', en daarna werkte ze haar met zachte dwang naar buiten, het zonlicht in, waar ze zachtjes zei: 'Over een uur', alvorens weer het gebouw in te gaan, waarvan de deur achter haar in het slot viel.
Charlie staarde naar het donkere glas, haar lichaam voelde aan als een onhandelbaar gewicht dat ze op de een of ande-

re manier in haar auto moest zien te krijgen. Ze probeerde te verwerken wat Sharon had gezegd – CBS, *Sixty Minutes*, de lokale nieuwszender – en ze voegde die informatie bij wat er gebeurd was en wat ze al wist. Maar het sloeg allemaal nergens op. Ze had het gevoel dat ze een passagier was in het verkeerde vliegtuig zonder paspoort dat ze op de plaats van bestemming kon laten zien.

Ze strompelde naar haar auto. Daar werd ze opnieuw overvallen door huiveringen, zo erg dat ze de sleutel niet in het contact kon steken. Uiteindelijk lukte het haar om met één hand de andere te ondersteunen en zo startte ze de motor.

Nadat ze van de inrit weer op de snelweg was gekomen, reed ze de kronkelende weg af in de richting van de kust. Onder het rijden dacht ze aan alles wat ze gedurende de jaren dat ze in Zuid-Californië woonde over dit stuk weg had gehoord: dat het een ideale plaats was om je van dode lichamen te ontdoen, gebruikt door beruchte seriemoordenaars zoals Randy Kraft; hoe huurmoorden plaatsvonden op de parkeerinhammen en lege auto's in brand werden gestoken in de greppels langs de berm; hoe dronken automobilisten van de weg raakten en stierven aan de voet van de rotsen, waar het maanden duurde voor hun lichaam werd gevonden; hoe grote vrachtwagens de dubbele gele streep passeerden en frontaal botsten op alles wat hen voor de wielen kwam. Wat betekende het dat Biosyn Inc. juist hier was gevestigd? En wat betekende het dat Eric Lawton had gesproken met iemand van CBS?

Charlie had er geen antwoord op. Alleen nog meer vragen. En de enige keuze die ze had, was de tearoom in het Los Rios-district van San Juan Capistrano te vinden en te hopen dat Sharon Pasternak woord hield.

Ze hield woord. Een uur en elf minuten nadat Charlie bij Biosyn was weggereden, wandelde Erics collega de tearoom binnen, een gebouw uit het begin van de twintigste eeuw, ooit het huis van een van de stichters van het stadje en diens gezin. Het was een goede plek voor een afspraak, de minst waarschijnlijke die iemand zou kiezen die iets heimelijks in de zin had. Bescheiden ingericht met kant, theepotten, antiquiteiten, kapstokken en hoeden voor het geval de bezoeksters zich wilden verkleden, bood de zaak een Amerikaanse versie van de Engelse *afternoon tea*, tegen exorbitante prijzen.

Sharon Pasternak keek om toen ze het restaurant binnenkwam, waar Charlie aan een tafeltje voor twee personen zat, vlak bij de deur. Er was nog een tafel bezet in de zaal, een ronde, waaraan vijf vrouwen met een hoed op die ze van de zaak geleend hadden, een vrolijke verjaarspartij vierden. Met hun anachronistische hoeden zagen ze eruit alsof ze elk moment gezelschap konden krijgen van Alice en de Maartse Haas.

'We moeten een ander tafeltje hebben,' zei Sharon zonder plichtplegingen tegen Charlie. 'Kom mee.' Ze ging haar voor naar een volgende zaal en vandaar naar een derde, aan de achterkant van het pand. Deze was ingericht met vijf tafeltjes, die echter allemaal onbezet waren en Sharon beende naar de tafel die het verst bij de deur vandaan stond. 'U mag niet meer naar Biosyn komen,' zei ze op gedempte toon tegen Charlie. 'Zeker niet om naar mij te vragen. Het is riskant en opvallend. Als u was gekomen om te praten met Personeelszaken – over Erics pensioen, of zijn verzekering of iets dergelijks – had u er misschien nog mee weg kunnen komen. Dan hadden u en ik elkaar toevallig in de hal tegen het lijf kunnen lopen. Maar dit? Geen denken aan. Marion zal het onthouden en ze zal het aan Cabot vertellen. Ze werkt al vijfendertig jaar voor hem – vanaf het moment dat hij van de universiteit kwam, geloof het of niet – en ze is loyaler tegenover hem dan tegenover haar man. Ze noemt hem

David en dan stralen haar ogen als sterren. Hij zal nu al wel weten dat u er bent geweest en naar mij hebt gevraagd.'

'Je had het over CBS,' begon Charlie. 'Je zei *Sixty Minutes*.'

'Eric kwam naar me toe om te praten over exantrum. Zijn lab werkte aan iets anders, maar hij wist van exantrum af. Iedereen in Divisie II wist het. Iedereen weet altijd álles, ook al doen ze of het niet zo is.'

'Zijn lab? Wiens lab?'

'Dat van Eric.'

'Waar heb je het over?'

'Hoe bedoelt u?'

'Waarom zou Eric een laboratorium hebben? Hij was verkoopdirecteur. Hij had besprekingen en moest door het hele land op zakenreis en... Waarom zou hij een lab hebben? Hij is geen... Hij was geen...'

'Verkoop?' vroeg Sharon. 'Heeft hij u dat verteld? Wist u het dan niet?'

'Wat?'

'Hij was moleculair bioloog.'

'Moleculair... Nee. Hij was verkoopdirecteur. Dat heeft hij me verteld.' Maar wat had hij haar verteld? En wat had ze, door zijn gedrag en zijn toespelingen, eenvoudigweg aangenomen?

'Hij is bioloog, mevrouw Lawton. Ik bedoel, hij was. Ik zou het toch moeten weten, want ik werkte met hem samen. En hij... hoor eens, ik moet het vragen, het spijt me maar ik weet niet hoe ik er anders achter moet komen... Is hij gestorven zoals ze gezegd hebben dat hij gestorven is? Hij is toch niet...? Het zou me niets verwonderen als Cabot hem uit de weg had laten ruimen. Hij is een maniak als het om veiligheid gaat. Zelfs al was hij dat niet, dit spul is zo gemeen dat Cabot, als hij wist dat Eric ermee naar CBS wilde gaan, er iets aan zou doen om dat te verhinderen, geloof me.'

'Om wat te verhinderen?'
'Een bijdrage te leveren aan de onthulling. Eric wilde Biosyn aan de kaak stellen. Hij was doodsbenauwd om het te doen – we waren allebei doodsbenauwd – maar hij was vastbesloten. Op een avond heb ik een monster van de exantrum het gebouw uit gesmokkeld – en ik kan u niet zeggen hoe bang ik was om bij dat spul in de buurt te komen zonder een beschermend pak aan – en dat heb ik aan Eric gegeven. Hij was erop gebrand ermee naar de journalisten te gaan om het hun te geven, zodat ze het zelf konden laten testen in Atlanta, en dan... Dat was drie weken geleden. Ik vermoed dat hij met hen gesproken heeft maar hij zei er niets over en daarna is hij gestorven. Bij Biosyn hebben ze niet gemerkt dat er iets mis was, dus ik begon te denken dat Eric geen contact met die journalist had gehad en ik wilde zijn naam hebben om er zelf achter te komen. Dat zocht ik bij u thuis. De naam van die journalist. Of dat, of de exantrum. Omdat ik, als hij geen contact had gehad, het spul terug moest brengen in een beschermde omgeving. En snel.'
Charlie staarde de vrouw aan. Ze kon de informatie die ze zojuist had gekregen niet snel genoeg verwerken om een samenhangend antwoord te geven.
'Ik begrijp nu dat hij u hier niets over heeft verteld. Hij moet u hebben willen beschermen. Dat bewonder ik. Het was heel fatsoenlijk van hem. Karakteristiek, ook. Hij was een geweldige vent. Maar toch had ik liever gezien dat hij u in vertrouwen had genomen omdat we dan tenminste zouden weten waarmee we te maken hebben. Dan konden we gerust zijn. Zoals de zaak er nu voor staat... Óf dat spul ligt ergens te wachten om een ramp te veroorzaken in de staat Californië óf het ligt veilig bij het Centrum voor Viruscontrole. Wat het ook is, ik moet het weten.'
Het Centrum voor Viruscontrole. 'Wat is het?' vroeg Charlie. De woorden klonken hol in haar oren en voelden

droog aan in haar keel. 'Ik dacht dat Biosyn medicijnen maakte. Voor de bestrijding van kanker. Medicijnen tegen astma en artritis. Misschien slaapmiddelen en antidepressiva.'
'Natuurlijk. Dat is één onderdeel. Dat is Divisie I. Maar Divisie II, die levert het grote geld op, daar werkten Eric en ik, daar maken we exantrum.'
'Wat is het?' herhaalde Charlie. Angst welde als gal in haar keel op.
Sharon keek om zich heen. Ze zei: 'We moeten iets bestellen. Als we het niet doen en iemand ons hier ziet, lijkt dat verdacht. We moeten een serveerster zien te vinden.'
Dat lukte. Ze bestelden scones en thee, maar wisten beiden dat ze die niet zouden aanraken. Nadat hun bestelling was gebracht schonk Sharon de thee in en zei toen: 'Exantrum is Cabots sleutel tot onsterfelijkheid. Het is een virus. Het werd ontdekt in stilstaand water in een grot... dat was ongeveer twee jaar geleden. Een wandelaar loopt een grot binnen in de Blue Ridge Mountains. Op een warme dag. Hij vindt een plas water. Hij plenst dat over zijn gezicht. Drie weken later is hij dood. Koorts in het bloed. De artsen in North Carolina weten niet waar het virus vandaan kwam maar het lijkt voldoende op ebola om de mensen bang te maken. Atlanta gaat zich ermee bemoeien en iedereen gaat natrekken waar die man geweest is, wie hij heeft gesproken, wat hij gedaan heeft. Ze leggen zijn naaste medewerkers onder de microscoop, ze kijken naar zijn paspoort om te zien of hij het land uit is geweest, ze gaan naar zijn familie om te zien of een van hen misschien een virus van iemand anders heeft kunnen doorgeven. Ze kunnen er niet achter komen. Cabot volgt het allemaal, maar speelt op eigen houtje voor detective omdat hij gelooft dat dit iets anders is dan ebola, en wat hij gewild heeft vanaf de dag dat hij slaagde aan de universiteit is, dat zijn naam gekoppeld zal worden aan iets wat de wereld

verandert, zoals Jonas Salk of Louis Pasteur of Alexander Fleming. Aanvankelijk denkt hij misschien aan genezing, maar de regering komt op bezoek wanneer Cabot het spul heeft geïsoleerd en dan wordt het veranderd in een ziekte. Uncle Sam betaalt een massa dollars voor een wapen als exantrum. Je stopt het in water, je drinkt het, je plenst het over je gezicht en het komt in je ogen, het raakt een nagel, je krijgt het in je neus, je hebt een wondje op je lichaam, je trapt erin, je ademt het in... kies maar uit. Het doet er niet toe hoe je ermee in aanraking komt want de afloop staat vast. Je sterft. Het is bedoeld voor biologische oorlogvoering. Om te gebruiken tegen de Irakezen, als die uit de pas gaan lopen. Of tegen de Chinezen, als die met hun sabel beginnen te zwaaien. Of de Noord-Koreanen. Cabot zal er een fortuin aan verdienen, en Eric wilde het de wereld laten weten.' Sharon keek naar haar theekopje en draaide het rond op het schoteltje. Ze besloot met: 'Hij was echt een goed mens. Een fatsoenlijk mens. Ik wilde dat ik zijn moed bezat. Maar om eerlijk te zijn: dat is niet zo. Daarom moet ik de exantrum terugbrengen naar het lab als Eric nog niet met de journalist had gesproken.'
'Hij... hij zou het toch niet bij ons in huis bewaard hebben?' zei Charlie, omdat dat was wat ze wanhopig wilde geloven. 'Niet als het zo gevaarlijk is als jij zegt. Dan zou hij het toch niet thuis bewaard hebben?'
'Verdomme, nee. Daarom zocht ik, toen ik langskwam, naar de naam van de journalist, niet naar het virus. Hij zou het virus op een veilige plek bewaard hebben tot hij een ontmoeting had geregeld en een plaats waar hij het kon overdragen. En als hij het ergens veilig opgeborgen heeft moet ik weten waar het is. Of ik moet bevestigd krijgen dat het in Atlanta is, en dat kan alleen als ik met de journalist kan praten met wie Eric contact had.'
Charlie hoorde de woorden maar ze dacht aan andere dingen: aan wat Terry had gezegd over midlifecrisis en aan wat

Linda haar had verteld over Erics laatste bezoek aan de bank. Ze dacht aan al dat geld in de kluis, de inbraak in haar huis, en de uitdrukking op het gezicht van haar man toen ze berouwvol haar vermoedens had opgebiecht over de verhouding die hij nooit had gehad. Zeker aan dat laatste dacht Charlie. En aan de afschuwelijke mogelijkheden die eruit voortkwamen.
'Hoe heb je de exantrum Biosyn uit gesmokkeld?' vroeg ze Sharon Pasternak, zich vermannend om naar het antwoord te luisteren.
'Ik heb een beschermingspak aangetrokken en het in een hoestsiroopfles gegoten,' zei Sharon. 'Het was verdomd riskant, maar geloof me, als ik betrapt was omdat ik met iets het gebouw uit ging behalve dat flesje, dan was het afgelopen geweest met me.'
'Ja,' zei Charlie. 'Dat begrijp ik.' Ze begreep nog meer. Wat ze eindelijk volslagen duidelijk voor zich zag was, dat het afgelopen was met Charlie Lawton.

Ze zou naar het klooster gaan. Tegen Sharon zei ze: 'Ik ga naar de bank om in onze kluis te kijken. Misschien heeft Eric de fles daarheen gebracht.'
Sharon toonde zich dankbaar. Ze zei: 'Dat zou een geschenk uit de hemel zijn. Maar als het daar is, maak het in godsnaam niet open, wat er ook gebeurt. Probeer het zelfs niet aan te raken. Bel me dan. Hier, ik zal u mijn telefoonnummer geven. En spreek een boodschap in, oké? Zeg dat u van Savon bent, voor het geval Cabot mijn telefoon laat afluisteren. Zeg alleen maar: "Uw medicijnen zijn aangekomen", dan weet ik wat u bedoelt en dan kom ik naar uw huis. Oké? Begrepen?'
'Ja,' zei Charlie zwakjes. 'Savon. Ik zal het onthouden.'
'Mooi.'
Ze gingen uit elkaar, Sharon zoefde weg in de richting van Dana Point en Charlie wandelde niet naar haar auto, die

op het parkeerterrein in het stadje stond, maar om het blok heen, de straat in naar het klooster van San Juan Capistrano.
Ze liep over het oneffen pad binnen de kloostermuren, tussen de misvormde cactussen en de dorstige klaprozen. Doelloos zwierf ze rond, haar bestemming deed er niet toe omdat haar eigen bestemming er niet meer toe deed. Ten slotte kwam ze terecht bij de smalle kapel die drie eeuwen geleden gebouwd was door de handen van Californische indianen onder leiding van die doelbewuste opzichter, Junipero Serra.
Binnen was het licht gedempt... of misschien, dacht ze, begon haar gezichtsvermogen achteruit te gaan tegelijk met de rest van haar lichaam. Misschien was dat nog een bijwerking van exantrum – verlies van je gezichtsvermogen – of misschien had ze dat al verloren vanaf het moment dat ze begon te geloven dat haar man een verhouding had.
Hoe duidelijk was het nu allemaal. Hoe keurig paste Terry Stewarts beschrijving van de mannelijke midlifecrisis in wat Eric Lawton had gedaan. Hoe duidelijk waren de redenen waarom Eric niet alleen een ander heden, maar ook een ander verleden had gefabriceerd. Hoe gemakkelijk was het te begrijpen waarom er een verwijdering was opgetreden tussen hem en zijn eerste vrouw, zijn dochter en de rest van een familie, die allen ongetwijfeld precies wisten welk beroep hij uitoefende. Beter te doen alsof je geen familie hebt, beter de beledigde partij te spelen, alles was beter dan openlijk te leven als wetenschapper die de kost verdient met het ontwikkelen van dodelijke wapens. En geen oorlogswapens die gebruikt worden door militairen tegen vijandelijke troepen, maar wapens om onschuldige burgers af te slachten of, in handen van iemand anders – een terrorist bijvoorbeeld – om een heel volk op de knieën te dwingen.

Aan het eind van het gesprek met Sharon Pasternak wist Charlie twee dingen. Ze wist dat Eric – die erover had gesproken dat hij niet veel langer in deze omgeving wilde blijven wonen, die had gepraat over snelle auto's en buitenlandse rekeningen en zeilen voor de America's Cup – geen contact had opgenomen met een journalist en ook nooit van plan geweest was om dat te doen. Hij had gedaan wat ze van het begin af aan gedacht had: hij had iets wat bij Biosyn was ontwikkeld verkocht. Het was niet een geneesmiddel voor aids of kanker of iets anders geweest, zoals ze had aangenomen toen ze het geld zag. Of dat hem tot een slechte man maakte, een misleide man, een inhalige man of de duivel zelf, het maakte voor Charlie niet uit. Omdat Eric Lawton ook een dode man was en omdat ze eindelijk de reden voor zijn dood kende.
Ze wurmde zich in een van de harde kerkbanken. Ze ging zitten. Er lag een knielkussen dat ze had kunnen gebruiken om op te bidden, maar het was te laat om smeekbeden naar de hemel te zenden. Er was geen hulp – noch goddelijk, noch anderszins – voor wat haar mankeerde. Dit was iets wat Eric had geweten op het moment dat ze hem bekende hoever ze zich had laten meeslepen door haar achterdocht. En ze had het moeten bekennen – ze had er behoefte aan gehad het te bekennen – toen hij triomfantelijk was thuisgekomen na 'de grootste deal in mijn hele carrière, Char, wacht maar tot je hebt gehoord hoe hoog de bonus is, wat dacht je van een cruise om het te vieren? Of zelfs een complete verandering van onze manier van leven? Dat kunnen we nu. We kunnen alles krijgen. Verdomme, het spijt me dat ik de laatste tijd zo afwezig ben geweest'.
Toen had ze geweten dat haar angst ongegrond was, dat er geen andere vrouw in zijn leven was. En omdat ze het wist en omdat ze vergiffenis zocht voor haar zonde, omdat ze aan hem had getwijfeld, had ze hem de waarheid opgebiecht.

'Char, god, we hebben het hier toch al eens over gehad? Ik héb geen verhouding.' Hij had het zo ernstig gezegd dat het, in combinatie met de blijdschap waarmee hij haar deelgenoot had gemaakt van zijn toekomstige fortuin, onmogelijk was geweest hem niet te geloven. 'Jij bent de enige... Je bent áltijd de enige geweest. Hoe kon je iets anders denken? Ik weet dat ik verstrooid ben geweest. En op de gekste tijden de deur uit. En telefoontjes heb gekregen, om daarna weg te gaan. Maar dat was allemaal vanwege die deal en je mag nooit denken... Verdomme, nóóit, Char. Jij bent degene voor wie ik het allemaal heb gedaan. Opdat we een beter leven kunnen krijgen. Voor ons. Voor onze kinderen. Iets meer dan een voorstadje. Jij verdient het. Ik verdien het. En nu deze deal, waar ik me zo op heb geconcentreerd, erdoor is... Ik wilde er niet over praten, uit een soort bijgeloof. Ik had nooit gedacht dat je er zo door van streek zou raken. Kom hier, Char. Verdomme. God, wat spijt me dat, lieverd.'

Aan zijn stem had ze gehoord dat hij het meende. En uit zijn stem en de blik in zijn ogen had ze de troost geput die haar vertelde dat haar angst ongegrond was. Daarom had ze zich die avond aan zijn liefde overgegeven en later, toen de ochtend aanbrak, had ze de rest van haar zonden opgebiecht. Dat was ze hem verschuldigd, vond ze. Alleen door hem te vertellen hoe diep ze was gezonken zou ze zichzelf kunnen vergeven.

'Ik ben er uiteindelijk mee opgehouden toen ik die hoestsiroop op de vloer van je badkamer liet vallen.' Ze lachte om zichzelf en om al haar angsten, die nu ongegrond waren. 'Het leek wel of ik plotseling weer tot mezelf kwam, toen ik daar in die plas Robitussin stond.'

Hij lachte en kuste haar vingertoppen. 'Robitussin? Char, waar was je in godsnaam mee bezig?'

'Krankzinnig,' zei ze. 'Ik wist het zo zeker. Ik dacht: er moeten ergens bewijzen zijn. Of zoiets. Daarom door-

zocht ik alles. Zelfs je medicijnkastje. Ik heb de fles hoestsiroop op de vloer van de badkamer aan scherven laten vallen. Het spijt me.'
Hij bleef lachen maar Charlie zag voor haar geestesoog – nu, in de kapel van San Juan Capistrano – hoe geforceerd dat lachje was geworden. Ze zag hoe hij had geprobeerd te verwerken wat ze hem vertelde.
'Er was geen hoestsiroop in mijn badkamer, Char. Je moet in...'
'Waarschijnlijk was je die vergeten. Het etiket was oud. Maar goed dat ik het heb weggegooid. Ze zeggen toch dat je medicijnen niet langer dan een halfjaar moet bewaren?'
Waren zijn lippen verstrakt? Was dat lachje geforceerd gebleven? Hij zei: 'Ja, ik geloof dat dat gezegd wordt.'
'Toch spijt het me dat ik de fles heb laten vallen.'
Had hij toen zijn ogen afgewend? 'Hoe heb je het opgeruimd?'
'Op handen en knieën, als boetedoening.'
Had hij gelachen? Zwakjes, of anderszins? 'Nou, ik hoop dat je tenminste rubberen handschoenen hebt aangetrokken.'
'Nee. Ik wilde niet dat er iets tussen mij en mijn zonde kwam. Hoezo? Was het geen hoestsiroop? Heb je vergif in een medicijnfles verstopt voor het geval je van plan was je vrouw om zeep te helpen?' En ze had hem gekieteld om hem te dwingen antwoord te geven. Daarna hadden ze gelachen en waren ze opnieuw met elkaar naar bed gegaan. Hij kreeg het niet meer voor elkaar.
'Ik word oud,' zei hij. 'Alles wordt minder na je veertigste. Sorry.'
Daarna was het erger geworden. Hij was vaker van huis geweest; hij was opnieuw verstrooid geworden – deze keer meer dan ooit – hij had zich afgezonderd en uren aan de telefoon doorgebracht; hij had dagen, leek het wel, op internet gesurft, 'bezig met research,' had hij gezegd toen

ze hem ernaar vroeg. Ten slotte had ze hem, op een avond toen hij aan het bellen was, horen zeggen: 'Hoor eens, vanavond kan ik echt niet. Mijn vrouw voelt zich niet goed', en al haar bange vermoedens staken opnieuw de kop op. Twee dagen later had hij haar, toen hij van zijn werk thuiskwam, op de bank aangetroffen met een deken over zich heen, waar ze probeerde over een combinatie van hoofdpijn en spierpijn heen te komen waarvan ze dacht dat het haar eigen schuld was omdat ze een lange wandeling over de steile hellingen van de Saddleback Mountains had gemaakt. Ze was in slaap gevallen en niet wakker geworden toen hij binnenkwam. Pas toen hij zich naast de bank op zijn knieën liet vallen was ze wakker geschrokken.

'Wat scheelt eraan?' vroeg hij. Lag er angst in zijn stem en geen bezorgdheid, zoals ze destijds had gedacht? 'Char, wat heb je?'

'Alles doet me pijn,' antwoordde ze. 'Te veel lichaamsbeweging gehad vandaag. En ik heb hoofdpijn.'

'Ik zal wat soep voor je maken,' zei hij.

Ze had hem in de keuken heen en weer horen lopen. Tien minuten later kwam hij met een blad terug in de zitkamer.

'Lief van je,' had ze gefluisterd. 'Maar ik kan opstaan, en samen met jou eten.'

'Ik hoef niet te eten,' zei hij. 'Op dit moment niet. Blijf maar rustig liggen.' Hij had haar liefdevol en voorzichtig tomatensoep gevoerd, langzaam en geduldig, met kleine hapjes tegelijk. Hij had zelfs haar mond afgeveegd met een papieren servetje. En toen ze een beetje had gelachen en had gezegd: 'Eric, heus, het gaat alweer', had hij geen antwoord gegeven.

Omdat hij het had geweten, dacht Charlie. Het proces was begonnen. Eerst de plotselinge aanzet, gekenmerkt door hoofd- en spierpijn, die gepaard ging met lichte koorts. Rillingen en niet goed kunnen eten na de koorts.

En daarna? De symptomen die ze eerst had aangezien voor

rouw en vervolgens voor verdringing hadden zich in haar lichaam gemanifesteerd: een zere keel, duizeligheid, misselijkheid en overgeven. Maar het was niet de reactie op de dood van haar man geweest. Ze had gereageerd op wat hij tijdens zijn leven had gedaan. Of althans wat hij had geprobeerd te doen en wat hij ook zou hebben gedaan als zij de fles niet had laten vallen waarin het virus opgesloten zat, voor hij de kans had om die aan de koper te geven.
Hij moet zich ellendig gevoeld hebben, besefte ze. Hij zat gevangen midden in iets wat verschrikkelijk verkeerd was gegaan, al zijn goed voorbereide plannen waren op niets uitgelopen. Hij had niets te geven in ruil voor de aanbetaling die hij voor de exantrum had ontvangen, en zijn vrouw was ten dode opgeschreven als gevolg van het virus dat hij zelf had gestolen. De wetenschap dat die vrouw zou sterven, zoals hij geweten moest hebben dat duizenden – miljoenen – anderen zouden zijn gestorven als het lot, in de vorm van Charlies jaloezie, dat niet had verhinderd.
Hij had haar de soep gevoerd en naar haar gezicht gekeken alsof het zien ervan hem haar beeld zou laten meenemen in het graf en in het hiernamaals. Toen ze genoeg gegeten had, toen ze niet meer kon slikken, had hij de lepel in de kom gezet en de kom op het blad. Hij had zich over haar heen gebogen en Charlie op haar voorhoofd gekust. Daarna had hij de deken tot haar kin opgetrokken.
'Denk eraan, ik zal altijd van je blijven houden,' had hij gezegd.
'Waarom zeg je dat? Zomaar?'
'Als je er maar aan denkt.'
Hij was met het blad de kamer uit gelopen. Ze had gehoord dat hij het in de keuken op het aanrecht zette. Even later kwam hij weer binnen en ging tegenover haar zitten, in een gemakkelijke stoel, met een kussen achter zijn hoofd.
'Weet je het nog?' had hij gevraagd.

'Wat?'
'Wat ik gezegd heb. Denk eraan, ik zal altijd van je blijven houden, Char.'
Voor ze kon reageren had hij de revolver uit zijn jasje gehaald. Hij stak de loop in zijn mond en haalde de trekker over.

Dus zo voelde het, dacht Charlie, wanneer je wist dat je ging sterven. Dat zwevende gevoel. Geen paniek. Ze had wel eens gedacht dat ze in paniek zou raken als ze een doodvonnis te horen zou krijgen, zoals alvleesklierkanker. In plaats daarvan trad er een soort verdoving op en een automatisch handelen, zoals opstaan uit de bank in de kapel van het klooster, naar het altaar lopen, blijven staan bij een beeld van een heilige met een groengele mantel om een kaars aan te steken, daarna voor de nis blijven staan in de wetenschap dat er niets meer was om aan God te vragen.
Wat had Eric gedacht, vroeg ze zich af. Hij was 42. Had hij gedacht: dit is het, dit is alles wat ik van mijn leven heb gemaakt tenzij ik deze ene kans aangrijp om alles te veranderen, om meer te hebben, meer te zijn, om op de golf die ik voor me zie opdoemen mee te glijden en te ontdekken op welke kust die golf me zal werpen? Ik hoef maar één risico te nemen, dat is alles, één klein risico. Het is feitelijk helemaal geen risico als ik het handig aanpak en alles van tevoren bedenk: ik moet Sharon Pasternak erbij betrekken om het virus te stelen zodat, als iemand ervan wordt beschuldigd het uit het gebouw van Biosyn te hebben gesmokkeld, het Sharon Pasternak is, niet ik. Ik moet de rol van klokkenluider spelen zodat Sharon zal denken dat me een altruïstisch doel voor ogen staat. Ik moet contact leggen met een geïnteresseerde, maar ervoor zorgen dat de deal als volgt verloopt: eerst een aanbetaling, vervolgens een beetje tijd om plannen te maken voor mijn ontsnap-

ping, mocht mijn contactpersoon proberen me te elimineren; daarna een tweede ontmoeting om de exantrum te overhandigen, gevolgd door een snelle aftocht en een vlucht naar... waarheen? Tahiti, Belize, Zuid-Frankrijk, Griekenland. Het kwam er niet op aan. Wat erop aankwam was dat 'de rest van mijn leven' voor Eric een nieuwe betekenis zou hebben, meer betekenis dan een Harley Davidson en een tatoeage hem hadden kunnen geven.

'Eric, Eric,' fluisterde Charlie. Waar, wanneer en waarom was het zo verkeerd met hem gegaan?

Ze wist het niet. Ze kende hem niet. Ze wist niet eens zeker of ze zichzelf wel kende.

Ze liep de kapel uit, terug naar haar auto op het parkeerterrein in het centrum, naast het spoorwegstation. Ze stapte in, doodmoe nu, met het idee dat het virus in haar iets tastbaars was dat ze in haar aderen kon voelen. En het wás er. Dat wist ze zonder zich in een ziekenhuis te laten onderzoeken of naar Biosyn te gaan om zich aan doctor Cabot aan te bieden als bewijs dat zijn wapen zo doeltreffend was als hij had gehoopt.

Eric had geweten dat ze ging sterven. Hij had geweten hoe het virus werkte. Hij had geweten dat er geen genezing was voor dat wat haar aanviel, dus hij had ervoor gezorgd dat hij er niet meer was om niet onder ogen te hoeven zien wat hij hun beiden had aangedaan.

Wat moet ik doen, vroeg ze zich af. Maar ze kende het antwoord. Alles nauwkeurig opschrijven zodat niemand naderhand risico's zou lopen wanneer men haar lichaam aanraakte. En dan doen wat Eric had gedaan, maar om een totaal andere reden. Het was geen waardige oplossing, al zou het wel zo beschouwd kunnen worden. Het was de enige uitweg. Ze had de revolver nog. Het zou rommel geven en rommel was gevaarlijk voor andere mensen, maar het briefje dat ze zou schrijven – en op de deur zou plakken zodat niemand het over het hoofd kon zien alvorens

de kamer binnen te gaan – zou de situatie verklaren.
Vreemd, dacht ze. Ze was niet kwaad. Ze was niet bang. Ze was niets. Misschien was dat goed.
Op de snelweg reed ze voorzichtiger dan gewoonlijk. Elke auto die haar voorbijsuisde was een obstakel dat ze koste wat kost moest vermijden. Het werd donker en ze had moeite om door het schijnsel van de haar tegemoetkomende koplampen heen te kijken, maar zonder ongelukken bereikte ze haar huis. Ze zette de auto op de oprit en voelde iets zwaars op zich drukken, omdat ze wist wat haar te doen stond wanneer ze binnen was.
Het liefst van alles wilde ze slapen. Daar had ze echter geen tijd voor. Als ze acht uur verspilde betekende dat een derde deel van een dag waarop het virus in haar lichaam zijn werk deed. Wie wist in welke conditie ze morgen zou verkeren als ze vandaag toegaf aan haar vermoeidheid.
Ze stapte uit de auto. Ze strompelde het pad op. Het verandalicht brandde niet, dus ze zag de gedaante niet uit de schaduw opdoemen tot ze er vlakbij was. Toen zag ze het zwakke schijnsel van de straatlantaarn glinsteren op iets metaligs dat hij vasthield. Een pistool, een mes? Ze zou het niet kunnen zeggen.
Hij zei: 'Mevrouw Lawton, u hebt iets wat van mij is, geloof ik', en zijn accent was even donker als zijn gelaatskleur en zijn toon was even zwart als zijn ogen onder de zware oogleden.
Ze was niet bang voor hem. Wat was er te vrezen? Hij kon haar niet meer aandoen dan de exantrum al deed.
Ze zei: 'Ja, dat heb ik. Maar niet in de vorm waarop u hoopte. Komt u binnen, meneer...?'
'Namen doen er niet toe. Ik wil hebben wat me toekomt.'
'Ja. Dat weet ik. Dus komt u binnen, meneer Namen-doen-er-niet-toe. Ik zal het u maar al te graag geven.'
Eerst zou ze de brief moeten schrijven, dacht ze. Maar iets zei haar dat meneer Namen-doen-er-niet-toe wanhopig

genoeg was om haar de tijd te gunnen de noodzakelijke brief te schrijven.

Toelichting op *Koning Richard*

Ik vatte genegenheid op voor Richard III, Engelands meest controversiële koning, toen ik als studente aan de universiteit mijn eerste Shakespeare-lessen kreeg. We lazen *Richard III* – een stuk dat als interessante titel *De Tragedie van koning Richard III* droeg – en gaandeweg kwam ik in contact met een fascinerende groep historische figuren die nooit uit mijn verbeelding zijn verdwenen sinds die herfstochtenden in 1968 toen we hen tijdens de college-uren bespraken.
Korte tijd later zag ik mijn eerste opvoering van het stuk bij het Los Gatos Shakespeare-festival, maar pas nadat ik Josephine Teys befaamde roman *The Daughter of Time* had gelezen, ging ik koning Richard in een ander licht zien dan waarin Shakespeares beroemde toneelstuk hem liet baden. Daarna raakte ik steeds meer geïntrigeerd door deze veel belasterde koning en ik las meer: *Richard III, The Road to Bosworth Field; The Year of Three Kings 1483; The Mystery of the Princes; Richard III, Englands Black Legend; The Deceivers* en *Royal Blood* werden een vast onderdeel van mijn bibliotheek. Toen ik de vaste hoofdfiguren voor mijn romans in het leven riep besloot ik om van een van hen een ricardiaanse verdediger te maken, om des te beter in de gelegenheid te zijn de man te treffen van wie ik geleidelijk begon te geloven dat hij het echte, zwarte hart was te midden van de gebeurtenissen in 1483: Henry Tudor, graaf van Richmond, de latere Henry VII.
Ik wilde al heel lang mijn eigen verhaal schrijven over wat er gebeurd kon zijn met de prinsen in de Tower, een verhaal dat Richard van alle blaam zou zuiveren en de schuld zou leggen bij degene waar die rechtens behoorde. Het

probleem was dat iedereen wiens werk ik las een andere opvatting had over de identiteit van de ware schuldige. Sommigen achtten het waarschijnlijk dat Henry Tudor de jongens ter dood had laten brengen nadat hij de troon had bestegen. Anderen geloofden dat de hertog van Buckingham verantwoordelijk was, om voor zichzelf een weg naar de troon te banen. Weer anderen waren van mening dat de Stanleys, de bisschop van Ely, of Margaret Beaufort erbij betrokken waren. Sommigen noemden de verdwijning en de dood van de jongens een samenzwering. Anderen zagen er het werk van één enkele hand in. En weer anderen bleven ervan overtuigd dat de daad was begaan door de man op wie vijfhonderd jaar lang de schuld was geworpen: die gebochelde pad zelf, Richard, hertog van Gloucester, de latere Richard III.

Ik wist dat ik noch een historische roman wilde schrijven noch een andere loopbaan wilde kiezen en mediëviste worden. Maar ik wilde een verhaal schrijven over mensen die, net als ik, geïnteresseerd waren in die periode. De Engelse titel van het verhaal is *'I, Richard'*, een titel die ik ontleende aan de manier waarop destijds de documenten begonnen die waren geschreven door koningen die op dat moment de troon bezetten.

Het was voor mij een uitdaging een verhaal te schrijven dat zich afspeelde in de tegenwoordige tijd maar tevens handelde over een ander, vijfhonderd jaar oud verhaal. Ik wilde het niet benaderen zoals Tey het had gedaan, door een hoofdpersoon op te voeren in een ziekenhuisbed die om hem af te leiden van zijn ziekte een geheim krijgt op te lossen. Tegelijkertijd wilde ik een verhaal schrijven waarin iets voorkwam – iets fictiefs – wat onweerlegbaar bewees dat Richard niet schuldig was aan de dood van zijn neven. Mijn eerste taak was te beslissen wat dat iets moest zijn. Mijn tweede taak was te beslissen in welk soort hedendaags verhaal dat iets zou passen.

Ik benaderde de opzet zoals ik elke opzet benader: ik besloot naar de plek te gaan waar mijn verhaal zich zou afspelen. Daarom trok ik in een ijskoude februarimaand naar Market Bosworth, vergezeld van een Zweedse vriendin. Samen wandelden we om het slagveld, Bosworth Field, waar Richard III stierf ten gevolge van verraad en hebzucht.

Bosworth Field ziet er nog vrijwel hetzelfde uit als meer dan vijfhonderd jaar geleden toen de legers elkaar in augustus 1485 troffen. Het is niet omgeploegd voor woningbouwprojecten en Walmart heeft geen kans gezien om in de buurt ervan een afzichtelijke megawinkel neer te zetten. Het is een eenzame, door de wind geteisterde plek gebleven, slechts aangeduid door vlaggenmasten die de bezoekers aangeven waar de diverse legers hun kamp hadden opgeslagen en door bordjes die langs een uitgezette route precies verklaren wat er op die plek gebeurde.

Toen ik bij een bordje kwam dat mijn aandacht vestigde op het ver weg gelegen dorp Sutton Cheney, waar koning Richard in de St. James-kerk bad op de avond voor de veldslag, zag ik mijn verhaal vorm aannemen. En wat er met me gebeurde terwijl ik voor dat bordje stond, was iets wat nog niet eerder gebeurd was en wat sindsdien ook nooit meer gebeurd is. Het ging als volgt.

Ik las de woorden die me zeiden dat ik naar de windmolen moest kijken die een paar kilometer verderop stond en dat ik dit bouwsel moest beschouwen als de plek waar het dorp Sutton Cheney zich had bevonden, waar koning Richard de avond voor de veldslag had gebeden. Toen ik mijn ogen ophief en die molen zag, kwam het korte verhaal dat u hierna zult lezen, in mijn hoofd op. In één keer. Zo simpel was het.

Het enige wat me te doen stond was de opzet van het verhaal in de cassetterecorder in te spreken die ik bij me had, terwijl de wind om me heen blies en de temperatuur me

uitdaagde lang genoeg buiten te blijven om het te doen.
Na mijn terugkeer in Californië bedacht ik de personen die de kleine wereld van *Koning Richard* zouden bevolken. Toen ik dat gedaan had schreef het verhaal zich letterlijk zelf.
De schuld of de onschuld van personen uit de geschiedenis kunnen we niet vaststellen, omdat we moeten wachten op de ontdekking van een document waarvan de echtheid niet kan worden tegengesproken. Ik was er ook niet in geïnteresseerd om te proberen te bewijzen dat iemand iets wel of niet had gedaan. Ik wilde schrijven over de obsessie van een man voor een lang geleden gestorven koning en de uitersten waartoe deze man bereid was te gaan om zich te scharen onder de banier van dat verslagen, witte everzwijn.

Koning Richard

Malcolm Cousins kreunde onwillekeurig. Gezien de omstandigheden was dit wel het laatste geluid dat hij wilde maken. Een zucht van genot of een tevreden gebrom zou meer op zijn plaats zijn geweest. Maar de waarheid was eenvoudig en die moest hij onder ogen zien: hij was niet meer zo goed in bed als vroeger. Er was een tijd geweest dat hij zich kon meten met de besten. Maar die tijd was verdwenen, net als zijn haar, en nu, op zijn 49e, mocht hij zich gelukkig prijzen dat hij nog in staat was de machinerie tweemaal per week op gang te brengen.
Hij liet zich van Betsy Perryman af rollen en kwam op zijn buik terecht. Zijn onderste ruggenwervels klopten alsof er drummers van een marsband op sloegen, en het altijd twijfelachtige genoegen dat hij zojuist had beleefd aan Betsy's corpulente, van parfum doordrenkte charmes, vervaagde al snel tot een zwakke herinnering. Jezus, dacht hij hijgend. Vergeet die hele rechtvaardiging maar. Verdomme, heiligde het doel werkelijk de middelen?
Gelukkig vatte Betsy het gekreun en gehijg op zoals ze bijna alles opvatte. Ze ging moeizaam op haar zij liggen met haar hand onder haar kin en bekeek hem met een gelaatsuitdrukking die voor schalks moest doorgaan. Betsy wilde hem beslist niet laten merken dat ze hem beschouwde als de reddingsboot waarmee ze uit haar huidige huwelijk – het vierde – kon ontsnappen. Malcolm was maar al te bereid die fantasie bij haar aan te wakkeren. Soms werd het een beetje ingewikkeld om zich te herinneren wat hij werd verondersteld te weten en wat niet, maar hij was tot de ontdekking gekomen dat, als Betsy's achterdocht omtrent zijn oprechtheid werd opgewekt, er altijd een eenvoudige,

passende manier was om haar twijfels weg te nemen, al bezorgde die hem pijn in zijn rug.
Ze pakte het verfrommelde laken, trok het omhoog en stak een mollig handje uit. Ze aaide hem over zijn kale schedel en lachte naar hem. 'Ik heb het nog nooit met een kale man gedaan. Heb ik je dat al eens verteld, Malc?'
Elke keer dat ze het, zoals ze het zo poëtisch uitdrukte, samen deden, herinnerde hij het zich. Hij dacht aan Cora, het spaniëlteefje waar hij als kind zoveel van had gehouden en bij de gedachte aan de hond verscheen een gepaste, tedere uitdrukking op zijn gezicht. Hij streelde Betsy's vingers die op zijn wang rustten en kuste ze, elk afzonderlijk.
'Je kunt er niet genoeg van krijgen, hè, stouterd?' zei ze tegen hem. 'Ik heb nog nooit een man als jij gehad, Mal Cousins.'
Ze schoof op naar zijn kant van het bed, steeds dichter naar hem toe, tot haar enorme borsten zich op een paar centimeter van zijn gezicht bevonden. Van zo dichtbij leek de gleuf ertussen op de Cheddarkloof. Hij kon er niet echt opgewonden van raken. God, nóg een keer, dacht hij. Hij zou dood zijn voor zijn vijftigste als ze op deze manier doorgingen. En nog geen stap dichter bij zijn doel.
Hij snuffelde aan de verstikkende diepte tussen haar borsten, waarbij hij de verlangende geluidjes maakte die ze wilde horen. Hij zoog een beetje en keek vervolgens met veel omhaal op zijn horloge, dat op het nachtkastje lag.
'Christus!' Hij pakte het horloge en deed of hij nog nauwkeuriger wilde kijken. 'Jezus, Betsy, het is elf uur. Ik heb die Aussie ricardianen beloofd dat ik hen om twaalf uur vanmiddag bij Bosworth Field zou ontmoeten. Ik moet ervandoor.'
En dat deed hij, door meteen uit bed te stappen voor ze kon protesteren. Terwijl hij zijn ochtendjas aanschoot deed ze moeite om zijn opmerking in begrijpelijke taal om te zetten. Ze fronste haar voorhoofd en zei: 'Die Ozzire-

cordianen? Wat zijn dat nu weer?' Ze ging rechtop zitten, haar blonde haar verward en vol klitten, het grootste deel van haar make-up was van haar gezicht geveegd.
'Niet Ozzirecordianen,' zei Malcolm. 'Aussie. Australisch. Australische ricardianen. Ik heb je vorige week over hen verteld, Betsy.'
'O, die.' Ze trok een pruilmondje. 'Ik dacht dat we vandaag zouden gaan picknicken.'
'Met dit weer?' Hij liep naar de badkamer. Hij kon moeilijk ruikend naar seks en Shalimar aan de rondleiding beginnen. 'Waar was je van plan te gaan picknicken in januari? Hoor je niet hoe hard het waait? Het is buiten minstens tien graden onder nul.'
'Een picknick in bed,' zei ze. 'Met honing en room. Je zei dat je daarover fantaseerde. Of weet je dat niet meer?'
In de deuropening naar de badkamer bleef hij staan. De toon van haar vraag beviel hem niet. Die eiste iets van hem wat hem deed denken aan alles wat hij aan vrouwen haatte. Natuurlijk wist hij niet meer wat hij had beweerd over fantasieën waar honing en room aan te pas kwamen. Tijdens de twee jaar dat hun verhouding nu duurde, had hij zoveel gezegd. Het meeste ervan was hij echter vergeten zodra het duidelijk was geworden dat ze hem zag zoals hij gezien wilde worden. Toch zat er niets anders op dan het spelletje mee te spelen. 'Honing en room,' verzuchtte hij. 'Heb je honing en room meegebracht? O, hemel, Bets...'
Hij stond meteen weer bij het bed. Zijn tong tussen haar tanden. 'God, vrouw, je maakt me gek. Nu loop ik de rest van de dag op Bosworth rond met een pik als een pook.'
'Net goed,' zei ze brutaal. Ze wilde hem in zijn kruis grijpen maar hij greep haar hand vast.
'Je bent er gek op,' zei hij.
'Niet meer dan jij.'
Hij zoog opnieuw op haar vingers. 'Later,' zei hij. 'Ik sleep die verrekte Aussies mee over het slagveld en als je daarna

nog hier bent... Je weet wat er dan gaat gebeuren.'
'Dan is het te laat. Bernie denkt dat ik alleen maar even naar de slager ben.'
Malcolm wierp haar een gekwelde blik toe, om te laten zien dat de gedachte aan haar ongelukkige en onwetende echtgenoot – zijn oudste en beste vriend, Bernie – hem tot in zijn ziel raakte. 'Dan komt er wel een andere keer. Er komen nog honderden keren. Met honing en room. Met kaviaar. Met oesters. Heb ik je ooit verteld wat ik met de oesters wil doen?'
'Wat dan?' vroeg ze.
Hij glimlachte. 'Wacht maar eens af.'
Hij ging weer terug naar de badkamer en zette de douche aan. Zoals gewoonlijk druppelde er een ontoereikend straaltje water uit de douchekop. Malcolm deed zijn ochtendjas uit, huiverde en vervloekte zijn omstandigheden. Vijfentwintig jaar voor de klas, geschiedenisles geven aan pukkelige herrieschoppers die zich voor niets anders interesseerden dan voor het voldoen aan de onmiddellijke behoeften van hun zweterige handpalmen, en wat had hij eraan overgehouden? Twee kamers boven en twee kamers beneden in een oud rijtjeshuis, in de straat waarin het gymnasium van Gloucester stond. Een verouderde Vauxhall zonder reservewiel. Een maîtresse die al vele keren gehuwd was geweest en een voorliefde had voor bizarre seks. En een passie voor een reeds lang gestorven koning die – dat wist hij zeker – de bron was waaruit zijn toekomst zou stromen. De middelen daartoe waren zo dichtbij, slechts enkele kwellende centimeters buiten zijn gretige greep. Wanneer zijn reputatie eenmaal was gevestigd zouden de contracten voor boeken, de aanvragen voor lezingen en de aanbiedingen voor een lucratieve baan vanzelf volgen.
'Shit!' brulde hij toen het water uit de douche zonder waarschuwing overging van lauw naar gloeiend heet. 'Verdomme!' Blindelings tastte hij naar de kranen.

'Net goed,' zei Betsy vanuit de deuropening. 'Je bent een ondeugende jongen en ondeugende jongens verdienen straf.'
Hij knipperde het water uit zijn ogen en keek loensend naar haar. Ze had zijn beste flanellen overhemd aangetrokken – precies dat wat hij had willen aantrekken voor de rondleiding over Bosworth Field, dat verdomde mens – en ze leunde tegen de deurpost in wat zij dacht dat een verleidelijke pose was. Hij lette niet op haar en ging door met douchen. Hij wist dat ze haar zin wilde krijgen en haar zin was nog een vrijpartijtje voor hij wegging. Vergeet het maar, Bets, zei hij in stilte tegen haar. Je moet het lot niet tarten.
'Ik begrijp je niet, Mal Cousins,' zei ze. 'Je bent de enige man op deze wereld die liever met een stelletje toeristen over een modderig veld banjert dan lekker in bed te kruipen met de vrouw van wie hij zegt dat hij houdt.'
'Hij zegt het niet, het is zo,' zei Malcolm automatisch. Hun gesprekken na de vrijpartij werden gekenmerkt door een saaie eentonigheid die hem mateloos begon te irriteren.
'Is dat zo? Ik heb er niets van gemerkt. Ik zou denken dat je veel meer om die koning Hoe-heet-hij-ook-weer geeft dan om mij.'
Nou, Richard was in elk geval veel interessanter, dacht Malcolm. Maar hij zei: 'Doe niet zo gek. Bovendien levert het geld op voor ons appeltje voor de dorst.'
'We hebben geen appeltje voor de dorst nodig,' zei ze. 'Dat heb ik je zeker al honderd keer gezegd. We hebben het...'
'Als extraatje,' viel hij haar snel in de rede. Er moest zo weinig mogelijk worden gezegd over het onderwerp van Betsy's verwachtingen. 'Het is een goede ervaring. Wanneer het boek af is zullen er interviews zijn, optredens, lezingen. Daarvoor moet ik ervaring opdoen. Wat ik nodig heb' – dit zei hij met een innemend lachje in haar richting – 'is

meer dan één toehoorder, schat. Bedenk eens wat er allemaal zal gebeuren, Bets. Cambridge, Oxford, Harvard, de Sorbonne. Zou je het leuk vinden in Massachusetts? Wat denk je van Frankrijk?'
'Bernie heeft weer last van zijn hart, Mal,' zei Betsy en ze liet haar vinger over de deurpost glijden.
'O, ja?' zei Malcolm opgewekt. 'Die arme, ouwe Bernie. Arme kerel.'

Bernie was natuurlijk een probleem. Malcolm had er echter het volste vertrouwen in dat Betsy Perryman dat varkentje wel kon wassen. Op een keer, toen ze lagen na te genieten van seks en goedkope champagne, had ze hem toevertrouwd dat elk van haar vier huwelijken een stap voorwaarts was geweest die haar verder had gebracht dan het huwelijk dat eraan vooraf was gegaan. Je had er niet veel hersens voor nodig om te begrijpen dat van een huwelijk met een verstokte dronkaard – hoe vriendelijk ook – naar een verhouding met een leraar, die bezig was een stuk middeleeuwse geschiedenis te ontrafelen dat het land op zijn kop zou zetten, weer een stap in de goede richting was. Dus Betsy zou wel iets aan Bernie doen. Het was slechts een kwestie van tijd.
Scheiden was natuurlijk niet aan de orde. Malcolm had er wel voor gezorgd dat Betsy begreep dat hij, hoewel hij wanhopig, krankzinnig snakte naar seks en alles wat bij een leven met haar hoorde, haar net zomin zou vragen om met hem te gaan samenleven in zijn huidige, armelijke toestand als hij zou verwachten dat de toekomstige prinses van Wales in een zitslaapkamertje op de zuidelijke oever van de Theems zou trekken. Niet alleen zou hij dat niet van haar vragen, hij zou het niet toestaan. Betsy – zijn geliefde – verdiende zoveel meer dan hij haar zou kunnen geven, zoals het er nu voor stond. Maar wanneer zijn schip binnenkwam... Of als er, god verhoede, iets met Bernie

zou gebeuren... Dit was, hoopte hij, voldoende om een lichtje te doen opgaan in de sponzige grijze massa die voor haar hersens doorging.
Malcolm voelde zich niet schuldig bij de gedachte aan het heengaan van Bernie Perryman. Toegegeven, ze kenden elkaar al van kinds af aan, hun moeders waren jeugdvriendinnen geweest. Maar toen ze bijna volwassen waren, hadden hun wegen zich gescheiden. De arme Bernie was, omdat hij niet in staat was zijn diploma te halen, gedoemd tot een leven op de boerderij van zijn familie, terwijl Malcolm naar de universiteit was gegaan. En daarna... nou, het verschil in opleiding vergde wel het een en ander om te kunnen blijven communiceren met je vroegere – en minder hoog opgeleide – kameraden, nietwaar? Bovendien had Malcolm, toen hij was afgestudeerd, gemerkt dat zijn oude vriend zijn ziel aan de Black Bush-duivel had verkocht. Dus welk nut zou het hebben om zijn vriendschap met de grootste dronkaard van het district te hernieuwen? Toch wilde Malcolm graag geloven dat hij een greintje medelijden voor Bernie koesterde. Jarenlang was hij één keer per maand naar de boerderij gegaan – onder de bescherming van de duisternis, natuurlijk – om een spelletje schaak met zijn vroegere vriend te spelen en om te luisteren naar diens dronkemansoverpeinzingen over hun jeugd en over hoe het had kunnen zijn.
Toen had hij ook voor het eerst gehoord over het legaat, zoals Bernie het had genoemd. En daarom was hij de afgelopen twee jaar met Bernies vrouw naar bed gegaan, met als doel het legaat in handen te krijgen. Bernie was de laatste in de lijn van erfgenamen. Het legaat zou aan Betsy vervallen. En Betsy zou het aan Malcolm geven.
Dat wist ze nog niet. Maar ze zou het gauw genoeg weten. Malcolm glimlachte bij de gedachte aan wat Bernies legaat kon doen om zijn, Malcolms, carrière te bevorderen. Bijna tien jaar had hij driftig geschreven aan wat hij de werktitel

Dickons ontmaskering had gegeven, – de zuivering van de reputatie van Richard III – en wanneer hij het legaat goed en wel in handen had was zijn toekomst verzekerd. Tijdens de rit naar Bosworth Field en de Australische ricardianen die daar op hem wachtten, fluisterde hij zachtjes de eerste regel van het allerlaatste hoofdstuk van zijn meesterwerk. 'Als gevolg van de beweerde verdwijning van Edward de Bastaard, graaf van Pembroke en March, en Richard, hertog van York, hebben de geschiedkundigen per traditie vertrouwd op bronnen die werden besmet door hun eigenbelang.'
God, wat had hij dat mooi geschreven, dacht hij. Sterker nog, het was de waarheid.

De bus stond er al toen Malcolm met een vaartje het parkeerterrein van Bosworth Field op reed. De inzittenden, allen kennelijk vrouwelijk en helaas op leeftijd, waren zo dom geweest om uit te stappen. Ze stonden dicht bijeen te rillen en leken schaapachtig en verloren in de stormachtige wind die over het terrein joeg. Toen Malcolm zich uit zijn auto hees, maakte een lid van de groep zich uit hun midden los om met grote passen op hem af te lopen. Ze was stevig gebouwd en veel jonger dan de rest, zodat Malcolm de hoop koesterde dat hij zich met de nodige hoeveelheid charme uit het penibele moment zou kunnen kletsen. Toen zag hij echter haar kortgeknipte haar, de opgezette enkels en de dikke kuiten... om nog maar niet te spreken van het klembord waarmee ze onder het lopen tegen haar hand sloeg. Een ontevreden lesbische reisleidster die bloed ruikt, dacht hij. God, wat een dodelijke combinatie.
Niettemin wierp hij haar een stralende glimlach toe. 'Sorry,' riep hij. 'Verdorie, ik had autopech.'
'Hoor eens, makker,' zei ze met het onmiskenbare nasale accent – waarbij alle langgerekte a's lange i's werden – van een bewoner van het land van de kangoeroes, 'wanneer

Romantiek van Groot-Brittannië betaalt voor een rondleiding om twaalf uur 's middags, verwacht Romantiek van Groot-Brittannië dat die verdomde rondleiding om twaalf uur begint. Waarom ben je zo laat? Het lijkt hier verdorie wel Siberië. We hadden wel kunnen doodvriezen. Jezus, laten we opschieten.' Ze draaide zich om en gebaarde naar haar kudde dat die zich naar de rand van het parkeerterrein moest begeven, waar het voetpad begon dat om het slagveld heen liep.

Malcolm haastte zich achter hen aan. Nu zijn fooien gevaar liepen zou hij zijn late komst moeten goedmaken door zijn kennis op onweerstaanbare wijze tentoon te spreiden.

'Ja, ja,' zei hij met niet-gemeende jovialiteit toen hij naast haar ging lopen. 'Het is ongelooflijk dat u over Siberië begint, mevrouw...?'

'Sludgecur,' zei ze en hij zag aan haar gezicht dat hij het niet moest wagen op de naam te reageren.

'Ach, ja. Mevrouw Sludgecur. Natuurlijk. Zoals ik zei, het is ongelooflijk dat u over Siberië begon, omdat dit gedeelte van Engeland de hoogste plek is ten westen van de Oeral. Daarom hebben we hier die Moskou-achtige temperaturen. U kunt u voorstellen hoe het in de vijftiende eeuw geweest moet zijn, toen...'

'We zijn hier niet voor meteorologie,' blafte ze. 'Schiet op, voor mijn dames hier vastvriezen.'

Haar dames kwetterden, terwijl ze zich staande probeerden te houden in de wind en zich aan elkaar vasthielden. Ze hadden de 'gedroogde appeltjes'-gezichtjes van tachtigjarigen en ze keken naar Sludgecur met de eerbied van kinderen die hun ouders iedereen hadden zien afblaffen.

'Ja, goed dan,' zei Malcolm. 'Het weer is de voornaamste reden dat het slagveld in de winter niet toegankelijk is. We hebben een uitzondering gemaakt voor uw groep omdat die uit mede-ricardianen bestaat. En wanneer mede-

ricardianen op bezoek komen in Bosworth willen we hen graag van dienst zijn. Het is de beste manier om ervoor te zorgen dat de waarheid aan het licht komt. Ik ben ervan overtuigd dat u allen het daarmee eens zult zijn.'
'Verdomme, waar sta je toch over te bazelen?' vroeg Sludgecur. 'Mede-wie? Mede-wat?'
Dat had Malcolm duidelijk moeten maken dat de rondleiding niet zo gladjes zou verlopen als hij had gehoopt. 'Ricardianen,' zei hij, met een stralende blik naar de dames op leeftijd die om Sludgecur heen stonden. 'Zij die geloven in de onschuld van Richard III.'
Sludgecur keek hem aan alsof hij plotseling vleugels had gekregen. 'Wat? Je hebt hier te maken met de Romantiek van Groot-Brittannië, makker. De verdomde Jane Eyre, de verrekte meneer Rochester, Heathcliff en Cathy, Maxim de Winter, Gabriel Oak. Vandaag is het de Dag van Liefde op het Slagveld, en we willen waar voor ons geld. Begrepen?'
Hun geld, daar draaide het allemaal om. Het feit dat ze ervoor betaalden, had ervoor gezorgd dat Malcolm hier was. Maar, jezus, dacht hij, wisten die zoekers naar romantiek eigenlijk wel waar ze zich bevonden? Wisten ze wel – gaven ze er feitelijk wel iets om – dat de laatste koning die in de gewapende strijd was gesneuveld zijn noodlot tegemoet was gegaan op nog geen kilometer hiervandaan? Blijkbaar niet. Ze waren hier niet om Richard te steunen. Ze waren hier omdat het deel uitmaakte van hun geheel verzorgde reis. Onbeantwoorde liefde, hopeloze liefde en toegewijde liefde waren al afgekruist op de lijst. En nu werd van hem verwacht dat hij op de een of andere manier een versie van dodelijke liefde voor hen zou verzinnen, zodat ze hem aan het eind van de middag ieder een paar pond zouden toestoppen. Vooruit dan maar. Dat kon hij nog wel opbrengen.

Malcolm dacht niet meer aan Betsy voor hij bleef staan bij het eerste paaltje langs de route, dat Richards oorspronkelijke positie in de strijd aangaf. Terwijl zijn toehoorsters foto's namen van de vlag met de witte ever, die in de ijzige wind aan de vlaggenmast wapperde die het kampement van de koning markeerde, keek Malcolm langs hen heen naar de vervallen gebouwen van Windsong Farm, die zichtbaar waren op de top van de volgende heuvel. Hij kon het huis zien en hij kon Betsy's auto op het erf zien staan. De rest kon hij erbij denken en hopen.

Het zou Bernie niet zijn opgevallen dat zijn vrouw er drieënhalf uur voor nodig had gehad om een kilo gehakt te halen in Market Bosworth. Het was tenslotte bijna halfeen, en ongetwijfeld zou hij, zoals gewoonlijk, aan de keukentafel zitten en proberen om een van zijn Formule 1-modellen in elkaar te zetten. De stukken zouden voor hem uitgespreid liggen en misschien was het hem gelukt een ervan op de auto vast te lijmen voordat hij te erg ging trillen en hij een glas Black Bush had moeten nemen om het trillen tot bedaren te brengen. Het ene glas whisky zou op het andere zijn gevolgd, tot hij te bezopen was om een tube lijm vast te houden.

De kans was groot dat hij al boven op het modelautootje in elkaar gezakt was. Het was zaterdag en hij zou aan het werk moeten zijn in de kerk van St. James, waar hij voorbereidingen moest treffen voor de dienst van zondag. Maar die brave, ouwe Bernie zou er geen flauw benul van hebben gehad wat voor dag het was, tot Betsy was teruggekomen, het gehakt vlak naast zijn oor op tafel had gekwakt en hem uit zijn dronkemansslaap had gewekt.

Als zijn hoofd omhoogschoot, zou Betsy de afdruk van de naam van de auto op zijn huid zien en ze zou er op gepaste wijze van walgen. Met Malcolm nog vers in haar geheugen zou ze voelen hoe onrechtvaardig haar situatie was.

'Ben je al naar de kerk geweest?' zou ze Bernie vragen. Het

was zijn enige baantje, want sinds acht generaties had geen Perryman het land van de familie meer bewerkt. 'Dominee Naughton is niet zoals de anderen, Bernie. Hij is niet van plan om alles van je te slikken omdat je een Perryman bent, dat weet je. Je moet vandaag aan de slag in de kerk en op het kerkhof. En het wordt tijd dat je ermee begint.'
Bernie had nooit een kwade dronk gehad en dat zou vandaag ook niet het geval zijn. Hij zou zeggen: 'Ik ga al, moedertje. Maar ik heb zo'n verdomde dorst. Mijn keel lijkt wel een zandafgraving, moedertje van me.'
Hij zou haar dezelfde vriendelijke glimlach schenken die Betsy's hart had veroverd in Blackpool, waar ze elkaar hadden ontmoet. En die glimlach zou zijn vrouw aan haar plicht herinneren, ondanks dat wat ze eerder op de dag met Malcolm had gedaan. Maar dat was goed, want het laatste wat Malcolm wilde, was dat Betsy Perryman haar plicht zou vergeten.
Dus ze zou hem vragen of hij zijn medicijnen had ingenomen en omdat Bernie Perryman nooit iets deed – behalve zich een Black Bush inschenken – zonder er minstens tien keer aan herinnerd te zijn, zou het antwoord nee zijn. Dus Betsy zou de pilletjes halen en de voorgeschreven hoeveelheid in haar hand schudden. Bernie zou ze gehoorzaam innemen en vervolgens het huis uit strompelen – zonder jasje, zoals gewoonlijk – en naar de kerk van St. James waggelen om zijn plicht te doen.
Betsy zou hem naroepen dat hij zijn jasje moest aantrekken, maar Bernie zou die suggestie wegwuiven. Zijn vrouw zou schreeuwen: 'Bernie! Het wordt je dood nog eens...' en dan haar mond houden omdat er plotseling een gedachte bij haar opkwam. Tenslotte was Bernies dood noodzakelijk voor haar om bij haar geliefde te kunnen zijn.
Dus haar blik zou blijven rusten op het flesje pillen dat ze in haar hand hield en ze zou het etiket lezen: DIGITOXINE.

NIET MEER DAN ÉÉN TABLET PER DAG TENZIJ ANDERS VOORGESCHREVEN DOOR DE ARTS.

Op dat moment zou ze misschien ook horen wat de dokter haar had uitgelegd: 'Het is net zoiets als digitalis. Daar hebt u vast wel van gehoord. Een overdosis zou zijn dood betekenen, mevrouw Perryman, dus u moet goed opletten en ervoor zorgen dat hij nooit meer dan één tablet inneemt.'

'Meer dan één tablet' zou in haar oren blijven doorklinken. Haar vrijpartijtje van die ochtend met Malcolm zou in haar herinnering bovenkomen. Ze zou een pil uit het flesje schudden en die bekijken. Ten slotte zou ze gaan denken aan een manier om de toekomst een andere wending te geven.

Tevreden wendde Malcolm zijn blik af van de boerderij om weer naar zijn ontluikende ricardianen te kijken. Alles verliep volgens plan.

'Vanaf deze plek,' vertelde Malcolm zijn gehoor van gretige, maar oudere zoekenden naar liefde op het slagveld, 'kunnen we in het noordoosten het dorpje Sutton Cheney zien.' Alle hoofden draaiden die kant uit. Misschien vroren hun antieke venusheuvels er bijna af, maar het was tenminste een gewillige groep. Behalve Sludgecur, die, als ze al een venusheuvel had, die ongetwijfeld verstopt had in een lange onderbroek. Haar gelaatsuitdrukking daagde hem uit romantiek tevoorschijn te toveren uit de Slag bij Bosworth. Prima, dacht hij, en hij nam de handschoen op. Hij zou hun romantiek geven. Hij zou hun ook een stuk geschiedenis geven dat hun leven zou veranderen. Misschien waren de leden van deze groep Aussies geen ricardianen geweest toen ze bij Bosworth Field aankwamen, maar verdomme, ze zouden beginnende ricardianen zijn wanneer ze vertrokken. En ze zouden de andere tegenvoeters en hun kleinkinderen vertellen dat het Malcolm Cousins was – dé Malcolm Cousins, zouden ze zeggen –

die hen voor het eerst bewust had gemaakt van het grove onrecht dat een fatsoenlijke koning was aangedaan.
'Het was daar, in het dorpje Sutton Cheney, in de kerk van St. James, dat koning Richard bad aan de vooravond van het gevecht,' zei Malcolm tegen hen. 'Stelt u zich eens voor hoe die avond geweest moet zijn.'
Vandaar ging hij verder op de automatische piloot. Hij had het verhaal honderden malen verteld gedurende de jaren waarin hij was opgetreden als speciale gids voor groepen op Bosworth Field. Het enige wat hij hoefde te doen was de romantische bijzonderheden naar boven halen, en dat was geen probleem.
De strijdmacht van de koning – 12.000 man – had zijn kamp opgeslagen op de helling van Ambion Hill, waar Malcolm Cousins en zijn groep bibberende neo-ricardianen nu stonden. De koning wist dat zijn lot de volgende dag beslist zou worden: óf hij zou doorgaan te regeren als Richard III, óf zijn kroon zou veroverd worden en worden gedragen door een parvenu die het grootste deel van zijn leven op het vasteland had gewoond, veilig verborgen gehouden en verwend door mensen die sinds lange tijd de ambitie koesterden om de dynastie van York te gronde te richten. De koning was zich er zeer wel van bewust dat zijn lot in de handen lag van de gebroeders Stanley: sir William en lord Thomas Stanley. Zij waren naar Bosworth gekomen met een grote strijdmacht die in het noorden was gelegerd, niet ver van de koning, maar ook – en dat was bedreigend – niet ver van 's konings boosaardige tegenstander, Henry Tudor, graaf van Richmond, die toevallig ook lord Stanleys stiefzoon was. Om zich te verzekeren van de loyaliteit van de vader had koning Richard een van lord Stanleys eigen zoons in gijzeling genomen. Het leven van de jonge man stond op het spel als zijn vader Engelands gezalfde koning zou verraden door zich in de komende strijd aan de zijde van Tudors troepen te scharen. De Stan-

leys waren echter taaie rakkers, in niets anders geïnteresseerd dan in hun eigen belang, en dus moest de koning, ook al hield hij George Stanley vast als gijzelaar, hebben geweten hoe groot het risico was om de veiligheid van zijn troon toe te vertrouwen aan de grillen van mannen wier egoïsme hun opvallendste eigenschap was.

De avond voor de strijd zou Richard de Stanleys gezien hebben, gelegerd in het noorden, in de richting van Market Bosworth. Hij zou hun een boodschapper hebben gezonden om hen eraan te herinneren dat, omdat George Stanley nog steeds in gijzeling werd gehouden, midden in het kamp van de koning, het verstandig zou zijn om de volgende dag de zijde van de koning te kiezen.

Hij moest rusteloos geweest zijn, Richard. Hij moest innerlijk verscheurd zijn geweest. Hij had zijn oudste zoon en erfgenaam en daarna zijn vrouw verloren tijdens zijn korte regeringsperiode. Hij was geconfronteerd met het verraad van vrienden die hem ooit trouw waren geweest. Kan er ook maar de geringste twijfel bestaan dat hij zich – al was het slechts vluchtig – zou hebben afgevraagd hoelang hij nog zou kunnen doorgaan? En, omdat hij was opgegroeid met de religie van zijn tijd, kan er nog aan worden getwijfeld of hij wist dat wanhoop een van de grootste zonden was. En, aangezien dit een feit was, moet men zich dan nog afvragen wat de koning zou hebben willen doen op de avond voor de strijd?

Malcolm liet zijn blikken over de groep dwalen. Ja, er waren beslist een paar omfloerste ogen bij die hem voldoening schonken. Ze zagen de romantiek die behoorde bij een koning die weduwnaar was geworden, die niet alleen zijn vrouw maar ook zijn erfgenaam had verloren en die binnen luttele uren ook zijn leven zou verliezen.

Malcolm wierp Sludgecur een zegevierende blik toe. Haar blik zei: probeer je geluk niet te veel op de proef te stellen.

Het was helemaal geen kwestie van geluk, wilde Malcolm

haar zeggen. Het was de grote romantiek van het horen van de waarheid. De wind was in kracht toegenomen en de temperatuur was nog een graad of drie, vier gedaald, maar zijn groepje Australische oudjes was gevangen in de betovering van die augustusavond van 1485.

'De avond voor de slag,' zei Malcolm tegen hen, 'moet Richard, in de wetenschap dat hij zou sterven als hij verloor, hebben willen biechten. De geschiedenis leert ons dat er zich geen priesters of kapelaans onder Richards troepen bevonden, dus wat kon een betere plaats zijn om een biechtvader te vinden dan de kerk van St. James? Het zou stil zijn geweest in de kerk, toen Richard er binnenging. In het schip zou een devotielichtje of een kaars hebben gebrand, maar dat was dan ook alles. Het enige geluid in het gebouw zou gemaakt zijn door Richard zelf, toen hij van de deur naar het altaar liep om neer te knielen: het geritsel van zijn bombazijnen wambuis (met satijn gevoerd, deelde Malcolm zijn toehoorsters mee, wetend hoe belangrijk details waren voor deze romantische geesten), het gekraak van zijn leren gevechtslaarzen met de dikke zolen en van zijn zwaardschede, het gekletter van zijn zwaard en zijn dolk toen hij...'

'O, lieve hemel,' tsjirpte een romantische neo-ricardiaanse. 'Welke man nam er nu zwaarden en dolken mee de kerk in?'

Malcolm glimlachte charmant. Hij dacht: een man die ze verdomd goed kon gebruiken, precies wat een man die een steen wilde loswrikken nodig had. Hij zei echter: 'Ongebruikelijk, natuurlijk. Men denkt er gewoonlijk niet aan dat iemand wapens zou meenemen naar de kerk, nietwaar? Maar dit was de avond voor de strijd. Richards vijanden waren overal. Hij zou zich niet ongewapend in de duisternis hebben begeven.'

Of de koning zijn kroon droeg toen hij die avond naar de kerk ging, kan niemand vertellen, vervolgde Malcolm.

Maar als er een priester in de kerk was om zijn biecht aan te horen, dan moet diezelfde priester, kort nadat hij Richard absolutie had verleend, de koning alleen gelaten hebben om te bidden. En daar, in de duisternis, slechts beschenen door het kaarsvlammetje in het middenschip, sloot Richard vrede met de Here God en bereidde hij zich voor het noodlot tegemoet te treden dat de strijd van de volgende dag voor hem in petto had.
Malcolm keek weer naar zijn toehoorsters, om hun reacties en hun oplettendheid te peilen. Ze hingen allemaal aan zijn lippen. Hij hoopte dat ze eraan dachten hoe groot de fooi moest zijn die ze hem zouden toestoppen omdat hij zo'n fantastische voorstelling had gegeven in de ijzig koude wind.
Nadat hij zijn gebeden had opgezegd, vertelde Malcolm hun, haalde de koning zijn zwaard en zijn dolk uit hun scheden, legde ze op de ruwe, houten bank en ging ernaast zitten. En daar, in de kerk, smeedde Richard zijn plannen om Henry Tudor te vernietigen, mocht de parvenu de volgende dag als overwinnaar uit de strijd komen. Omdat Richard wist dat hij macht had – altijd al had gehad – over Henry Tudor. Die had hij tijdens zijn leven, als erkend en onoverwinnelijk aanvoerder in het strijdperk. Die zou hij behouden tot in de dood, de enige kracht die de overweldiger kon vernietigen.
'Lieve hemel,' mompelde iemand waarderend. Ja, Malcolms toehoorsters werden volledig in beslag genomen door de romantiek van het moment. Godzijdank.
'Richard,' zei hij tegen hen, 'was op de hoogte van de plannen die waren gesmeed door Henry Tudor en Elizabeth Woodville, de weduwe van zijn broer Edward IV en moeder van de twee jonge prinsen die hij al eerder in de Tower van Londen gevangen had gezet.'
'De prinsjes in de Tower,' merkte een andere stem op. 'Dat zijn de twee jongetjes die...'

'Precies,' zei Malcolm plechtig. 'Richards eigen neven.'

De koning moest hebben geweten dat Elizabeth Woodville, trouw aan haar neiging om haar brood niet slechts aan twee kanten te beboteren maar ook langs de korst, de hand van haar oudste dochter aan Tudor had beloofd, als deze de kroon van Engeland zou veroveren. Maar Richard wist ook dat, áls Tudor de volgende dag de kroon van Engeland mocht veroveren, iedere man en vrouw en ieder kind met een druppel Yorks bloed in de aderen groot gevaar liep om – permanent – te worden geëlimineerd als troonpretendent. De kinderen van Elizabeth Woodville waren daarbij inbegrepen.

Hijzelf regeerde volgens het recht van opvolging, en volgens de wet. Als rechtstreekse, en wat belangrijker was, wettige afstammeling van Edward III, was hij op de troon gekomen na de dood van zijn broer, Edward IV, nadat aan het licht was gekomen dat de losbandige Edward in het geheim met een andere vrouw getrouwd was, vóór zijn huwelijk met Elizabeth Woodville. Deze huwelijksgelofte was gedaan ten overstaan van een bisschop van de Kerk. Als zodanig was het huwelijk even geldig als wanneer het met veel pracht en praal in aanwezigheid van duizend toeschouwers was gesloten. Bij zijn latere huwelijk met Elizabeth Woodville had Edward dus bigamie gepleegd en bijgevolg waren al hun kinderen bastaarden.

Henry Tudor moest geweten hebben dat de kinderen onwettig zouden worden verklaard door het parlement. Hij moest tevens hebben geweten dat, mocht hij de overwinning behalen bij zijn confrontatie met Richard III, zijn toch al zwakke aanspraak op de troon van Engeland niet zou worden gesteund door een huwelijk met de onwettige dochter van een overleden koning. Dus hij zou iets aan die onwettigheid moeten doen.

Koning Richard moest tot deze conclusie zijn gekomen zodra hij het nieuws had vernomen dat Tudor met het meisje getrouwd was. Hij moest tevens hebben geweten dat wettigverklaring van Elizabeth van York ook betekende dat al haar zussen én haar broers erkend zouden worden. Men kon het oudste kind van een overleden koning niet erkennen en tegelijkertijd verklaren dat haar broers en zussen bastaarden waren.

Malcolm laste een veelbetekenende pauze in zijn verhaal in. Hij wachtte om te zien of de gretig zoekenden naar romantiek die zich om hem heen hadden verzameld de onderliggende bedoeling begrepen. Ze glimlachten en knikten en keken hem vriendelijk aan, maar niemand zei iets. Daarom verduidelijkte Malcolm die bedoeling voor hen.

'Haar broers,' zei hij geduldig en langzaam, om er zeker van te zijn dat ze elk romantisch detail in zich opnamen. 'Als Henry Tudor Elizabeth van York wettig verklaarde alvorens met haar te trouwen, zou hij haar broers ook moeten erkennen. En als hij dat deed, zou de oudste van de jongens...'

'Lieve hemel,' riep een van de leden van de groep. 'Dan zou híj de ware koning zijn wanneer Richard stierf.'

Dank je, mijn kind, dacht Malcolm. 'U,' riep hij uit, 'slaat de spijker op de kop.'

'Hoor eens, makker,' viel Sludgecur hem in de rede terwijl haar een licht opging in de spinnenwebben van haar hersens. 'Ik heb dat verhaal eerder gehoord. Richard zelf heeft die kereltjes laten ombrengen toen ze in de Tower zaten.'

Weer een vis die in het Tudor-aas hapte, begreep Malcolm. Na vijfhonderd jaar haalde die gemene profiteur uit Wales ze nog steeds met succes binnen. Hij kon bijna niet wachten tot de dag waarop zijn boek zou verschijnen, wanneer zijn verhaal over Richard zou worden aangekondigd als de triomf van de waarheid die de drogredenen van Tudor onthulde.

Hij was een en al geduld toen hij het uitlegde. Het verhaal

gaat dat de prinsjes in de Tower, de twee zonen van Edward IV, inderdaad waren vermoord door hun oom, Richard III, om diens positie als koning te versterken. Maar er waren geen getuigen van de moord en omdat Richard koning was geworden met goedkeuring van het parlement, had hij geen motief om hen te vermoorden. Hij had geen directe troonopvolger – zijn eigen zoon, zoals u daarstraks hebt gehoord, was immers overleden – dus wat was een betere manier om ervoor te zorgen dat de troon van Engeland onafgebroken in het bezit van de Yorks bleef dan de beide prinsjes te erkennen... na zijn dood? Op dat moment kon een dergelijk predikaat slechts worden verleend door de paus, maar Richard had twee gezanten naar Rome gestuurd en waarom zou hij die op zo'n verre reis hebben uitgezonden, tenzij het erom ging de erkenning te regelen van de beide jongens, wier rechten hun waren afgenomen door het wellustige gedrag van hun vader?

'Het gerucht ging inderdaad dat de jongens dood waren,' zei Malcolm, zo vriendelijk mogelijk. 'Maar dat gerucht kwam, merkwaardig genoeg, pas op gang vlak voordat Henry Tudor Engeland binnenviel. Hij wilde koning worden, maar hij had geen recht op het koningschap. Daarom moest hij de toenmalige vorst in diskrediet brengen. En hoe kon hij dat beter doen dan door het gerucht te verspreiden dat de prinsjes die uit de Tower waren verdwenen in werkelijkheid dood waren? Ik vraag u, dames: als ze nu eens níét dood waren?'

Er werd waarderend gemompeld in de groep. Malcolm hoorde een van de oudjes opmerken: 'Hij heeft mooie ogen', en hij liet zijn blik onmiddellijk in de richting van die stem dwalen. Ze leek op zijn grootmoeder. Ze leek bovendien enorm rijk. Hij dikte zijn charmes nog wat aan.

'Als de twee jongens nu eens door toedoen van Richard zelf uit de Tower waren gehaald om ergens te worden ondergebracht, veilig voor een mogelijke opstand? Als Henry Tudor bij Bosworth Field de overwinning zou behalen, zouden die twee jongens ernstig gevaar lopen, en koning Richard wist dat. Tudor had hun zus een trouwbelofte gedaan. Om met haar te kunnen trouwen, moest hij haar wettig verklaren. Wanneer hij dat deed zouden de prinsjes eveneens wettig zijn, en dat betekende dat een van hen, de jonge Edward, de ware, rechtmatige koning van Engeland was. De enige manier waarop Tudor dat kon voorkomen, was zich van hen te ontdoen. Voorgoed.'

Malcolm zweeg even om dit tot zijn gehoor te laten doordringen. Hij zag dat alle grijze hoofden in de richting van Sutton Cheney draaiden. Daarna naar de noordelijke vallei waar de opruiende standaard van Stanley aan de vlaggenmast wapperde. Vervolgens naar de top van Ambion Hill, waar de meedogenloze wind de witte ever van Richard heen en weer liet zwiepen. Vandaar de heuvel af in de richting van de spoorlijn, waar het leger huurlingen van Tudor destijds een armetierige frontlinie had gevormd. Overtroffen in aantal en in wapens zouden ze hebben gewacht tot de Stanleys hun aanval inzetten: vóór koning Richard, of tegen hem. Als de Stanleys zich niet onder de vlag van Tudor schaarden, zou de strijd verloren zijn.

De grijze groep ging er helemaal in mee, zag Malcolm. Maar Sludgecur was niet zo gemakkelijk over te halen. 'Hoe had Tudor de prinsjes kunnen vermoorden als ze niet meer in de Tower waren?' Ze begon met haar handen op haar armen te slaan, ongetwijfeld wensend dat ze hem op zijn gezicht kon timmeren.

'Hij heeft hen niet vermoord,' zei Malcolm vriendelijk, 'hoewel zijn machiavellistische vingerafdrukken overal op het terrein van de misdaad werden aangetroffen. Nee, Tudor was er niet rechtstreeks bij betrokken. De hele situatie is zelfs veel gemener. Zullen we dat bespreken terwijl we verdergaan, dames?'

'Aardig kontje ook,' fluisterde een van de toehoorsters. 'Die man is echt een schatje.'
Aha, ze aten uit zijn hand. Malcolm raakte steeds meer overtuigd van zijn verleidingskunst.

Hij wist dat Betsy naar hem keek vanuit de boerderij, uit het slaapkamerraam op de eerste verdieping, vanwaar ze het slagveld kon zien. Dat kon niet anders, nadat ze de ochtend samen hadden doorgebracht. Ze zou zien dat Malcolm zijn kleine kudde meenam van de ene interessante plek naar de andere, ze zou opmerken dat ze aan zijn lippen hingen en ze zou eraan denken hoe ze zelf nog geen twee uur geleden om zijn hals had gehangen. En de tegenstelling tussen haar dronken man en haar viriele minnaar zou als een pijnlijke, zware last op haar drukken.
Hierdoor zou ze inzien hoe ze zichzelf tekortdeed door bij Bernie Perryman te blijven. Ze was, zou ze denken, veertig jaar en in de bloei van haar leven. Ze verdiende iets beters dan Bernie. Om precies te zijn, ze verdiende een man die beantwoordde aan Gods plan toen hij de eerste man en de eerste vrouw had geschapen. Hij had er toch immers een rib van de man voor gebruikt? Door dat te doen had hij voor altijd duidelijk gemaakt dat man en vrouw met elkaar waren verbonden, dat vrouwen hun leven en hun bestaan dankten aan hun mannen, dat ze hun leven in dienst moesten stellen van hun man en dat ze als beloning werden behoed en beschermd door de superieure kracht van hun man. Maar Bernie Perryman zag slechts de helft van de man-vrouwvergelijking. Zij, Betsy, moest hem dienen, voor hem zorgen, hem voeden, erop toezien dat hij gezond bleef. Hij, Bernie, hoefde niets te doen. O, hij zou een zwakke poging doen om haar zo nu en dan terwille te zijn, als hij er zin in had en als hij 'm lang genoeg overeind kon houden. Maar door de whisky was het al lang geleden dat hij een vrouw had behaagd. En begrip voor haar subtielere

behoeften en zijn verantwoordelijkheid om daaraan te voldoen... die zaken kon ze gevoeglijk wel vergeten.
Zo dacht Malcolm graag aan Betsy: in haar kale slaapkamer op de boerderij, waar ze een gerechtvaardigde wrok tegen haar echtgenoot koesterde. Uitgaande van die wrok zou ze beginnen te beseffen dat hij, Malcolm, de man was voor wie ze bestemd was en ze zou tot de overtuiging komen dat alle andere relaties in haar leven slechts de proloog waren geweest tot de verbintenis die ze nu met hem had. Zij en Malcolm, zou ze beseffen, waren in alle opzichten voor elkaar geschapen.
Terwijl ze hem gadesloeg op het slagveld zou ze weer denken aan hun eerste ontmoeting en aan de vonk die tussen hen was overgesprongen vanaf de eerste dag dat Betsy op het gymnasium van Gloucester was begonnen als secretaresse van de rector. Ze zou zich herinneren wat ze had gevoeld toen Malcolm had gezegd: 'De vrouw van Bernie Perryman?' en haar openlijk had bewonderd. 'Die ouwe Bernie heeft iets voor me verborgen gehouden, en ik dacht nog wel dat we al onze diepste geheimen met elkaar deelden.' Ze zou zich herinneren dat ze had gevraagd: 'Ken je Bernie?', nog steeds blozend vanwege de gelukzaligheid van haar nieuwe huwelijk en zich er nog niet van bewust dat Bernie als gevolg van zijn drankprobleem niet voor haar zou kunnen zorgen. En ze zou zich nog heel goed Malcolms antwoord herinneren: 'Ik ken hem al jaren. We zijn samen opgegroeid, samen naar school gegaan, we hebben in onze vakanties buiten rondgezworven. We hebben zelfs onze eerste vrouw gedeeld' – en ze zou weer terugdenken aan zijn glimlach – 'dus we zijn praktisch broers, als het erop aankomt. Maar ik begrijp nu dat dat wel eens een belemmering kan zijn voor onze toekomstige relatie, Betsy.' Zijn ogen hadden de hare net lang genoeg vastgehouden om tot haar te laten doordringen dat de gelukzaligheid van haar nieuwe huwelijk lang

niet zo heet was als de blik die hij haar toewierp.
Vanuit die slaapkamer op de bovenverdieping zou ze zien dat de groep die Malcolm op het slagveld rondleidde uit vrouwen bestond en ze zou zich zorgen beginnen te maken. Door de afstand van de boerderij tot het terrein zou ze niet zien dat Malcolms oudere toehoorsters al met één been in het graf stonden, dus haar gedachten zouden onvermijdelijk afdwalen naar zijn huidige omstandigheden. Wat kon een van die vrouwen ervan weerhouden om veroverd te worden door de charmes die hij te bieden had? Deze gedachten zouden haar tot wanhoop brengen, en daar had Malcolm maandenlang vlijtig op aangestuurd, door tijdens hun tederste momenten te fluisteren: 'O, god, had ik maar geweten hoe het zou zijn om je eindelijk te bezitten. Je nu helemaal te willen...' Dan volgden de tranen die hij in haar haren stortte, en de onthulling van de schuldgevoelens en de wanhoop die hij telkens weer onderging wanneer hij verzaligd in de armen lag van de vrouw van zijn oude vriend. 'Ik kan het niet verdragen hem verdriet te doen, lieve Bets. Als jullie zouden gaan scheiden... Hoe zou ik ooit met mezelf in het reine kunnen komen als hij zou weten dat ik onze vriendschap heb verraden?'
Daaraan zou ze terugdenken, in de slaapkamer van de boerderij, met haar gloeiende voorhoofd tegen het koude vensterglas gedrukt. Ze waren die ochtend drie uur bij elkaar geweest, maar ze zou beseffen dat het niet genoeg was. Het zou nooit genoeg zijn om zo stiekem rond te sluipen als ze nu deden, om onverschilligheid voor te wenden wanneer ze elkaar op het gymnasium van Gloucester tegenkwamen. Tot ze een paar waren volgens de wet, zoals ze nu al een paar vormden in geestelijk, verstandelijk, emotioneel en fysiek opzicht, zou ze geen rust hebben.
Bernie stond echter tussen haar en haar geluk, zou ze denken. Bernie Perryman, tot overmatig alcoholgebruik

gedreven door de duivelse angst dat de aangeboren afwijking die de dood had betekend voor zijn grootvader, zijn vader en zijn beide broers, nog vóór hun 45e verjaardag, ook hem zou opeisen. 'Een zwak hart,' had Bernie meerdere malen tegen haar gezegd, omdat hij het nodig had als excuus voor alles wat hij de afgelopen dertig jaar gedaan en niet gedaan had. 'Het pompt nooit zoals het zou moeten. Niets dan een lichte trilling, wanneer het zou moeten bonzen. Ik moet voorzichtig zijn. Ik moet mijn pillen innemen.'

Maar als Betsy haar man er niet aan hielp herinneren dat hij dagelijks zijn pillen moest innemen, zou hij waarschijnlijk vergeten dat er pillen wáren, laat staan dat hij de reden zou weten waarom hij ze moest slikken. Het leek er bijna op dat hij dood wilde, Bernie Perryman. Het leek er bijna op dat hij slechts wachtte op het juiste moment om haar de vrijheid te geven.

Wanneer ze goed en wel vrij was, zou Betsy denken, zou het legaat van haar zijn. En het legaat was de sleutel tot haar toekomst met Malcolm. Omdat zij en Malcolm, wanneer ze het legaat eindelijk in handen had, konden trouwen, en dan zou Malcolm zijn slecht betaalde baan bij het gymnasium van Gloucester vaarwel kunnen zeggen. Tevreden met zijn research, zijn schrijverij en zijn lezingen, zou hij overvloeien van dankbaarheid jegens haar, omdat ze zijn nieuwe levensstijl mogelijk had gemaakt. En omdat hij dankbaar was zou hij maar al te graag in haar behoeften willen voorzien.

Dat was, zou ze denken, beslist hoe het was voorbeschikt.

In de Plantagenet, het dorpscafé van Sutton Cheney, telde Malcolm het fooiengeld dat hij voor zijn werk van die ochtend had gekregen. Hij had zich er helemaal voor ingezet, maar de Australische oudjes waren een krenterig stelletje gebleken. Hij had veertig pond gekregen voor de rondleiding en de uiteenzetting – wat verschrikkelijk weinig was, gezien de grondige informatie die hij verstrekte – en vijfentwintig pond aan fooien. Hij mocht nog blij zijn dat er munten van een pond waren, dacht hij somber. Als dat niet het geval was geweest, zouden de gierige oude loeders waarschijnlijk hebben volstaan met niet meer dan vijftig pence per persoon.

Terwijl hij het geld in zijn zak stopte, ging de deur van het café open. Een vlaag ijzige wind blies de gelagkamer in. De vlammen van het vuur naast hem flakkerden en er waaide as op de schoorsteenmantel. Malcolm keek op. Bernie Perryman, slechts gekleed in cowboylaarzen, een spijkerbroek en een T-shirt, bedrukt met de woorden TEAM FERRARI, stommelde dronken het café binnen. Malcolm probeerde zichzelf kleiner te maken om zich onzichtbaar te maken, maar het was onmogelijk. Nadat hij langdurig blootgesteld was geweest aan de wind op Bosworth Field, had zijn behoefte aan warmte hem een plaats laten kiezen vlak naast het laaiende berkenvuur. Daardoor bevond hij zich direct in Bernies gezichtsveld.

'Malkie!' riep Bernie opgetogen en hij ging door zoals hij dat altijd deed wanneer ze elkaar ontmoetten. 'Malkie, ouwe makker! Wat dacht je van een spelletje schaak? Ik mis onze partijtjes wel, hoor.' Hij huiverde en sloeg zich met zijn armen warm. Zijn lippen waren blauw. 'Godalmachtig, wat staat er een koude wind. Schenk mij maar een Blackie in,' riep hij tegen de kastelein. 'Maak er maar een dubbele van, en dubbel snel.' Grinnikend liet hij zich op een kruk aan Malcolms tafeltje vallen. 'En, hoe gaat het met het boek, Malkie? Verschijnt je naam al in neonletters? Heb je al een uitgever gevonden?' Hij lachte.

Malcolm zette het schuldgevoel dat hij nog zou kunnen hebben over het feit dat hij vlijtig bezig was de vrouw van deze dronkelap te pakken wanneer zijn lichaam van middelbare leeftijd tegen die uitdaging opgewassen was, van

zich af. Bernie Perryman verdiende het om bedrogen te worden, als straf voor de kwelling waaraan hij Malcolm de afgelopen tien jaar had onderworpen.
'Je bent nooit over dat laatste spelletje heen gekomen, hè?' Bernie grinnikte opnieuw. Het glas Black Bush werd voor hem neergezet en hij sloeg de whisky in één slok achterover. Hij blies borrelend lucht tussen zijn lippen vandaan, zei: 'Dat deed me goed', en bestelde meteen een nieuwe. 'Nou, hoe zat het ook weer, Malkie? Ben je al toe aan het beste deel van het verhaal? Het zal natuurlijk moeilijk te bewijzen zijn, denk je ook niet, makker?'
Malcolm telde tot tien. Bernie kreeg zijn tweede dubbele whisky, die dezelfde weg ging als de eerste.
'Maar ik zeur voor niets tegen je aan,' zei Bernie, plotseling berouwvol zoals dat bij de meeste dronken mensen gaat. 'Je hebt me nooit laten zitten, behalve die keer bij het examen, natuurlijk, en dus moet ik jou ook goed behandelen. Ik wens je het beste toe. Echt waar. Alleen lopen de dingen nooit zo als ze zouden moeten lopen, zo is het toch?'
Dat, dacht Malcolm, was verdomme nu juist waar het om ging. De dingen, zoals Bernie ze noemde, waren voor Richard ook niet goed gelopen, op die fatale ochtend op Bosworth Field. De graaf van Northumberland had hem laten vallen, de Stanleys hadden hem door en door bedrogen en een onervaren parvenu die noch de bekwaamheid noch de moed bezat om de koning in de beslissende strijd tegemoet te treden, had die dag gewonnen.
'Dus vertel Bern een andere keer je verhaal nog maar eens. Ik vind het een prachtverhaal, echt waar, en zo is het. Ik wilde alleen dat je kans zag om het te bewijzen. Met dat boek zou je kostje gekocht zijn. Hoelang ben je nu al bezig aan het manuscript?' Bernie haalde een smerige vinger langs de binnenkant van zijn whiskyglas en likte de laatste druppels eraf. Hij veegde zijn mond af met de rug van zijn

hand. Hij had zich die ochtend niet geschoren. Hij had in geen dagen een bad genomen. Even voelde Malcolm bijna medelijden met Betsy, omdat ze met die weerzinwekkende man onder één dak moest leven.

'Ik ben gekomen tot Elizabeth van York,' zei Malcolm zo vriendelijk mogelijk, gezien de antipathie die hij voor Bernie voelde. 'De dochter van Edward IV. Toekomstig echtgenote van de koning van Engeland.'

Bernie glimlachte zijn tanden bloot, die nodig gepoetst moesten worden. 'Tjee, die griet vergeet ik altijd, Malkie. Hoe zou dat komen, denk je?'

Omdat iedereen Elizabeth altijd vergat, dacht Malcolm in stilte. Ze was de oudste dochter van Edward IV, maar werd altijd beschouwd als een voetnoot in de geschiedenis, de oudste zus van de prinsjes in de Tower, de plichtsgetrouwe dochter van Elizabeth Woodville, een pion in het politieke machtsspel, de latere vrouw van die Tudor-overweldiger, Henry VII. Zij had tot taak het zaad van de dynastie te dragen, voor de erfgenamen te zorgen en daarna in vergetelheid weg te zinken.

Het ging hier echter om een vrouw die voor de helft een Woodville was, door wier aderen het dikke bloed van die intrigerende, ambitieuze clan stroomde. Dat ze koningin van Engeland wilde worden, zoals haar moeder vóór haar, was vastgesteld in de zeventiende eeuw toen sir George Buck in zijn *Geschiedenis van het Leven en de Regering van Richard III* had beschreven dat de jonge Elizabeth in een brief aan de hertog van Norfolk had gevraagd om als tussenpersoon te fungeren tussen haar en koning Richard over hun huwelijk, door hem te vertellen dat zij in hart en gedachten de koning toebehoorde. Dat ze even meedogenloos was als haar beide ouders kwam duidelijk tot uiting in het feit dat haar brief aan Norfolk reeds werd geschreven voorafgaand aan de dood van Richards vrouw, koningin Anne.

De jonge Elizabeth was haastig uit Londen afgevoerd naar Yorkshire, ogenschijnlijk om veiligheidsredenen, voorafgaand aan de invasie door Henry Tudor. Daar verbleef ze in Sheriff Hutton, een vesting ergens op het platteland waar iedereen loyaal was aan koning Richard. Elizabeth zou goed beschermd – om niet te zeggen goed bewaakt – zijn in Yorkshire. Evenals haar broers en zussen.
'Heb je nog steeds een zwak voor Lizzie?' vroeg Bernie grinnikend. 'Man, wat kon je doorzagen over dat meisje.'
Malcolm onderdrukte zijn woede maar kon zich er niet van weerhouden de man inwendig naar de hel te wensen. Bernie had een diepe afkeer van iemand die iets van zijn leven wilde maken. Dergelijke mensen herinnerden hem eraan dat hij van zijn eigen leven een puinhoop had gemaakt.
Bernie moest iets aan Malcolms gezicht hebben gezien, want nadat hij zijn derde dubbele whisky had besteld, zei hij: 'Nee, nee, ga door. Ik maakte maar een grapje. Wat deed je hier vandaag eigenlijk? Was jij dat, op het slagveld, toen ik erlangs reed?'
Bernie wist dat hij het was geweest, besefte Malcolm. Maar de opmerking herinnerde hen beiden aan Malcolms hartstocht en aan de greep die Bernie Perryman erop had. God, hij zou zo graag op de tafel willen springen en schreeuwen: 'Ik neuk de vrouw van deze idioot twee keer per week, drie of vier keer als ik het kan klaarspelen. Ze waren twee maanden getrouwd toen ik haar voor de eerste keer neukte, zes dagen nadat we aan elkaar waren voorgesteld.'
Wanneer hij zijn zelfbeheersing zou verliezen, zou dat echter precies zijn wat Bernie Perryman wilde van zijn oude vriend Malcolm Cousins: het hem betaald zetten dat hij destijds had geweigerd om Bernie te helpen bedrog te plegen bij zijn examens. De man had het geheugen van een olifant en was geneigd om wrok te blijven koesteren. Maar dat was Malcolm ook.
'Ik weet het niet, Malkie,' zei Bernie hoofdschuddend, ter-

wijl de whisky voor hem werd neergezet. Met onvaste hand pakte hij het glas, zijn tong bevochtigde zijn onderlip. 'Het lijkt onnatuurlijk dat Lizzie die mannen naar het schavot stuurde. Niet haar eigen broers. Zelfs niet om koningin van Engeland te worden. Trouwens, ze waren toch niet eens bij haar in de buurt? Niets dan speculaties, als je het mij vraagt. Niets dan speculaties en geen greintje bewijs.'

Vertel nooit, dacht Malcolm voor de duizendste keer, een dronkaard je geheimen of je dromen.

'Het wás Elizabeth van York,' zei hij nogmaals. 'Uiteindelijk was zij verantwoordelijk.'

Sheriff Hutton lag niet onoverkomelijk ver verwijderd van Rievaulx, Jervaulx en Fountains Abbeys. En het wegstoppen van personen in abdijen, kloosters en priorijen was destijds een gangbare traditie. Gewoonlijk waren het vrouwen die een enkele reis naar het ascetische leven kregen. Maar twee jonge jongens, vermomd als jeugdige novices, zouden er veilig zijn geweest voor de lange arm van Henry Tudor, mocht deze de troon van Engeland in de strijd hebben veroverd.

'Tudor zou geweten hebben dat de jongens leefden,' zei Malcolm. 'Toen hij de gelofte deed om met Elizabeth te trouwen, moet hij hebben geweten dat de jongens nog in leven waren.'

Bernie knikte. 'Arme donders,' zei hij met gespeeld meegevoel. 'En arme, oude Richard, die de schuld kreeg. Hoe heeft ze hem in haar klauwen gekregen, Malkie? Wat denk je? Zou ze een deal met Tudor hebben gemaakt?'

'Ze wilde liever koningin zijn dan slechts de zus van een koning. Er was maar één manier waarop dat mogelijk was. En Henry was elders op zoek geweest naar een vrouw, op hetzelfde moment dat hij onderhandelde met Elizabeth Woodville. Het meisje moet het hebben geweten. Dat, en wat het betekende.'

Bernie knikte plechtig, alsof hij het hem iets kon schelen wat er meer dan vijfhonderd jaar geleden op een avond in augustus was gebeurd, op nog geen tweehonderd meter afstand van het café waar ze zaten. Hij sloeg zijn derde dubbele whisky achterover en klopte op zijn maag als iemand die een stevige maaltijd heeft genuttigd.
'Ik heb de kerk keurig in orde gemaakt voor morgen,' vertrouwde hij Malcolm toe. 'Vreemd eigenlijk wanneer je er over nadenkt, Malkie. Tweehonderd jaar lang hebben er nu al Perrymans rondgescharreld in de kerk van St. James. Het is zoiets als een familietraditie. Vind je ook niet? Opmerkelijk, zou ik zeggen.'
Malcolm keek hem effen aan. 'Hoogst opmerkelijk, Bernie,' zei hij.
'Heb je er wel eens over nagedacht hoe anders het leven geweest zou zijn als het jouw vader en jouw grootvader en diens grootvader waren geweest die in de kerk van St. James hadden rondgescharreld? Misschien zou ik dan jou zijn, en jíj mij. Wat denk je daarvan?'
Maar Malcolm hield zijn gedachten liever voor zich. Sterf, dacht hij. Sterf, voordat ik je vermoord.

'Wil je met me samenzijn, lieveling?' Betsy ademde vochtig de vraag in zijn oor. Weer een zaterdag. Weer drie uur in bed met Betsy. Malcolm vroeg zich af hoelang hij nog met die poppenkast door zou moeten gaan.
Hij zou haar willen vragen om een eindje op te schuiven – de vrouw kon hem eerder claustrofobie bezorgen dan een plastic zak – maar op dit punt in hun relatie wist hij dat een demonstratie van samenzijn na het vrijen voor zijn uiteindelijke doel even belangrijk was als een topprestatie tussen de lakens. En omdat zijn leeftijd, zijn zin en zijn energie allemaal samenwerkten om zijn prestatie, telkens als hij zich tussen Betsy's mollige dijen liet glijden, minder goed te laten zijn, besefte hij dat het verstandig was om toe te

laten dat ze zich aan hem vastklampte, kirde en knuffelde zo lang hij het kon verdragen zonder te gaan gillen, wanneer de daad eenmaal was volbracht.
'We zíjn toch samen?' zei hij en hij streelde haar haren. Die voelden aan als touw, het gevolg van te veel bleken en nog meer haarlak. 'Tenzij je bedoelt dat je nog een keertje wilt. En daarvoor moet ik eerst even bijkomen.' Hij draaide zijn hoofd om en drukte zijn lippen tegen haar voorhoofd. 'Je put me helemaal uit, echt waar, mijn schat. Je bent een vrouw die wel tien mannen aankan.'
Ze giechelde. 'Je vindt het lekker.'
'Niet hét. Jou. Ik kan niet zonder je.' Soms vroeg hij zich af waar hij de onzin vandaan haalde die hij haar toefluisterde. Het leek alsof een primitief deel van zijn hersens, bestemd voor het verleiden van vrouwen, op de automatische piloot ging zodra Betsy in zijn bed klom.
Ze begroef haar vingers in zijn overvloedige borsthaar. 'Ik bedoel, écht samen, schat. Wil je dat? Wij, met zijn tweetjes? Zoals nu? Voor altijd? Wil je het meer dan wat ook ter wereld?'
De gedachte alleen al riep visioenen op van levend in beton te worden begraven. Maar hij zei: 'Lieve Bets' bij wijze van antwoord en hij liet zijn stem toepasselijk trillen. 'Niet zeggen. Alsjeblieft. We kunnen het hier niet weer over hebben.' Hij trok haar ruw naar zich toe, omdat hij wist dat dat de reactie was waarnaar ze verlangde. Hij begroef zijn gezicht in de welving van haar schouder en haar hals, door zijn mond ademend om niet de liter Shalimar te inhaleren waar ze zich dagelijks mee overgoot. Hij maakte jammerende geluidjes, als een man in extremis. God, wat moest hij niet allemaal doen voor koning Richard.
'Ik heb op internet gekeken,' fluisterde ze, met haar vingers zijn nek liefkozend. 'In de schoolbibliotheek. Donderdag en vrijdag, de hele lunchpauze, lieverd.'

Hij hield op met jammeren om naar de diepere betekenis achter die opmerking te zoeken. 'O, ja?' Hij won tijd door aan haar oorlelletje te knabbelen, wachtend op meer informatie. Die was nietszeggend.
'Je houdt toch echt van me, liefste Malcolm?'
'Wat denk je?'
'En je wilt me immers?'
'Dat is toch duidelijk?'
'Voor nu en altijd?'
Voor zo lang het nodig is, dacht hij. En hij deed zijn best om het haar te bewijzen, hoewel zijn lichaam niet bereid was een volledige prestatie te leveren.
Naderhand, terwijl ze zich aankleedde, zei ze: 'Ik was zo verbaasd toen ik al die onderwerpen zag. Je kunt van alles opzoeken op internet. Stel je dat eens voor, Malcolm. Letterlijk alles. Bernie gaat schaken in de Plantagenet, lieverd. Vanavond, bedoel ik.'
Malcolm fronste zijn voorhoofd, automatisch zoekend naar het verband tussen de ogenschijnlijk los van elkaar staande mededelingen. Ze ging door.
'Hij mist jullie schaakspelletjes. Hij wil altijd zo graag dat je langskomt op de schaakavond en dat je dan tegen hem speelt, schat.' Ze waggelde naar de ladekast, waar ze haar make-up begon te verzorgen. 'Hij speelt natuurlijk niet goed. Hij gebruikt schaken alleen als een extra excuus om naar de kroeg te gaan.'
Malcolm keek naar haar met half dichtgeknepen ogen, wachtend op een teken.
Dat kreeg hij. 'Ik maak me zorgen om hem, Malcolm. Zijn arme hart zal het op een keer begeven. Ik ga vanavond met hem mee. Misschien zien we jou daar dan ook? Malcolm, schat, hou je van me? Wil je altijd bij me zijn? Is dat het liefste wat je wilt?'
Hij zag dat ze hem in de spiegel nauwlettend gadesloeg, terwijl ze de schade herstelde die hij aan haar make-up had

toegebracht. Ze stiftte haar lippen tot kleine boogjes. Met een kwastje bracht ze rouge op haar wangen aan. Maar ze bleef voortdurend naar hem kijken.
'Meer dan het leven zelf,' zei hij.
Toen ze glimlachte wist hij dat hij het juiste antwoord had gegeven.

Die avond voegde Malcolm zich in de Plantagenet bij de Sutton Cheney Schakers, van welke vereniging hij vroeger trouw lid was geweest. Bernie Perryman was opgetogen toen hij hem zag. Hij liet zijn vaste tegenspeler, de zeventigjarige Angus Ferguson, die schaken in de Plantagenet gebruikte als excuus om net zo dronken te worden als Bernie, in de steek en haalde Malcolm over om met hem te schaken aan een tafeltje in een rokerig hoekje van het café. Natuurlijk had Betsy gelijk: Bernie dronk veel sneller dan hij speelde en onder invloed van de Black Bush werd hij steeds spraakzamer. Dus hij praatte aan een stuk door.
Hij praatte tegen Betsy, die die avond voor haar man de rol van dienstmaagd speelde. Van halfacht tot halfelf draafde ze heen en weer naar de bar. Terwijl ze Bernie de ene dubbele Black Bush na de andere bracht zei ze: 'Je drinkt te veel', en: 'Dit is de laatste, Bernie.' Het werd eentonig. Maar hij slaagde er telkens weer in om haar over te halen tot: 'Nog één glaasje dan, moedertje', en hij gaf haar een tik op haar achterste, knipoogde tegen Malcolm en fluisterde luid wat hij van plan was met haar te doen wanneer ze straks thuis waren. Malcolm begon juist te denken dat hij Betsy's onuitgesproken boodschap van die ochtend totaal verkeerd had begrepen, toen ze eindelijk in actie kwam.
Dat was om halfelf, een uur voor George, de kastelein, zou roepen dat het tijd was voor het laatste rondje. Het was stampvol in de kroeg en Malcolm had haar manoeuvre zonder meer over het hoofd kunnen zien, als hij niet had

verwacht dat er die avond iets zou gebeuren. Terwijl Bernie knikkend achter het schaakbord zat en eindeloos nadacht over zijn volgende zet, liep Betsy naar de bar voor een volgende 'dubbele Blackie'. Om de bar te bereiken moest ze zich een weg banen tussen de Sutton Cheney Darters door, de kerkvoogden, een vrouwenclubje uit Dadlington en een groep tieners die probeerden de speelautomaat leeg te halen. Ze bleef even staan om met een kalende vrouw te praten, die Betsy's haar scheen te bewonderen met het gemaakte enthousiasme dat vrouwen reserveren voor andere vrouwen aan wie ze een bijzondere hekel hebben. Tijdens dit gesprek zag Malcolm Betsy het flesje leegschenken in Bernies glas.

Het gemak waarmee ze het deed vervulde hem met ontzag. Ze moest de beweging dagenlang hebben geoefend, besefte hij. Ze was zo handig dat ze het met één hand deed terwijl ze praatte: ze haalde het flesje uit haar mouw, schroefde de dop eraf, kiepte het leeg en verborg het daarna weer in haar trui. Ze beëindigde het gesprek en ze liep door. En niemand behalve Malcolm had gezien dat ze iets anders had gedaan dan slechts een nieuw glas whisky voor haar man halen. Malcolm bekeek haar met nieuw respect toen ze het glas voor Bernie neerzette. Hij was blij dat hij niet van plan was om zich voorgoed te binden aan het moordzuchtige kreng.

Hij wist wat er in het glas zat: het resultaat van de paar uur die Betsy had doorgebracht met surfen op internet. Ze had op z'n minst tien tabletten digitoxine tot een dodelijk poeder verpulverd. Een uur nadat Bernie het brouwsel had verzwolgen, zou hij dood zijn.

Bernie verzwolg het. Hij sloeg het achterover zoals hij elke dubbele Black Bush achteroversloeg die hem werd voorgezet: hij goot de whisky rechtstreeks in zijn keel en veegde zijn mond af met de rug van zijn hand. Malcolm was de tel kwijtgeraakt hoeveel whisky's Bernie die avond naar bin-

nen had gewerkt, maar hij dacht dat, als het vergif hem niet doodde, de alcohol het zeker zou doen.
'Bernie,' zei Betsy zorgelijk, 'laten we naar huis gaan.'
'Dat kan nog niet,' zei Bernie. 'Ik moet eerst mijn spel afmaken met mijn vriend Malkie. We hebben in geen jaren een partijtje schaak gespeeld. Niet sinds...' Hij glimlachte wazig tegen Malcolm. 'Hé, ik weet nog van de avond op de boerderij, jij ook, Malkie? Tien jaar geleden? Nee, het was langer geleden, toch? Toen we dat laatste partijtje speelden, jij en ik?'
Malcolm wilde er niet op ingaan. Hij zei: 'Jij bent aan zet, Bernie. Of zullen we zeggen dat het remise is?'
'He-le-maal niet.' Bernie zwaaide op zijn kruk heen en weer en bestudeerde het schaakbord.
'Bernie...' zei Betsy vleiend.
Hij klopte haar op de hand die ze op zijn schouder had gelegd. 'Ga maar vast, Bets. Ik vind de weg naar huis wel. Malkie rijdt me wel, daddoejetochwel, Malkie?' Hij groef zijn autosleutels uit zijn zak op en drukte ze zijn vrouw in de hand. 'Maar je moet niet in slaap vallen, moedertje. We hebben nog iets te doen wanneer ik thuiskom.'
Betsy maakte een hele show van haar tegenzin en haar bezorgdheid dat Malcolm zelf ook veel te veel had gedronken en dat het daarom voor haar dierbare Bernie veel te gevaarlijk was om zich door hem naar huis te laten rijden.
Bernie zei: 'Als hij niet in een rechte lijn van het parkeerterrein af kan rijden, ga ik lopen. Beloofd, moeder. Ik zweer het.'
Betsy wierp Malcolm een veelbetekenende blik toe. Ze zei: 'Zorg ervoor dat hij veilig thuiskomt.'
Malcolm knikte. Betsy vertrok en nu zat er niets anders op dan afwachten.

Voor iemand die verondersteld werd last te hebben van een aangeboren hartafwijking, leek Bernie Perryman het

gestel van een muilezel te hebben. Een uur later had Malcolm hem in de auto gehesen om hem thuis te brengen, en Bernie praatte maar door als iemand met een heel nieuw doel in het leven. Als je hem zo hoorde, wilde hij niets liever dan de trap van de boerderij op lopen en zijn vrouw de broek van het lijf scheuren. Slechts de Dag des Oordeels zou Bernie kunnen tegenhouden zijn 'lieve moedertje' een heerlijk moment te bezorgen.
Tegen de tijd dat Malcolm de langst mogelijke weg naar de boerderij had genomen zonder Bernies achterdocht te wekken, was hij begonnen te geloven dat zijn geliefde haar man helemaal geen overdosis van zijn medicijn had toegediend. Pas toen Bernie uitstapte bij de oprit, kreeg Malcolm nieuwe hoop. Bernie zei: 'Ik voel me een beetje beroerd, Malkie. Poeh. Ik moet even gaan liggen. Het komt door mijn hart.' Hij strompelde in de richting van het huis in de verte. Malcolm bleef hem nakijken tot hij in de heg rolde die langs de oprit stond. Toen hij zich na de val niet meer bewoog, wist Malcolm dat de daad ten slotte ten uitvoer was gebracht.
Tevreden reed hij weg. Als Bernie nog niet dood was geweest toen hij de grond raakte, wist Malcolm dat hij tegen de ochtend in elk geval dood zou zijn.
Mooi, dacht hij. De uitvoering had dan wel eeuwen gevergd, maar zijn weldoordacht plan zou eindelijk vruchten afwerpen.

Malcolm had zich een beetje ongerust gemaakt over het feit dat Betsy haar rol in het daaropvolgende drama zou overdrijven. Maar gedurende de paar dagen die erop volgden bewees ze dat ze een actrice van formaat was. Toen ze 's ochtends wakker was geworden en had gemerkt dat ze alleen in bed lag, had ze gedaan wat iedere verstandige vrouw van een dronkelap zou doen: ze ging haar man zoeken. Ze vond hem niet in het huis, of in de bijgebouwen van de boerderij, dus ze pleegde een paar telefoontjes. Ze belde naar het café; ze belde naar de kerk; ze belde Malcolm. Als Malcolm niet met eigen ogen had gezien dat ze haar man had vergiftigd, zou hij ervan overtuigd zijn geweest dat hij een vrouw aan de telefoon had die ongerust was over het welzijn van haar echtgenoot. Maar ze wás immers ongerust? Ze had een lijk nodig om te bewijzen dat Bernie dood was.

'Ik heb hem aan het begin van de oprit afgezet,' zei Malcolm tegen haar. Hij was de behulpzaamheid en bezorgdheid in eigen persoon. 'Toen ik hem voor het laatst zag was hij op weg naar het huis, Bets.'

Dus ze ging naar buiten en ze vond Bernie, precies waar hij de avond tevoren was gevallen. En haar ontdekking van het lichaam had de noodzakelijke gebeurtenissen tot gevolg.

Natuurlijk werd er een lijkschouwing gehouden. Maar die bleek slechts een formaliteit. Bernies bekende hartafwijking en zijn 'drankprobleem', zoals de autoriteiten het noemden, in combinatie met het buitengewoon slechte weer, brachten de jury tot een heel aannemelijke conclusie. Bernie Perrymans dood werd geweten aan onderkoeling. Hij was overleden in de koudste nacht van het jaar, toen hij over de lange oprit naar de boerderij wankelde na een hele avond te hebben gedronken in café Plantagenet. Zestien getuigen die waren opgeroepen, verklaarden dat ze hem op z'n minst elf dubbele whisky's hadden zien drinken in minder dan drie uur tijd.

Er was geen reden om naar vergif in zijn bloed te zoeken. Zeker niet nadat zijn arts had verklaard dat het een wonder mocht heten dat de man 49 jaar had kunnen worden, de medische achtergrond van zijn familie in aanmerking genomen, om nog maar niet te spreken van zijn 'drankprobleem'.

Zo werd Bernie begraven naast zijn voorvaderen, op het

kerkhof van de kerk van St. James, waar zijn vader en alle vaders vóór hem minstens tweehonderd jaar hadden gezwoegd om er een keurig en schoon godshuis van te maken. Malcolm negeerde de enkele schuldgevoelens die hij koesterde bij Bernies overlijden. Bernie had een aangeboren hartafwijking gehad. Bernie was een beruchte dronkaard geweest. Als Bernie, met een flinke slok op, was flauwgevallen op de oprit, nog geen vijftig meter van zijn huis, en als gevolg daarvan was overleden aan onderkoeling... tja, wie kon zich daar nu verantwoordelijk voor voelen?
Hoewel het treurig was dat Bernie Perryman zijn leven had moeten geven voor de goede zaak, voor Malcolms speurtocht naar de waarheid, was het eveneens waar dat hij zijn vroegtijdige dood zelf had veroorzaakt.

Na de begrafenis wist Malcolm dat hij nu niets anders kon doen dan geduld hebben. Hij had de afgelopen twee jaar niet ijverig Betsy's akker omgeploegd om dit alles teniet te doen door een vertoon van onbetamelijke haast nu het moment van oogsten was aangebroken. Bovendien toonde Betsy genoeg ongeduld voor hen beiden, dus hij wist dat het slechts een kwestie van dagen, misschien van uren, was voor ze zich naar de familienotaris van de Perrymans zou spoeden om inzage te krijgen in de erfenis die haar toekwam.
Tijdens zijn verhouding met Betsy had Malcolm zich dat moment vele malen voorgesteld. Soms was het ogenblik waarop Betsy de waarheid zou vernemen de enige fantasie die hem hielp zijn eindeloze liefdessessies met de vrouw door te komen.
Howard Smythe-Thomas zou zijn kantoor voor haar openstellen en het nieuws ongetwijfeld met een gepast begrafenisgezicht brengen. Misschien zou Betsy aanvankelijk denken dat zijn sombere stemming een houding was die hij voor deze gelegenheid had aangenomen. Hij zou

beginnen met haar 'mijn beste mevrouw Perryman' te noemen, wat haar de indruk zou moeten geven dat er slecht nieuws op komst was, maar ze zou er geen flauw idee van hebben hoe slecht het was tot hij met de bittere realiteit op de proppen kwam.

Bernie had geen geld. Er rustte een zware hypotheek op de boerderij; er was geen noemenswaardig spaargeld en er waren geen investeringen. De inventaris van het woonhuis en van de bijgebouwen was natuurlijk van haar, maar slechts door alle bezittingen, ook de boerderij, te verkopen, zou Betsy een faillissement kunnen voorkomen. Zelfs dan zou het nog op het nippertje zijn. De enige reden waarom de bank tot dusver geen beslag op de bezittingen had gelegd, was dat de Perrymans al meer dan tweehonderd jaar zaken hadden gedaan met die financiële instelling. 'Uit loyaliteit,' zou meneer Smythe-Thomas ongetwijfeld benadrukken. 'Bernard mag dan zijn moeilijkheden hebben gehad, mevrouw Perryman, maar de bank had respect voor zijn afkomst. Wanneer iemands vader, en de vader van zijn vader, en diens vader vóór hem, zaken hebben gedaan met een bankinstelling, wordt een bepaalde marge in acht genomen die niet zou worden verleend aan een persoon die minder bekend zou zijn bij die bank.'

Het zou een juridische manier zijn geweest om haar erop voor te bereiden dat de bank, omdat er geen andere Perrymans op Windsong Farm waren – en meneer Smythe-Thomas zou er goed in zijn geweest om voorzichtig uit te leggen dat een vrouw-op-korte-termijn van een dronkaard-op-lange-termijn niet meetelde – waarschijnlijk Bernies schulden zou invorderen. Ze zou er verstandig aan doen zich op die mogelijkheid voor te bereiden.

'Maar hoe zat het dan met het legaat?' zou Betsy vragen. 'Bernie had het altijd over een legaat.' En ze zou stomverbaasd zijn bij de gedachte aan het bedrog van haar echtgenoot.

Meneer Smythe-Thomas zou natuurlijk niets af weten van een legaat. En, in aanmerking genomen dat de Perrymans beruchte nietsnutten waren die de kost verdienden met niets meer dan in de kerk van Sutton Cheney te werken... Hij zou haar er vriendelijk op wijzen dat het niet waarschijnlijk was dat iemand een fortuin had kunnen vergaren met het verrichten van handarbeid, nietwaar?
Het zou enkele uren duren, misschien dagen, voordat het nieuws tot Betsy's botte hersens was doorgedrongen. Eerst zou ze denken dat er een vergissing was gemaakt. Er moesten toch zeker ergens juwelen verborgen zijn, contant geld zijn verstopt, zilver of goud of eigendomsbewijzen van tot nog toe onbekende bezittingen weggestopt op zolder? Wanneer ze dit had bedacht zou ze gaan zoeken. Dat was precies wat Malcolm wilde dat ze zou doen: eerst zoeken en vervolgens huilend bij hem komen aanzetten. Vanaf dat moment zou Malcolm de touwtjes in handen nemen.
Intussen ging hij opgewekt door aan zijn meesterwerk. De vellen papier links van zijn schrijfmachine stapelden zich bevredigend op terwijl hij de reputatie van Engelands meest belasterde koning redde.
Op de ochtend van 22 augustus 1485 sneuvelden vele rechtvaardigen. Onder hen bevond zich de hertog van Norfolk, die de voorhoede van Richards leger aanvoerde. Toen de graaf van Northumberland weigerde zijn troepen in te zetten om Norfolks mannen, die van hun leider beroofd waren, te hulp te komen, keerde het psychologische tij van de strijd.
Het waren de dagen van massale desertie, van wisseling van loyaliteit, van regelrecht verraad op het slagveld. Zowel de koning als zijn aartsvijand Tudor moet dat hebben geweten. Wat een verklaring was voor de reden waarom beide mannen tegelijkertijd de Stanleys nodig hadden en aan hen twijfelden. Wat er tevens toe bijdroeg te verklaren waarom in het heetst van de strijd Henry Tudor zich

naar de Stanleys spoedde, die tot dusver hadden geweigerd zich in het strijdgewoel te mengen. Omdat hij veruit in de minderheid was, zou Henry Tudors zaak verloren zijn zonder tussenkomst van de Stanleys. Hij voelde zich niet te verheven om erom te smeken, en daarom maakte hij die wanhopige rit dwars over de vlakte, naar de troepen van Stanley.
Koning Richard onderschepte hem. Hij kwam Ambion Hill af donderen met zijn ridders en edelen. Beide kleine strijdmachten ontmoetten elkaar op nauwelijks een kilometer afstand van Stanleys mannen. De ridders van Tudor vielen al snel onder de aanval van de koning: William Brandon en de banier van Cadwallader tuimelden op de grond; de enorme sir John Cheyney viel onder de strijdbijl van de koning zelf. Het was slechts een kwestie van tijd voor Richard zich strijdend een weg kon banen naar Henry Tudor, en dat beseften de Stanleys toen ze de beslissing namen om het kleine, koninklijke leger aan te vallen.
In het daaropvolgende gevecht werd koning Richard uit het zadel geworpen en had hij van het slagveld kunnen wegvluchten. Maar hij verklaarde dat hij wilde sterven als 'koning van Engeland' en ging door met vechten, ondanks zijn ernstige verwondingen. Het vergde meer dan één man om hem op de knieën te krijgen en hij stierf als de koninklijke prins die hij was.
Het leger van de koning sloeg op de vlucht, achtervolgd door de graaf van Oxford, wiens bedoeling het moest zijn geweest om zoveel mogelijk van hen te doden. Ze stoven naar het dorpje Stoke Golding, in tegenovergestelde richting van Sutton Cheney.
Dit feit was de aanleiding tot de daaropvolgende gebeurtenissen. Wanneer iemands leven op het spel staat, wanneer men een bloedverwant is van de verslagen koning van Engeland, richten diens gedachten zich onvermijdelijk op zelfbehoud. John de la Pole, graaf van Lincoln en neef van

koning Richard, bevond zich te midden van de vluchtende troepen. Wanneer hij naar Sutton Cheney zou rijden, zou dat hem rechtstreeks in de klauwen van de graaf van Northumberland hebben gevoerd, die had geweigerd de koning te hulp te komen en die maar al te graag zijn positie als vriend van Henry Tudor – voor wat ze waard was – zou willen verstevigen door hem de dode neef van de koning uit te leveren. Daarom reed hij naar het zuiden in plaats van naar het noorden. En door dat te doen, veroordeelde hij zijn oom tot vijfhonderd jaar Tudor-propaganda.
Omdat de geschiedenis wordt geschreven door de overwinnaars, dacht Malcolm.
Soms wordt de geschiedenis echter herschreven.

Terwijl hij de geschiedenis herschreef, had hij in zijn achterhoofd het beeld van Betsy en haar toenemende wanhoop. In de twee weken die volgden op Bernies dood, was ze niet op haar werk verschenen. De rector van het gymnasium van Gloucester – Snuffende Samuel, zoals Malcolm hem placht te noemen – verklaarde dat Betsy ziek was van verdriet over de plotselinge dood van haar man. Ze had tijd nodig om haar verdriet te verwerken en ervan te herstellen, zei hij bedroefd tegen zijn medewerkers.
Malcolm wist dat ze bezig moest zijn iets te zoeken wat ze voor het legaat kon laten doorgaan, om hem aan haar te binden ondanks het feit dat haar verwachtingen omtrent de erfenis op niets waren uitgelopen. Ze zou als een bezetene de oude boerderij ondersteboven keren, waarschijnlijk Bernies kleding stuk voor stuk onderzoeken om iets van waarde te vinden. Ze zou boeken openschudden, zoeken naar van alles en nog wat, van schatkaarten tot eigendomsbewijzen. Ze zou de inhoud van de zes hutkoffers die op zolder stonden onderzoeken. Ze zou in de bijgebouwen rondkijken terwijl haar lippen blauw werden van de kou. En als ze lang genoeg volhield, zou ze de sleutel vinden.

Die sleutel zou haar naar het kluisje brengen bij dezelfde bank waarmee de Perrymans tweehonderd jaar zaken hadden gedaan. Als de weduwe van Bernard Perryman, met zijn testament in de ene hand en zijn overlijdensakte in de andere, zou ze worden toegelaten. En dat zou het einde van haar hoop betekenen.
Malcolm vroeg zich af wat er door haar heen zou gaan wanneer ze het enkele, groezelige stuk papier zag dat het langverwachte legaat was van de Perrymans. Geschreven in een handschrift zo kriebelig dat het vrijwel onleesbaar was, zou het niets waard zijn voor een ongeoefend oog. Betsy zou denken dat ze niets in haar bezit had wanneer ze zich eindelijk aan Malcolms genade zou overleveren.

Bernie Perryman had echter wel beter geweten, die avond, lang geleden, toen hij Malcolm de brief had laten zien.
'Kijk hier eens naar, Malkie,' had Bernie gezegd. 'Vertel je goeie ouwe vriend Bern maar eens wat je hiervan denkt.'
Hij was dronken, zoals gewoonlijk, maar hij was niet helemaal van de wereld. En Malcolm, die hem net bij een spelletje schaak had verslagen, was bereid om in te gaan op het dronkemansgelal van de vriend uit zijn jeugd.
Eerst dacht hij dat Bernie een pagina uit een grote, oude bijbel had, maar hij zag al snel dat de bijbel in werkelijkheid een soort antiek leren album was en dat de pagina een document was, om precies te zijn een brief. Hoewel er geen opschrift op stond, was het document onderaan ondertekend en naast de handtekening waren nog restjes zichtbaar van de wasafdruk van een zegelring.
Bernie keek naar hem op de sluwe manier waarop dronken mensen een reactie peilen. Dus Malcolm wist dat Bernie wist wat hij in zijn bezit had. Dat maakte hem nieuwsgierig, maar tegelijkertijd behoedzaam.
De behoedzaamheid zorgde ervoor dat hij een vluchtige blik op het document wierp en zei: 'Ik weet het niet, Ber-

nie. Ik kan er niet veel van maken.' Zijn nieuwsgierigheid liet hem eraan toevoegen: 'Waar komt het vandaan?'
Bernie zei met gespeelde onschuld: 'Die oude vloer heeft altijd last bezorgd, nietwaar, Malkie? Die was te laag, de stenen waren te ruw, nooit fatsoenlijk gelegd. Maar wat kun je verwachten wanneer een gebouw god weet hoe oud is?'
Malcolm zocht naar de bedoeling van de ogenschijnlijk nietszeggende opmerking. De oude gebouwen in de buurt waren het gymnasium van Gloucester, café Plantagenet, Market Bosworth Hall, de houten woningen in Rectory Lane, de kerk van St. James in... Zijn blik verscherpte zich en hij richtte die eerst op Bernie en vervolgens op het document. De kerk van St. James in Sutton Cheney, dacht hij. Hij bekeek het document nauwkeuriger.
Toen ontcijferde hij de eerste regel ervan: 'Ik, Richard, bij de gratie Gods Koning van Engeland en Frankrijk en Heer van Ierland...', waarna hij zijn ogen over de haastig neergekrabbelde handtekening liet dwalen, die hij eveneens ontcijferde. Richard R.
Lieve god, dacht hij. Wat had Bernie in zijn dronken handen gekregen?
Hij wist dat het belangrijk was om rustig te blijven. Wanneer hij van zijn belangstelling blijk gaf, zou Bernie hem met huid en haar verslinden. Dus hij zei: 'Bij dit licht kan ik er niet veel van zeggen, Bernie. Mag ik het thuis wat beter bekijken?'
Bernie was echter niet van plan op dat voorstel in te gaan. Hij zei: 'Ik kan het niet uit handen geven, Malkie. Het is een familiestuk. Het is al ik weet niet hoelang in ons bezit en we hebben allemaal gezworen om het veilig te bewaren.'
'Hoe ben je...?' Malcolm wist echter wel beter dan te vragen hoe Bernie tussen zijn familiebezittingen was gestuit op een brief geschreven door Richard III. Bernie zou hem

alleen vertellen wat Bernie dacht dat Malcolm zou moeten weten. Daarom zei hij: 'Laten we er dan in de keuken naar kijken. Vind je dat goed?'
Dat vond Bernie Perryman prima. Tenslotte wilde hij dat zijn oude vriend zou zeggen wat het voor een document was. Ze liepen naar de keuken, waar ze aan de tafel gingen zitten en Malcolm het dikke vel papier bekeek.
Het handschrift was verschrikkelijk, niet de keurige hand van de klerk die bij de koning in dienst moest zijn geweest en diens brieven voor hem had geschreven, maar het handschrift van een geagiteerde man. Malcolm was bijna twintig jaar bezig geweest om elk beetje informatie bijeen te schrapen over Richard Plantagenet, hertog van Gloucester, later Richard III, ook genaamd de Veroveraar, ook genaamd Engelands Zwarte Legende, de Gebochelde Pad en alle denkbare andere scheldnamen. Dus hij wist dat het heel goed mogelijk was dat hij hier, in deze boerderij, op nog geen tweehonderd meter afstand van Bosworth Field en bijna twee kilometer van de kerk van St. James, naar een authentiek document keek. Richard had zijn laatste nacht in deze omgeving doorgebracht. Het zou best kunnen dat Richard ook ergens in die buurt een brief had geschreven, in een gebouw waarin die brief verborgen was gebleven tot...
Malcolm dacht aan alles wat hij wist over de geschiedenis van de omgeving. Toen schoot hem het feit te binnen dat hij nodig had. 'De vloer van de kerk van St. James,' zei hij. 'Die is tweehonderd jaar geleden toch opgehoogd?' En een van de talloze nietsnutten uit de familie Perryman was erbij geweest, had waarschijnlijk geholpen bij de werkzaamheden, en deze brief gevonden.
Bernie hield hem scherp in de gaten. Er speelde een lachje om zijn mondhoeken. 'Wat denk je dat erin staat, Malkie?' vroeg hij. 'Geloof je dat het wat waard is?'
Malcolm kon hem wel wurgen, maar in plaats daarvan

bestudeerde hij het document van onschatbare waarde. Het was niet lang, slechts een paar regels die, naar zijn mening, de loop van de geschiedenis hadden kunnen veranderen en die, wanneer ze eindelijk openbaar gemaakt werden door middel van de historische verhandeling die hij zich onmiddellijk voornam te schrijven, eindelijk de koning zouden rehabiliteren die al vijfhonderd jaar was beschuldigd van een slachtpartij waarvoor nooit een greintje bewijs had bestaan.

Ik, Richard, bij de gratie Gods koning van Engeland en Frankrijk en heer van Ierland, draag op deze dag, de 21e augustus 1485, met dit document de goede vaderen van Jeraulx op om Edward, tot nu toe genaamd de heer Bastaard, en zijn broeder Richard, genaamd hertog van York, over te dragen aan de bescherming van brenger dezes. Het bezit van dit document zal voldoende zijn om de drager te identificeren als John de la Pole, graaf van Lincoln, geliefde neef des konings.
Geschreven in haast te Sutton Cheney. Richard R.

Slechts drie zinnen, maar voldoende om iemands reputatie te herstellen. Toen de koning op 22 augustus 1485 op het slagveld was gesneuveld, waren zijn twee jonge neven nog in leven geweest.
Malcolm keek Bernie strak aan. 'Je weet wat dit is, hè, Bernie?' vroeg hij zijn oude vriend.
'Zo'n domkop als ik?' vroeg Bernie. 'Iemand die niet eens voor zijn examen kon slagen? Hoe moet ik weten wat dat vodje betekent? Maar wat denk jij ervan? Zou het iets waard zijn als ik het verpats?'
'Je kunt dit niet verkopen, Bernie.' Malcolm sprak veel te snel en zonder erbij na te denken. Door dat te doen verried hij zich onwillekeurig.
Bernie griste het document van tafel en drukte het ruw

tegen zijn borst. Malcolm kromp ineen. God alleen wist wat die gek voor schade kon aanrichten wanneer hij dronken was.
'Voorzichtig ermee,' zei Malcolm. 'Het is heel kwetsbaar, Bernie.'
'Net als vriendschap, vind je niet?' zei Bernie. Hij wankelde de keuken uit.
Kort daarna moest Bernie het document ergens anders hebben opgeborgen want Malcolm had het nooit meer gezien. Maar de wetenschap dat het bestond had hem jarenlang vanbinnen verteerd. Pas met de komst van Betsy had hij eindelijk een manier gevonden om dat kostbare stuk papier in handen te krijgen.
Dat zou nu weldra gebeuren. Zodra Betsy de moed had kunnen opbrengen om hem te bellen met het verschrikkelijke nieuws dat het legaat waar ze op had gehoopt niet meer was – in haar ongeschoolde ogen – dan een oud stuk papier, geschikt om op de bodem van een vogelkooi te leggen.

Terwijl hij haar telefoontje afwachtte, legde Malcolm de laatste hand aan zijn *De Waarheid omtrent Richard en Bosworth Field.* Hij had er tien jaar aan gewerkt en nu was er nog slechts één enkel, tot dusver onbekend gebleven historisch document voor nodig om te getuigen van de juistheid van zijn theorie over wat er met de beide jonge prinsen was gebeurd. De uren die hij achter zijn schrijfmachine doorbracht vlogen voorbij als bladeren die van de bomen in het bos van Ambion waaiden, waar een moeras ooit Richards zuidelijke flank had beschermd tegen de aanval door Henry Tudors huurleger.
De brief maakte Malcolms veronderstelling dat Richard aan iemand de verblijfplaats van de jongens had onthuld geloofwaardig. Mocht de strijd ten gunste van Henry Tudor worden beslecht, dan zouden de prinsen in dodelijk

gevaar verkeren, dus op de avond voor het gevecht had Richard eindelijk iemand zijn best bewaarde geheim moeten openbaren: de verblijfplaats van de twee jongens. Zo konden, als Tudor de overwinning zou behalen, de jongens uit het klooster worden gehaald en het land uit worden gesmokkeld, buiten bereik van het kwaad.
John de la Pole, graaf van Lincoln en geliefde neef van Richard III, zou de waarschijnlijkste kandidaat zijn geweest. Hij zou opdracht hebben gekregen om, als de koning sneuvelde, naar Yorkshire te rijden om het leven van de jongens veilig te stellen, die erkend zouden worden en als gevolg daarvan de grootste bedreiging zouden vormen voor de veroveraar op het moment dat Henry Tudor met hun zus trouwde.
John de la Pole zou hebben begrepen hoe groot het gevaar was waarin de jongens verkeerden. Maar ondanks het feit dat zijn oom hem moest hebben verteld waar de prinsen waren verborgen, zou hij niet bij hen zijn toegelaten, laat staan hen hebben mogen meenemen, zonder dat de monniken daartoe de uitdrukkelijke, persoonlijke opdracht van de koning hadden gekregen.
De brief zou hem die mogelijkheid hebben geboden. Maar hij had naar het zuiden moeten vluchten in plaats van naar het noorden. Daarom kon hij de brief niet onder de steen in de kerk van St. James vandaan halen, waar zijn oom die had verstopt aan de vooravond van de veldslag.
Toch waren de jongens verdwenen en niemand had ooit nog iets van hen vernomen. Wie had hen dan meegenomen?
Er kon slechts één antwoord op die vraag bestaan: Elizabeth van York, zus van de prinsen, maar tevens de vrouw die zou trouwen met de zojuist direct na de slag gekroonde nieuwe koning.
Bij het vernemen van het bericht dat haar oom was verslagen, zou Elizabeth heel goed hebben begrepen wat haar

vooruitzichten waren: koningin van Engeland worden wanneer Henry Tudor op de troon kwam, of de zus zijn van een jonge koning, mocht haar broer Edward zijn rechten opeisen op het moment dat Henry haar erkende of de wet herriep waarbij ze tot bastaard was verklaard. Ze kon dus het hoofd worden van een koninklijke dynastie, of een pion in het politieke spel en worden uitgehuwelijkt aan wie het dan ook mocht zijn met wie haar broer een verbond wenste te sluiten.

Sheriff Hutton, haar tijdelijke verblijfplaats, lag niet ver verwijderd van het klooster. Omdat ze altijd de lievelingsnicht van haar oom was geweest en zijn hang naar religieuze zaken kende, zou ze hebben geraden – als Richard het haar niet rechtstreeks had verteld – waar hij haar broers verborgen hield. En de jongens zouden maar al te graag met haar zijn meegegaan. Ze was tenslotte hun zus.

'Ik ben Elizabeth van York,' zou ze tegen de abt gezegd hebben op de gebiedende toon die ze haar geslepen moeder zo vaak had horen gebruiken. 'Ik zal ervoor zorgen dat mijn broers veilig in leven blijven. En wel onmiddellijk.'

Wat zou het gemakkelijk zijn gegaan. De twee jonge prinsen die hun zus voor het eerst in wie weet hoelang terugzagen, naar haar toe renden, haar omhelsden, zich gretig tot de abt wendden toen ze hun vertelde dat ze hen eindelijk kwam halen... En hoe kon de abt een koninklijke prinses, duidelijk herkend door de jongens, haar eigen broers ontzeggen? Zeker in die situatie, met koning Richard dood en met een man op de troon die zijn bloeddorstigheid had geïllustreerd door, als een van zijn eerste daden als koning, een decreet uit te vaardigen dat iedereen die bij Bosworth Field aan de zijde van Richard had gevochten als verrader werd beschouwd. Tudor zou niet vriendelijk gestemd zijn jegens de abdij waarvan bekend werd dat die de twee jongens onderdak had geboden. God alleen wist wat zijn wraak zou zijn als hij hen zou vinden.

Het was dus heel verstandig van de abt om Edward de heer Bastaard en zijn broer Richard, hertog van York, over te dragen aan hun zus. En Elizabeth had hen, toen ze haar broers eenmaal bij zich had, weer aan iemand anders overgedragen. Een van de Stanleys? De dubbelhartige graaf van Northumberland, die Henry Tudor in het noorden bleef dienen? Sir James Tyrell, ooit volgeling van Richard, die nog geen jaar nadat Tudor op de troon was gekomen, tweemaal een generaal pardon was verleend?
Wie het ook was, wanneer hij de prinsen goed en wel in handen had was hun lot bezegeld. En niemand die daarna in leven wenste te blijven zou het wagen een beschuldiging te uiten tegenover de echtgenote van een regerende monarch die al had getoond dat hij de neiging had om zijn onderdanen om te brengen en vervolgens hun land te confisqueren.
Het was, dacht Malcolm, zo'n schitterend plan van Elizabeth. Ze was tenslotte een dochter van haar moeder. Ze wist hoe belangrijk het was om eigenbelang boven alles te laten gaan. Bovendien zou ze zichzelf hebben voorgehouden dat, als ze de jongens in leven hield, de strijd om de troon, die al dertig jaar gaande was, zou worden verlengd. Ze kon een eind maken aan het bloedvergieten door nog slechts een klein beetje meer bloed te vergieten. Welke vrouw in haar positie zou iets anders hebben gedaan?

Het feit dat het meer dan drie maanden duurde voor Betsy de moed had om Malcolm het treurige nieuws mee te delen, maakte hem zo nu en dan een beetje ongerust. Zoals hij het zich lang geleden had voorgesteld, zou ze hysterisch naar hem toe gekomen zijn, nog geen 24 uur nadat ze tot de ontdekking was gekomen dat haar legaat bestond uit een volgekrabbeld stukje vuil papier. Ze zou zich in zijn armen hebben geworpen en hebben gehuild en gewacht op redding. Om te benadrukken in wat voor ellendige positie ze zich bevond zou ze het papier hebben meegebracht om hem te laten zien hoe Bernie Perryman zijn liefhebbende vrouw had misbruikt. En hij, Malcolm, zou het papier uit haar trillende vingers hebben genomen, er een blik op hebben geworpen, het op de vloer hebben gegooid en met haar mee hebben gejammerd om de dood van hun zo lang gekoesterde dromen te betreuren. Want zíj was financieel geruïneerd en híj kon haar, met het magere, armzalige salaris dat hij bij het gymnasium van Gloucester verdiende, niet het leven bieden dat ze verdiende. Daarna, na een heftig en gedenkwaardig rondje matraspoker, zou ze weggaan, terwijl het geminachte stuk papier nog steeds op de grond lag. Dan zou de brief van hem zijn. En wanneer zijn dikke boek was gepubliceerd en de lezingen, televisie-interviews, talkshows en promotietournees zijn agenda begonnen te vullen zou hij geen tijd hebben voor een onnozele huisvrouw die te stom was geweest om te weten wat ze in haar vingers had gehouden.

Dat was het plan. Malcolm maakte zich af en toe zorgen omdat het niet snel en probleemloos werd uitgevoerd. Maar hij hield zich voor dat Betsy's tegenzin om de waarheid te onthullen allemaal deel uitmaakte van Gods grote plan. Het gaf hem tijd om zijn manuscript te voltooien. En die tijd gebruikte hij goed.

Omdat hij en Betsy hadden afgesproken dat discretie geboden was na de dood van Bernie, zagen ze elkaar alleen maar in de gangen van het gymnasium nadat ze weer aan het werk was gegaan. Gedurende die periode belde Malcolm haar elke avond voor telefoonseks, toen hij merkte dat hij tegelijkertijd zowel Betsy tevreden kon stellen als de eerste hoofdstukken van zijn opus corrigeren.

Eindelijk, drie maanden en vier dagen na Bernies onverhoopte verscheiden, fluisterde Betsy hem een vraag toe, op de gang, vlak voor de kamer van de rector. Kon hij die

avond op de boerderij komen eten? Ze keek er niet zo ernstig bij als Malcolm gewild had, haar armelijke omstandigheden en het eind van haar droom in aanmerking genomen, maar daar maakte hij zich niet al te druk over. Betsy had al bewezen een uitstekend actrice te zijn. Ze zou niet op school willen instorten.
Voordat hij die middag naar huis ging, vol van het idee dat zijn fantasie op het punt stond werkelijkheid te worden, diende Malcolm zijn ontslag in bij de rector. Samuel Montgomery accepteerde het met een nogal verontrustend enthousiasme, iets wat Malcolm niet erg beviel, en hoewel de rector zijn verrassing en blijdschap verborg onder valse spijtbetuigingen over het verlies van 'een waardevolle medewerker van het GG', merkte Malcolm dat Montgomery genoot van de triomf verlost te zijn van iemand die hij beschouwde als een opvoedkundige antiquiteit. Daarom schonk het hem meer voldoening dan hij voor mogelijk had gehouden, omdat hij wist hoe groot zijn eigen triomf zou zijn wanneer hij zijn stempel zou drukken op het verhaal van de geschiedenis van Engeland.

Malcolm voelde zich buitengewoon gelukkig toen hij die avond naar Windsong Farm reed. De lange, sombere winter werd gevolgd door een prachtige lente, en het zou nog slechts enkele minuten duren voor hij een vijfhonderd jaar oude misvatting uit de weg kon ruimen en zich tegelijkertijd kon verzekeren van een plaats in het pantheon der historische grootheden. God is goed, dacht hij, toen hij de bocht nam naar de lange oprit van de boerderij. Het was jammer dat Bernie Perryman had moeten sterven, maar omdat zijn dood in het belang was van een historische bevrijding kon met recht worden gezegd dat het doel de middelen heiligde.
Toen hij uitstapte, deed Betsy de deur van de boerderij open. Malcolm knipperde met zijn ogen, verbaasd door de

manier waarop ze gekleed was. Het duurde even voor het tot hem doordrong dat ze een lange bontmantel droeg. Zilvernerts, zo te zien, misschien wel hermelijn. Het was niet de verstandigste manier om je uit te dossen in deze tijd van activisten voor de rechten van het dier, maar Betsy was nooit een vrouw geweest die verder dacht dan haar eigen verlangens.

Voor Malcolm de tijd kreeg om zich af te vragen hoe Betsy erin geslaagd was de aankoop van een bontmantel te financieren, had ze het kledingstuk al opengegooid. Helemaal spiernaakt stond ze in de deuropening.

'Schat!' riep ze. 'We zijn rijk, rijk, rijk! En je raadt nooit wat ik verkocht heb om ons rijk te maken!'

Blijft u graag op de hoogte van de nieuwste spannende boeken?

Kijk dan op

www.awbruna.nl

en geef u op voor de spanningsnieuwsbrief.

Op deze manier krijgt u steeds als eerste alle informatie over nieuwe boeken en kunt u gebruikmaken van aantrekkelijke kortingen en andere lezersacties.

Lees ook van A.W. Bruna Uitgevers B.V.

Elizabeth George

Een onafwendbaar einde

Toby is zeven, Joel elf en Ness vijftien wanneer hun grootmoeder hen dumpt op de stoep van hun tante Kendra. Kendra Osborne, een mooie vrouw van veertig, heeft weinig omkijken naar de schuchtere Joel en de geestelijk gehandicapte Toby. Joel is op school een teruggetrokken eenling, die zich plichtsgetrouw over zijn broertje ontfermt. Hun zusje Ness daarentegen daalt steeds verder af in een wereld van junks, dealers en geweld.
Als Joel en Toby op een dag worden bedriegd, zoekt Joel bescherming bij een ex-vriendje van Ness. Maar deze crimineel vraagt daar wel iets voor terug en Joel slaat daarmee een pad in dat regelrecht naar een desastreuze ontknoping leidt...

ISBN 978 90 229 8735 3

Lees ook van A. W. Bruna Uitgevers B. V.

Elizabeth George

In volmaakte stilte

Wanneer een naakt jongenslichaam verminkt op een grafzerk wordt aangetroffen, herkent de Londense politie hierin al gauw het werk van een seriemoordenaar. Dit is zijn vierde slachtoffer, maar voor het eerst een met een blanke huidskleur.
New Scotland Yard geeft de gevoelige zaak in handen van inspecteur Thomas Lynley en brigadier Barbara Havers. Maar door een afschuwelijke tragedie binnen hun gelederen raken ze het spoor bijster. En dat terwijl de psychopathische moordenaar zich door niets of niemand laat tegenhouden…

ISBN 978 90 229 8731 5

Lees ook van A.W. Bruna Uitgevers B.V.

Elizabeth George

Zijn laatste wil

Deborah St James is verbijsterd wanneer ze op een stormachtige avond de broer van een oude vriendin uit Amerika op haar stoep aantreft. Helemaal wanneer hij haar vertelt dat zijn zus op het Engelse kanaaleiland Guernsey is opgepakt wegens moord. Deborah kan niet geloven dat haar vriendin tot zoiets in staat is.
Samen met haar man Simon reist ze af naar Guernsey om daar alles te doen wat in haar macht ligt om haar vriendin te bevrijden.
Het slachtoffer van de moord is de machtigste en rijkste man van het eiland. Uit zijn testament blijkt dat een groot deel van de lokale bevolking beter wordt van zijn dood. De motieven voor de moord zijn dan ook talrijk. Om meer duidelijkheid te krijgen roept Deborah uiteindelijk de hulp in van haar vriend, inspecteur Thomas Lynley…

ISBN 978 90 229 9164 0

Lees ook van A.W. Bruna Uitgevers B.V.

Elizabeth George

Afrekening in bloed

Ergens in Schotland is een groep acteurs bijeen voor de repetities van een toneelstuk. Nog dezelfde avond wordt de schrijfster van het stuk vermoord. Inspecteur Thomas Lynley moet deze moord onderzoeken. Algauw wordt duidelijk waarom juist hij op deze zaak is gezet: een van de verdachten is een bekende aristocraat. Lynley, zelf van adellijke afkomst, wordt geacht deze delicate zaak met de grootst mogelijke discretie af te handelen. Een stuitend geval van klassenjustitie volgens zijn assistent Barbara Havers. De zaak wordt nog gecompliceerder wanneer Lady Helen, de vrouw op wie Lynley verliefd is, ook een van de verdachten blijkt te zijn…

ISBN 978 90 461 1191 8

Lees ook van A. W. Bruna Uitgevers B. V.

Elizabeth George

Zand over Elena

Elena Weaver is dof, maar leidt desondanks haar handicap een zelfstandig bestaan als studente in Cambridge. Elke morgen gaat ze in alle vroegte joggen langs de rivier. Haar overbezorgde vader staat er echter op dat ze daarbij begeleid wordt door zijn tweede vrouw Justine. Ongeduldig staat Elena op die bewuste, nog donkere ochtend te wachten op Justine. Er hangt een dikke mist over de ontmoetingsplaats bij de rivier. Maar haar stiefmoeder komt niet opdagen en ongeduldig als ze is, gaat Elena ten slotte maar alleen joggen. Rond een uur of zeven treft schilderes Sarah Gordon Elena's ontzielde lichaam aan. Inspecteur Thomas Lynley en brigadier Barbara Havers worden op deze mysterieuze moordzaak gezet.
Al snel komen zij erachter dat Elena niet zo braaf was als iedereen dacht. Ze blijkt een behoorlijk losbandig en bruisend 'geheim' leven te hebben geleid. Toch houdt iedereen in Elena's omgeving hardnekkig de schijn op. Lynley en Havers vertrouwen het niet en vermoeden dat er meer aan de hand is.

ISBN 978 90 461 1239 7